Не чувствуя ни нужды, ни охоты
заканчивать поэму, полную
революционных предчувствий,
в года, когда революция
уже произошла...

Александр Блок. «Возмездие»

ДМИТРИЙ БЫКОВ

ИЮНЬ

Роман

РЕДАКЦИЯ
ЕЛЕНЫ
ШУБИНОЙ

Издательство
– АСT –
Москва

УДК 821.161.1-31
ББК 84(2Рос=Рус)6-44
    Б95

Художественное оформление Андрея Бондаренко

Быков, Дмитрий Львович.
Б95   Июнь : роман / Дмитрий Быков. — Москва :
Издательство АСТ : Редакция Елены Шубиной,
2018. — 507, [5] с. — (Проза Дмитрия Быкова).

    ISBN 978-5-17-092368-7

Новый роман Дмитрия Быкова — как всегда,
яркий эксперимент. Три разные истории объединены временем и местом. Конец тридцатых и се-
редина 1941-го. Студенты ИФЛИ, возвращение из
эмиграции, безумный филолог, который решил,
что нашел способ влиять текстом на главные решения в стране. В воздухе разлито предчувствие
войны, которую и боятся, и торопят герои романа.
Им кажется, она разрубит все узлы...

    УДК 821.161.1-31
    БКБ 84(2Рос=Рус)6-44
    ISBN 978-5-17-092368-7

- О Г Л А В Л Е Н И Е -

~ ЧАСТЬ ПЕРВАЯ ~

Когда в октябре 1940 года Мишу Гвирцмана исключили из института, у него появилось много свободного времени.

Как им распорядиться, Миша не знал. Оставаться дома было немыслимо, вздохи матери доводили его до белой, буйной, несправедливой ярости. Он еле удержал ее от похода к ректору, от заявления с признанием собственной вины, — и она притихла, но не успокоилась, нет. Особенно ужасны были ежечасные предложения что-то съесть, подкладывание вкусненького. Впрочем, вечернее покашливанье отца и нарочито-бодрые разговоры о чем попало, чаще всего о газетных новостях, были ничуть не лучше. Не мог оставаться дома, первое время просто шлялся по городу, благо сентябрь был теплый, почти летний, и ноги сами уводили как можно дальше от Сокольников, чтобы ни-ни-ни, не встретить человека из института. Никто ему не попадался, не звонил, не предлагал повидаться: для одних он был зачумленный, другие чувствовали себя виноватыми. Он допускал, впрочем, что некоторые радовались, но вряд ли многие.

Большая часть времени уходила на то, чтобы закрасить настоящие воспоминания и выдумать новые, врастить их в картину мира. Он полагал себя в академическом отпуске. Сказал же ему Евсевич, вполголоса, еще и подмигнув: ничего, придете через полгода, все забудется, восстановитесь. Если бы еще прошлой весной кто-то посмел ему намекнуть, что он будет утешаться подмигиваньем Евсевича, приспособленца, вечно висевшего на волоске, в страхе изгнания, а все-таки бессмертного! Раз в семестр Евсевич менял свою концепцию истории русской критики, которую преподавал блекло, полушепотом, а когда-то считался эффектнейшим лектором Москвы, и держали его, кажется, лишь затем, чтобы показать результаты перековки. Непонятно только, был это дурной пример или хороший. Вот что будет с тем, кто перековался, — или с тем, кто в душе остался не наш! Евсевич, безусловно, был не наш. Наш не может быть таким. И теперь, когда Евсевич возле деканата наклонился к нему воровато и полушепотом пожалел, Миша Гвирцман был себе вдвойне отвратителен.

Некто хотел изнасиловать женщину, но не смог. Кто-то шел мимо, или иначе помешали, или просто, бывает, не получилось. Она, однако, подняла шум, и его посадили. Он отсидел, вышел и изнасиловал ее, потому что иначе было обидно. Такой сюжет. Миша не знал, прочитал его где-то или придумал. Валя из его мыслей была изгнана начисто и пребывала в изгнании, пока он не понял, что обдумывание планов мести способно пролить на рану хоть сколько-то бальзама, пусть и второсортного. Планы мести были троякие. Первый, откровенно детский: он многого достигал и торжествующе, презрительно шел мимо. Из серии «Тогда она поняла». Желание славы, раз уже испытанное в истории с Леной М. Он читал на пушкинском вечере «Воспоминания в Царском Селе», был вылитый Пушкин, в качестве Державина присутствовал умиленный Сельвинский, но... месть не удалась. Он счастлив был позволением проводить Лену два раза — и все. Но теперь-то уж, конечно, мы не дрогнем.

Второй был взрослей, решительней: он реабилитировался, вся история забывалась как мелкая неприятность — у кого их не было? — и от него зависело ее трудоустройство или карьера, и Валя получала такой от ворот поворот, какого не делал в Сокольниках любимый трамвай 4a.

Третий был самый странный, он не ждал от себя ничего подобного: нравилось представлять ее повешенной или подвергаемой пыткам, какими франкисты пытались сломить испанских коммунистов, попавших к ним в лапы. Мечты и даже сны такого рода вызывали кратковременное облегчение и жгучий стыд.

Вообще же — к черту, все к черту! Когда он, бледный, но гордый, выходил из института после собрания, без слез, естественно, однако дергалось веко, — его нагнал Игорь: брось, ничего страшного, никто не верит, все это не всерьез. Миша тог-

да остановился и чеканно переспросил: не верит?
Почему же ни одна сво... ни один... не раскрыл
рта? Почему воздержался только ты, и не против,
заметь, а воздержался? Но ты же понимаешь, старик... Я не старик, огрызнулся он тогда, это ты старик, и все вы старики. Вообще держался вроде бы
не самым стыдным образом. На следующий день
к нему пришел Полетаев — странный человек,
кое-чего повидавший. Мише Полетаев всегда нравился, хотя говорили о нем разное. Он был, говорят, в ссылке. Марина сказала, что от него буквально пахнет ватником. Ей-то откуда знать, как
пахнет ватник? Полетаев однажды похвалил его
стихи, вообще, кажется, был к нему сдержанно рас-
положен. Он был у Миши на дне рождения,
восемнадцатом, самом счастливом — знать бы тогда! Нет, лучше, конечно, не знать. Просидел три
часа молча. Так что запомнил, где Миша живет,
и пришел без звонка, хорошо, что застал. Вышли
пройтись. Полетаев некоторое время молчал, потом
сказал: не могу ничем тебя утешить, да тебе и не
нужно (Миша гордо кивнул), и вообще не старайся
себе внушить, что ничего особенного не произошло. Безусловно, произошло. Но, во-первых, поэту
нужна судьба, и теперь ты будешь писать иначе.
Я всегда, сказал Полетаев, догадывался, что тебе
не хватает именно толчка. Сколько можно писать
о Жанне д'Арк? Теперь будет внутренний опыт,
и все, что ты напишешь, будет уже не детское.
Ни в коем случае не надо прятаться. Надо принять,
пережить и превратить в лирику. А во-вторых, ты

этого хотел, Жорж Данден. Очень многие страдают без вины, что и некрасиво, и унизительно. Ты же можешь сказать, что пострадал из-за любви, и это лучше, чем огрести просто так. Но пойми, сказал Миша, ведь ничего не было. Не было, так будет, загадочно сказал Полетаев. А я, добавил он, думаю сам уйти — этот институт совсем не то, что надо, просто обидно уходить на ровном месте. Я уйду так, чтобы вышла польза. Ну, ладно, мне направо — и исчез, как явился, внезапно.

Катя не решилась прийти, но написала. Писала она, что про Валю всем давно понятно, и что она-то, конечно, с самого начала понимала, что Миша не такой и ничего не могло быть. Все про это говорят, и вокруг Вали образовался как бы колокол, из которого высосали воздух. Этот физический опыт из учебника Перышкина знали все. Ужасней всего — нет, противней всего, потому что ужасное происходило сейчас с Мишей, — противней всего было то, что Катя приложила к письму стихи, и по стихам было понятно, какая она некрасивая, с прыщавеньким лбом. Стихи были с отвратительной рифмой «дым из труб» — «на ветру», и почерк ее был школьный. Его жалели только люди вроде Евсевича и девушки вроде Кати, чье тихое обожание он принимал с откровенной брезгливостью. Вызывать сострадание у тех, кого презираешь, — что хуже? Он записал эту мысль в дневник, который теперь убрал из ящика стола и спрятал как следует.

* * *

— 2 —

Что, собственно, случилось? Прежде чем мысленно переписывать прошлое, его надо было по крайней мере уяснить; назвать вещи своими именами, чтобы придумать эти имена заново. Назовем же: его все-таки не стали исключать из комсомола. Если бы исключили, это означало бы куда более серьезные последствия. Тут и отца погнали бы с работы, и вообще могло быть что угодно. Но по комсомольской части объявили выговор, и на этом все закончилось. Да и что, по самому строгому счету, могли ему инкриминировать? Изнасиловал? Смешно. Поцеловал? И этого не было — скользнул губами, и только потому, что явно заигрывала сама. Но он, конечно, не сказал об этом ни слова. Все было рыцарственно. По большому счету, ему не в чем себя упрекнуть. И если она затеяла всю эту историю, то лишь для того, чтобы избежать соблазна. Так у них могло что-то быть, он чувствовал. А после того, как она написала заявление, — все отрезано, и она опять звезда факультета, невенчанная вдова героя, столп чистоты. Интересно, до пятого курса проходит так? Не может быть, выгонят с третьего. Сказал же ей Толкачев на майской сессии: ответ, конечно, малоудовлетворительный, но в связи с исключительными обстоятельствами... Остальные про обстоятельства не сказали, но было ясно.

Итак. Пойдем с начала, с самого начала. Он увидел ее при подаче документов, но не уверен сейчас, она ли это была. Любовь всегда присылает вестниц. Тогда, оставляя свои грамоты и папку со стихами, он заметил ее взгляд — как бы иронический и при этом сразу сдающийся, долгий. И обязательное подталкивание подружки локтем, и сдержанный хихикс. Он прошел мимо не удостоив — еще в девятом классе привык, что звали то Пушкиным, как после того вечера, то Байроном, когда Нонна Ивановна прочла им Байрона. Шел и сам чувствовал, как хорош, — несмотря на малый рост, из-за которого никогда не страдал, всегда гордился. Важен не рост, а соразмерность. У него был рост Лермонтова, совсем немного не дотянул он до Гёте.

На вступительных испытаниях они с Валей пересечься не могли, потому что Миша, почти отличник (подгадила геометрия), поступал после легкого, символического собеседования, на которое и шел как на праздник. Праздник, как и аттестат, был подпорчен — собеседование у него принимал Ларин, доцент, тихий, стройный, всегда улыбающийся. Миша, пожалуй, заигрался: белая рубашка с открытым воротом, блеск глаз, несколько наигранная пылкость — он думал выехать на одном обаянии, но это не прошло. Теперь, наверное, он предпочел бы экзамены, потому что нынешняя катастрофа прислала вестника еще на собеседовании. На всю природу, казалось, наползла тень, даже сияющий июньский день поблек за окнами, когда Ларин, вдруг перестав улыбаться или, точней, начав улыбаться совсем по-змеиному, вдруг сказал: ладно, ваши знания весьма поверхностны, вы, так сказать, нахватаны, поговорим теперь серьезно. Миша понял, что Ларин его не полюбил, а ведь все, что Миша делал и говорил раньше, было рассчитано именно на любящих. Он отвык от другой среды. Когда-то, класса до седьмого, в прежней, тридцать третьей школе его не любили, но он постарался это забыть, изжить. Ларина можно понять: он увидел перед собой — думал теперь Миша — удачливого мальчика, мысленно уже поступившего, вступившего на легкую дорогу (рассказывали о ларинском блистательном начале, которое в двадцать восьмом году вдруг подкосили при темных обстоятельствах, он в чем-то был замешан, — и с тех пор его высшим наслаждением было низвергать счастливцев). Что же, сейчас мы этого удачника... «Теперь серьезно. Вы сказали, что романтики видели воплощение своих идеалов в фигуре Наполеона. Это спорно, однако примем на веру. Отчего же "столбик с куклою чугунной„ вызывает такую иронию у Татьяны, и в какой момент у Пушкина наметился скепсис в отношении Наполеона?» Миша понес невразумительную чушь о том, что в Татьяне говорит оскорбленная любовь, отвергнутое девичье признание, — а надо было, конечно, говорить о том, что «Евгений Онегин» был первой ласточкой русского реализма, что для реалиста Наполеон лишь самовлюбленный убийца, процитировать «Мы все глядим в Наполеоны; двуногих тварей миллионы для нас орудие одно», и уж он набрал бы цитат, потому что «Онегина» знал наизусть, выучил без малейших усилий к пушкинскому году; но не нашелся, и Ларин его прервал: «Так-с. Этого вы не знаете. Чем вы объясняете, что роман Пушкина называется "Капитанская дочка„, тогда как Маша Миронова — а далеко не главный персонаж?» Мишу подмывало рассказать свою теорию про скрытую пружину действия — но пришла спасительная мысль: «Для Пушкина, — сказал он с отчаянной дерзостью, — вообще характерно давать название вещи как бы по касательной. "Медный всадник„ не про "Медного всадника„, "Золотой петушок„ не про петушка: они лишь символы. И капитанская дочка — лишь символ чистоты и чести». Ларин хмыкнул. «А Дубровский»? — спросил он, улыбаясь уже не столь змеино. «А название "Дубровский„ было дано при публикации Жуковским», — отчеканил Миша с сознанием трудно добытой победы. Ларин покачал головой, усмехнулся и спросил что-то вовсе уж простое про Мопассана. Мопассана от Миши никогда не прятали, и он с легкостью пустился рассказывать о деградации художника, отравленного общественным разложением. «Мопассан как настоящий парижанин...» — начал он. Ларин поднял бровь. «Парижанин? Он был норман-дец». — «Но жил и умер в Париже», — парировал Миша. «Он умер в Пасси, в лечебнице. И вот так у вас все, понимаете? Все поверхностно, приблизи-тельно. С этим багажом можно было считаться эру-дитом в школе, но в институте, тем более в таком... Хорошо, собеседование вы прошли. Но расслаблять-ся, Гвирцман, — расслабляться я вам не советую».

И он не расслабился, хотя вечером отец повел их с матерью и с дядей Леней в открытое кафе в Парке культуры, где пили слабое сладкое вино, и ели мороженое, и отец провозглашал смешные неловкие тосты. Миша сидел скромный и строгий. Он сказал только: спасибо, дорогие параны — parents, родители, — но я понимаю, как мало еще умею и знаю. Вообще об успехах говорить рано. Правда, уже следующим утром его затопило такое счастье — поступил, и лето впереди, и он так пре-красно нашелся насчет Дубровского, — что пред-чувствие померкло, а ведь Ларин тоже был вест-ник. Но Миша, что греха таить, был уверен, что счастливцев срезают всегда, просто чтобы не зано-сились, так что отнестись к этому следовало с бла-годарностью, словно к экзамену на смирение. Зада-вак ненавидел он сам. И он все забыл, вытравил, а в середине сентября — занятия начинались деся-того — увидел Валю. Он долго на нее смотрел, и она почувствовала этот взгляд, и ответила, но не-брежно, без интереса. Он понял, что случилось непоправимое. В отличие от счастливой тройки

отличников, прошедшей собеседование: он, скуч-
ный Ваня Карцев и неприятная, прилипчивая
Катя — они все сдавали экзамены и успели сдру-
житься. Валя училась теперь в одной группе с
Николаем Тузеевым, по его личной просьбе. На
общих лекциях она сидела только с ним, но иногда
Миша ловил ее взгляд, словно говорящий: а вот
оно как. А тебе шиш.

Ну, что делать. Тузеев прибыл из Сталин-
града, где его отец работал начальником цеха на
тракторном и где сам он успел год отработать после школы. Заочно учился в педагогическом, писал стихи, печатался в газете «Искра индустрии».
Кстати и некстати подчеркивал, что на очное не
стал поступать сознательно, решил попробовать
жизни. Напробовался быстро, почти сразу оказался
в рабкорах, потом, как молодой и перспективный,
получил направление в ИФЛИ. Почему человек,
который прочел, допустим, всего Бальзака, хуже
знает жизнь, чем другой человек, проездивший
год по сталинградским командировкам и писавший о том, как сельские школы готовятся к учеб-
ному году? На собрании припомнили — Никитин,
кстати, настолько уже явная сволочь, что угады-
валась за этим сознательная жажда падения, поиск вдохновения на дне, за отсутствием абсента
и сифилиса, — припомнили, что Миша смеялся
при обсуждении стихов Тузеева. Ну да, смеялся.
Вот Ширшов сидел с каменным лицом, еще более
смешным, чем стихи Тузеева, Катя закрыла лицо
руками. Умная Катя. Что ему стоило тоже закрыть

лицо руками на стихотворении, скажем, про утреннюю степь, в которой так хорошо, что <u>не может он стерпеть</u>, — такая рифма на «степь». Миша представил, как именно «не может», но дальше было даже лучше, потому что поэт хотел бы, конечно, любоваться степью, но у него много дел, и все срочные. И Миша, надменный Миша, переглядывался с остальными участниками андреевского семинара, но Андреев покосился неодобрительно, и прочие не поддержали веселья. Тузеев после обсуждения, на удивление снисходительного, сказал, глядя в свои листки: вообще, конечно, я понимаю, что для некоторых... которые знают жизнь из дачного окна... это все несколько коряво, шершаво, занозисто. Но сказал же наш сталинградский поэт, он же рабочий, стихи пишет в свободное, тэ-скэть, время: и будет пусть в стихе заноза! Миша хотел тогда сказать — и, может, лучше бы сказал, откровенность искупает многое: дорогой товарищ, не надо хвалиться занозами! Мозолями! У нас дачи нет, но мы ее однажды снимали, и мне пожилой садовод там объяснил: если у вас мозоли от лопаты, вы просто ее неправильно держите! Так же, думаю, и с занозами. И не надо выхваляться корявостью стиха — не станешь же ты хвалить коряво сделанный трактор, если брать область, которая тебе ближе. Но он ничего не сказал и, что всего ужаснее, жарко покраснел.

Тузееву удивительно везло, словно пружина сжималась или рогатка натягивалась, дабы выстрелить последним и главным невезением в первом же бою. Его боялись трогать, напечатали в «Красной нови» в подборке лучших студентов, с хвалебным предисловием Андреева (у Миши взяли сначала балладу, но по темным причинам она вылетела из верстки, да он и не верил, что напечатают); на семинарах, какую он чушь ни ляпни, обязательно со ссылкой на своих пролетарских философов, всю жизнь отработавших на тракторном, но в свободное, тэ-скэть, время... — преподаватели усиленно кивали, и даже Коробкина, на которую уж подлинно было не угодить, сказала, тряся седой головенкой: многие зубрят, а Тузеев мыслит! И кто бы ждал — Боря, непреклонный Боря, не хваливший никого, и у Маяковского находивший слабости, сказал на одной из прогулок по Тверскому, глядя, однако, в сторону: конечно, Тузеев есть Тузеев, но все-таки, как угодно, никто не обещал, что пролетарская поэзия начнется с Бодлера или хоть с Некрасова. Тузеев — первые попытки, у него появляются даже метафоры, «зеленый, снежный ком луны». Боже мой, если снежный, то отчего зеленый?! Да, кивнул Борис, мы можем лучше, но за каждым из нас стоит известная культура, а за Тузеевым — ничего. И хотел Миша возразить, что за Тузеевым стоит папа-начцеха, а это серьезней любой культуры, — но смолчал, потому что, назовем вещи своими именами, боялся Бориса. Борис был вожак, негласный инспектор молодой поэзии, человек прямой и храбрый, столь храбрый, что на то собрание не пришел, сказался больным, и, когда — опять отводя глаза — сказал Мише неделю спустя, что тактически правильного решения в ситуации не было, Миша очень прямо ему ответил: Боречка, ты всегда теперь так будешь. Понимаешь? Всегда. И вожак-инспектор ничего не сказал на это. У Миши было теперь изгойское право говорить им все как есть, преимущество, которое жаль покупать такой ценой, но другой не бывает. Он по крайней мере мог теперь не скрывать, что тузеевские стихи — дрянь, и даже то, что Тузеева убили, не сделало их лучше.

«Тактического решения не было». Но как же Робин Гуды, как же кружок, братство, один за всех — все за одного? Как же возрождение добрых нравов, и если уж Борис, железный Борис, оказался таким картонным — если лучшие из них настолько ни на что не годились, — каков же должен быть катаклизм, из которого внезапно образовались бы новые, не гнилые люди? Об этом он думать боялся.

* * *

— 3 —

Война началась внезапно, как все очевидно неизбежные вещи: не может же быть, чтобы простые правила так наглядно сбывались? Но вот сбылась, и в понедельник, четвертого декабря, был всеинститутский митинг, и ректор Карпова сказала с явным неудовольствием, что могли бы собраться и в воскресенье, не перетрудились бы, и тотчас следом за ней Тузеев заявил, что отправляется добровольцем и будет записывать всех желающих, и тридцать человек немедленно выстроились к нему в очередь, а Миша туда не пошел. Миша был освобожден от военной службы. Мать — кардиолог. У него действительно были осложнения от детских ангин. Он еще в школе был спринтером, потому что не мог бежать долго. Освобождение ему подтвердили на повторной медкомиссии в сентябре. Маме ничего не пришлось выдумывать. Он знал, что, если дойдет до крайности — чего быть практически не могло, но все понимали, что будет, — его призовут все равно, он был типичный второэшелонник; но пока не дошло, он действительно не имел права рисковать собой и другими. Еще не хватало на фронте приглядывать за его здоровьем.

А Тузеев вызвался добровольцем и переписал всех желающих, и естественней всего было предположить, что ему повезет и тут — скажут спасибо, внесут в реестры добровольных героев, но не призовут, скажут: дойдет до вас очередь, навоюетесь. А пока пусть другие, не студенты. Но тут его везение кончилось — их всех призвали. Впрочем, на то он, верно, и рассчитывал? Быстрая победоносная война, триумфальная прогулка до Хельсинки, и ты герой. Так же попробовать войны, как попробовал он жизни. И, чем черт не шутит, попасть в дивизионную газету. Миша понимал, что это мысли подлые, но продолжал приписывать герою Тузееву самые худшие намерения, и мертвый Тузеев, так незаслуженно ему навредивший, ничуть в его глазах не улучшался. Коробкина рассказывала об устойчивом готическом мотиве — мертвом женихе; Миша мечтал написать такую балладу, но сам в нее попал. Мертвый жених Тузеев встал у него на пути и вышиб из седла. Где-то были теперь его длинное лицо, белесые волосы, приплюснутый нос, похожий на вжатую кнопку, — как все это после смерти изменилось? Тузеев, конечно, ничего не знал о Мишиной катастрофе, а между тем ясно было, что он-то ее и организовал.

Сначала от него ничего не было. Война шла трудно, не так, как предполагалось. Катя съездила в Ленинград и сказала, что в некоторых районах

по ночам отключают электричество — то ли для
маскировки, то ли его не хватает. И будто бы даже
хлебные очереди. Сама не видела, но говорят. Говорили также, что финны более приспособлены для
войны в зимних условиях, что все они прирожден-
ные лыжники. Миша вообще не понимал, почему
финны. Ему казалось, что это случайная, преждев-
ременная растрата долго копившегося напряжения. Об этом шли разговоры. Боже мой, он вел
разговоры и не предполагал, как это все может
быть повернуто! Но, к счастью, на собрании никто
об этом не вспомнил, а может, умолчали расчетли-
во, потому что пришлось бы отвечать самим: а почему не возразили? не сообщили? Что и с кем он
осмеливался обсуждать! Например: почему финны?
Торкунов сказал с новообретенной солидностью:
старик, немцы называют это геополитикой. Они
давно в этом понимают. Почитай Хаусхофера, только что перевели. Нам надо было это сделать, потому что Финляндия ведь исконно наша. Мы не можем оставлять врагу такой плацдарм, а Рюти,
безусловно, враг. Ему предлагали идеальные условия. Они выжидают. Если большая война, то это
направление главного удара. Ленинград — это
тридцать, кабы не больше, процентов оборонной
промышленности, ты слышал про это? Это все
высокоточное оружие. Мы должны были. А Полетаев просто сказал: ну, как же иначе? Ты разве не
чувствовал? Чувствовал, сказал Миша (как казалось ему теперь, довольно тупо). Но почему именно финны? А какая разница, ответил Полетаев,

хоть бы и папуасы. Он-то был осторожен, опытный
Полетаев, знал, что можно, чего нельзя.

Потом вернулся едва оправившийся от воспа-
ления легких Гриша Кумов. Видимо, все было не
так серьезно, если домой отпускали после пнев-
монии. Кумов был неудачник, так и выглядел,
и даже на войне ему не посчастливилось — комис-
совали не после раны, не как героя, а из-за болезни, вполне гражданской. Он был мал, квадратен,
непонятно почему поперся добровольцем: может,
надеялся вырасти, набраться нового опыта, а то
было совсем непонятно к чему человек. И опыта он набрался, но, как всегда бывает с такими
людьми, непременно нуждающимися в ужасном,
чтобы вырасти, этот опыт его раздавил. Он зашел
в институт в феврале всего дважды. В первый раз
Миша не решился к нему подойти, к тому же вокруг него толклись, а Миша не любил растворяться
в толпе. Во второй раз Кумов пришел через неделю, и Миша подошел, скрывая неловкость, держа
руки в карманах: ну что, Гриша? Но бодряческий
этот тон совсем не годился, и Миша просто сказал:
ты знаешь, душа у меня неспокойна. Я думаю, что,
может быть, следовало пойти. И Кумов, подняв
на него глаза и почувствовав, может быть, серьез-
ность вопроса, ответил: тебе — тебе это ни в коем
случае не надо. И никому не надо. Что, спросил
Миша, такой ужас? Да не ужас, ответил Кумов,
не надо — и все. Лишнее. Но хотя бы что там происходит? Я был в бараке, неохотно пояснил Кумов,
такой барак-лазарет. А на самой войне что? Кумов

ответил, что войны почти не видел, заболел скоро.
Огляделся и добавил: с обмундированием не очень
хорошо. Довольно холодно. (Зима была в самом
деле лютая, даже в Москве чувствовалось.) И кроме того... ты знаешь, у меня было впечатление, что
много времени тратится непонятно на что. Самой
войны мало, передвигались непонятно куда, ничего не объясняли. Выбирали позицию, потом вдруг
уходили. И как-то вдруг оказывалось, что кругом
финны. Я заболел, сказал Кумов, и меня увезли,
а почти вся наша рота потом... Опять-таки не очень
было хорошо с креплениями для лыж, иногда приходилось приматывать веревками. Это не всегда
удобно. У финнов были крепления. В общем, тебе
не надо было, не следует думать, что это полезно.
И Кумов исчез, словно его притянула к себе почти полностью исчезнувшая рота. Говорили, что он
уехал к себе в Белгород. Но вообще понятно было,
что не жилец.

А в марте погиб Тузеев, и в тот же день погиб
Робштейн, пытавшийся его, уже мертвого, вытащить из-под обстрела. Погиб совершенно ни за что,
просто чтобы бросить себя на неведомую чашу,
которая вдруг перевесит — и тогда все поймут,
что хватит. Тузеев Робштейна терпеть не мог, видел в нем одного из дачников, которых почему-то
считал средоточием зла, — тогда как Наум был
с Донбасса, успел понюхать жизнь лучше сталин-
градского рабкора. Миша его любил, но издали.
Приближаться к Робштейну он не хотел — тот был
слишком шумен, неряшлив, нелеп, и чем-то таким

Миша боялся от него заразиться: чутье на обречен-
ных. Но поэт он был настоящий, и Миша успокаивал свою совесть тем, что несколько раз сказал ему:
слушай, это удача. И Наум, уже издавший у себя
в Донбассе две книжки по-украински, радовался
как дитя, нет, как слон. Он радовался всему, без
надрыва, не накручиваясь, просто потому, что после нищего беспризорного детства любой кусок пи-
рога был для него произведением искусства, пиром
сложности. И то, что он погиб из-за Тузеева, было
для Миши отдельным горем. Он хотел написать
о Робштейне балладу, но что-то в этом было непри-
личное. Скорей бы он написал про Валю. Тут нашлась действительно лирическая тема. Потому что
Валя была теперь свободна — но более недоступна,
чем когда-либо. От живого Тузеева она ушла бы наверняка, а мертвый он стиснул ее намертво.

* * *

— 4 —

Шестого марта, когда в институте узнали
о двух смертях, ее била истерика, слишком громкая, чтобы выглядеть настоящей. Икала, стучалась
головой о стену, отпаивали водой и валерьянкой.
Девочки дежурили у ее постели в общежитии,
чтобы не наложила на себя руки. Уже девятого
явилась в институт, траурная, строгая, ни слезин-
ки в глазах, словно желая достойной учебой, дело-
витостью соответствовать памяти героя. Черное ей
шло. Миша мысленно писал ей письмо.

И потом всю весну, все лето ничего не было.
Правда, в мае его так замучили сны о ней, и в этих
снах она была так расположена, так податлива,
что между зарубежкой и творческим семинаром,
между мейстерзингерами и Андреевым он подошел
и сказал: Валя, я все понимаю. Если вдруг какие-
то трудности, я готов... и тут же оборвал себя: так
не вовремя, так высокомерно это вышло! Какие
трудности в учебе, он что же, предлагал себя в ре-
петиторы? И она посмотрела ледяными глазами,

совершенно не так, как во сне, и он отвел взгляд, но тут она вдруг улыбнулась. Ты что, Мишка, сказала она. Мишка! Он никогда не слышал, не чаял услышать от нее ничего подобного. Ты что, краснеешь? Ну да, краснею, ответил он, и это был первый его удачный шаг в отношениях к ней. Всего глупей было бы сказать «нет, что ты» — и запунцоветь окончательно. Да, я краснею, мне неловко. Мне вообще все теперь с тобой неловко. Да, сказала она вдруг по-взрослому, как умела, и проступило на секунду все ее настоящее обаяние, вот уж два месяца как спрятанное. Со мной всем теперь неловко, все сочувствуют и никто не подойдет. А я что ж, я человек. Я в кино иногда хочу. Но мне нельзя. Ты понимаешь? Он кивнул, и так ее было жалко в эту минуту! Безмужняя вдова. Идиот. За эту секунду жалости он себя проклинал теперь. И никакой грубости, вот интересно, никакой простоватости не было в эту секунду в ее лице. Или он весь был под действием мейстерзингеров? Но ему показалось тогда, что ничего нет возвышенней этой бесплотной любви: она — вдова, не познавшая замужества, он — рыцарь, не допущенный даже к самому куртуазному ухаживанью. И не рыцарь даже, а, допустим, конюший. Сцены из рыцарских времен. И как прелестно просветило ее солнце, как она вся порозовела, какая была ослепительная рыжая прядь! Уже совершенный расцвет, поздняя весна. Почему она тогда позволила ему эту близость? Заманивала? Но какой расчет, какая ей выгода от того, что он теперь так растоптан? Этого он не понимал, но почему-то все лето, идиот, считал ее своей. Весь царицынский цикл, все, что сочинено было на даче, все, что рассчитывал послать и так и не осмелился, — все посвящалось ей, он никого другого и не представлял теперь. И Даша, соседка, туманно намекавшая на какие-то июньские грибы колосники, на какой-то шалаш, на то, что у нее все уже было, — оставляла его безучастным, о чем он сильно теперь жалел. Все было глупо, так глупо! А между прочим, стихи были неплохие, особенно одно, раешина-скоморошина. Сам не ожидал от себя. Теперь все это пришлось забыть, он давно порвал царицынскую тетрадь, но стихи, к сожалению, помнил. Не так легко они забывались.

И начался третий курс, и по случаю его начала — чему радовались, интересно? — всех собрала Клара Нечаева, у нее была настоящая трехкомнатная квартира. Отец ее был шишка, но, странное дело, никто не знал его должности. А впрочем, настоящим шишкам так и положено: о них никто ничего не знает, и все им можно. Это была шишка, так скажем, нового поколения. Потому что, когда он был у Веры (вот, может быть, последняя развилка в его жизни, когда все можно было поменять, — конечно, Вера-то настоящая, она человек, и потому у нее так все сложилось), — у Веры он видел совершенно другой стиль. Там отец был действительно из тех, из конницы, из легенд. Можно ли представить, чтобы он слушал Лещенко? И потом болезнь жены, сумасшествие или что-то вроде, а когда она вернулась из лечебницы — словно что-то хрустнуло, и его перевели в Астрахань с понижением. Они уехали, и больше о них ничего не было слышно. Нечаев-старший был совершенно другой, наголо бритый, с толстой складкой на загривке, с огромной, почему-то внушительной бородавкой на губе. Заметный южный выговор, гэканье, — но не мягкое, а такое, с каким изображают удар шашкой: хэк! И всего ужасней было, что он Мишу похвалил: черт дернул Мишу читать именно скоморошину! Хорошо, прям-таки наше, сказал Нечаев. Кларе он приходился отчимом. У ее матери была дивная судьба: она выходила замуж не за людей, а за эпохи. Первый муж был бандит, наводивший ужас на весь Николаев, второй — чекист, расстрелявший бандита, третий — промышленник, переживший чекиста (что-то такое случилось в двадцать девятом, темное, о чем Клара говорила, расширяя глаза и понижая голос). С промышленником случился в тридцать шестом сердечный приступ — вскоре после того, как его зачем-то вызвал как раз Нечаев; ничего страшного, поговорил и отпустил, но на приступ хватило. После этого Нечаев стал заходить, сделался в доме своим человеком, женился, удочерил Клару и заставил взять свою фамилию. Клара родилась от чекиста и до тридцать шестого была Фрумкина, но Нечаев сказал: хватит. Почему Кларина мать, красавица, вышла за этого типа — никто не понимал, но Клара, опять-таки округляя глаза и шепотом, объясняла: «Мы были бе́дны, дон Альвар богат». Зато теперь они были везде прикреплены, а имя промышленника как ни в чем не

бывало носил самарский завод, который он некогда
возглавлял.

И вот, как сказано, была вечеринка, среди
которой Нечаев вдруг уехал — на ночь глядя, но
у шишек теперь ночами была самая работа, так что
никто не удивился. После его исчезновения стало
словно легче дышать — «Сундук вынесли», тихо
сказал кто-то, и все засмеялись оглушительно, с облегчением. Мать Клары, тридцатишестилетняя
красавица, отнюдь еще не собиравшаяся увядать,
посидела с ними и ушла к себе, сославшись на
головную боль. У них было три комнаты, невероятно. Тут пошла настоящая вольница. Сначала еще
старались не усугублять мигрени, говорили вполголоса, потом распоясались, танцевали, пили кислый
вермут, показавшийся Мише исключительно креп-
ким (и до сих пор вкус этого вермута связывался
в его памяти со счастьем и вседозволенностью).
Выходили курить на лестничную площадку, Миша
тоже курил, стреляя папиросы у рослого тихого
Утюгова, чей подбородок — на троих рос, ему достался — в самом деле напоминал утюг. Удивительно мягко ложился свет. Потом Клара настояла,
чтобы выключили люстру, зажгли свечи. Уже
в прихожей кто-то целовался. Миша танцевал с Валей, и она была в его руках все податливей, он
позволял себе все больше, не встречая уже почти
никакого сопротивления, и тогда в углу комнаты,
когда никто, казалось бы, не видел, он отважился
поцеловать ее в шею, ближе к уху. От нее пахло
духами, названия которых он, конечно, не знал,

а спросить стеснялся, не то давно купил бы... чтобы что? Чтобы утешаться или еще сильней ненавидеть? И вот он ее поцеловал, и она почти не откло-
нялась, только вдруг сильно задышала. И он сказал с легкой грустью: Валя, Валя, как жаль, что все
так сложилось. Теперь он будет между нами всегда, а ведь могло бы... Да, сказала она хрипло, могло бы. Но, может, еще будет? — спросил он, уже
не выдержав элегического тона, с идиотской под-
ростковой надеждой; но вместо того чтобы его
высмеять, она серьезно ответила: может, еще и будет. Потом засмеялась: глупый ты какой! Ты же
целоваться не умеешь, Миша! Но целоваться он
умел, научился этому в подвале их дома очень
рано, в четырнадцать лет, и тут же попробовал ей
доказать это. Она вырвалась и посмотрела, как ему
казалось, с одобрительным изумлением: надо
же! — но быстро опомнилась и рассердилась: ты
что это себе вообразил? Ну иди-ка отсюда! Она так
и сказала: ну иди-ка! — с интонацией глупо-про-
винциальной, и тут случилась его ошибка. Он решил, что если с такой интонацией, то, уж конечно,
она шутит, и в этом случае нет значит да. Тут уж
она его отпихнула по-настоящему, и он, криво
улыбаясь, вернулся за стол. Что, облом? — спросил
Утюгов. Их никогда не поймешь, ответил Миша
снисходительно. Тут начался дождь, зашумел по
листьям, застучал по стеклу, и этим дождем словно разрешилось мучительное напряжение этого
вечера. Миша окончательно впал в элегическое
настроение и думал: мы не можем быть вместе,

и это к лучшему. Обладание никогда не ведет
к поэзии, зато теперь у меня есть вечный повод.
И в этом настроении, ни с кем не простившись,
он тихо, мечтательно ушел, и, идя по мокрой улице пешком в свой Потаповский переулок, даже
что-то уже сочинял, ласковое и всепрощающее.

* * *

О том, что происходило после его ухода, он знать не мог, и по обычной невинности поэта никогда не прозрел бы в маленькой Фоминой источник всех своих бедствий. Потом, через полгода, он даже смеялся. Конечно, ему не нравилась малютка Фомина — кривозубая, нервная, с внезапными взрывами хохота. Когда Фомина и Валя возвращались — тоже пешком — в свою комнату на втором этаже общежития по Усачевой улице, Фомина как бы между делом спросила:

— Что же это ты, с Гвирцманом-то?

— А что я с Гвирцманом? — небрежно отвечала Валя, хотя на самом деле похолодела.

— Нехорошо это, подруга, — сказала Фомина. — Ты героя вдова, несмотря что и не записанная.

— Что с Гвирцманом, ничего с Гвирцманом, — забормотала Валя.

— Нехорошо это, — упрямо повторила Фомина. Она жила с грузчиком из соседнего магазина, говорила, что он пролетарий, страшно гордилась.

И тут Валя неожиданно для себя самой забормотала что-то чудовищное: да что я, он так на меня насел, так лез, что я вообще ничего не могла...

— А что ж не кричала? — подозрительно спросила Фомина. — На меня раз учитель не то что лез, а по голове погладил, я так орала на него, что он, сволочь, вообще с тех пор глаза поднять боялся, а не то что. Он подошел, я дежурная была. Он сразу: ши-ши-ши, ши-ши-ши! Если б он руки начал распускать, я, наверное, убила бы.

— Нет, ну что орать, — неуверенно сказала Валя, — кругом же все были, что бы он сделал...

— А что ж, надо ждать, пока сделает? Он должен знать, к кому лезть, ты вдова героя!

— Но он же не то что... Он же не успел...

— Ты это, подруга, — решительно сказала Фомина. — Если б Коля твой ждал вот так вот, пока они до Ленинграда дойдут, он бы не пошел добровольцем. Если все время ждать, пока они успеют, это как называется? Если б он жив был, нешто этот клоп посмел бы подойти? Ты подумай. И я считаю, что если так, то ты должна заявить, иначе это будет поощрение. Они руки распускать, а ты пожалуйста. И все видели. При всех к вдове героя — это же я не знаю какая наглость. Учти, если тебе свидетели нужны, то я первая.

Миша смеялся потом: вмешался старый дуэлист, он зол, он сплетник, он речист... Но и тогда, когда смеялся, когда многое уже мог Вале простить, и было за что, — он все-таки не понимал: как можно? Положим, он сам не ангел. Положим, он всегда в школе обличал тех, кого полагалось, рисовал карикатуры и писал стишки про двоечника Романова, хотя отлично понимал, что Романов не виноват и что у него не было условий нормально учиться, отчим бьет, да и сам дураком уродился. Возможно, теперь Миша расплачивался именно за эти стишки, за то, что сам вызвался обличать Романова и даже не покраснел под его затравленным взглядом, хотя Романов был, в сущности, приличный человек и учил его правильно копать червей. Но пойти и заявить... Валя сама не понимала, как она это сделала. Просто теперь, полгода спустя, она не могла уже представить, как будет жить, если утратит статус жены героя. Если серьезно, какая она была ифлийка? По меркам родной тамбовской школы она была безусловный отличник, хотя и забывала все после каждого экзамена, а когда поступила, хоть и со скрипом, с рекомендациями, с обкомовской грамотой за трудовую доблесть, — сразу поняла, насколько она тут чужая. И не за ум любил ее Коля Тузеев. Ему тоже было неуютно, и он даже сказал один раз мечтательно, что хорошо бы им вместе, знаешь, на какое-нибудь строительство, жаль, что почти все уже построено... Она так привыкла существовать в ореоле, что пасть, да еще так позорно, из-за копеечных приставаний Гвирцмана, которому и так все в жизни легко давалось, папа — московский врач, две комнаты в хорошей квартире в центре, и рассказывали, что учился он всегда легко, и девки засматривались, и не работал ни дня, вообще барин! Она и представить не могла, будто ему что-нибудь сделают. Ну осудят морально. И он, конечно, никогда к ней больше не подойдет, о чем она и жалела отчасти, но уже на самом дне души, не признаваясь себе. Но по заслугам. Пусть не думает, что все можно. Правда же, такой заносчивый. А вот не надо заноситься. Он потому ей и нравился, если правду, что был именно такой легкий и потому добрый, без малейшего запаха трудового пота, и так просто ему все давалось, и так никогда он не лез за словом в карман. Все другие даже стихи писали с натугой, а у него не чувствовалось усилий, хотя и стихи были словно необязательные, и она не всегда понимала, зачем они ему. Но уж теперь-то он будет понимать все про жизнь, думала она, и, может быть, если говорить про себя самое грешное и стыдное, она попросту думала таким образом с ним сравняться. Но какая разница, что она думала? В тот самый день, когда она отнесла в бюро заявление на Мишу, античник Гурьев сказал на лекции: Рим не интересуется помыслами, и потому, может быть, он не знал философии в греческом смысле. Всякий римский мыслитель имеет основное занятие: он либо император, как Марк Аврелий, либо политик, как Цицерон, либо воспитатель тирана, как Сенека. Желающий действовать — действуй, сомнение — постыдно, колебания — хуже самого черного греха. Эта мысль подействовала на нее. И, как назло, Миши в тот день не было в институте. Где он был? Кажется, они с Борисом отправились к Брикам, но те не могли их принять, и они пили на углу пиво с чувством сладкой осенней вольницы. Чертово пиво. Может, если бы она увидела Мишу, то и не пошла бы никуда. Но вместо Миши она увидела, как на нее зорким глазком поглядывает Фомина, и, словно боясь — кого же? — Фомину! — она процокала на третий этаж прямо в бюро.

Секретарь факультетского комитета аспирант Драганов был человек со странностями, хотя и умел привлекать сердца. Странности, возможно, и привлекали. Он всегда сиял, приземистый, с ранней лысиной, круглился улыбкой, словно ему только что объявили таинственное, негласное поощрение. Весь его вид говорил: но мы-то знаем, и вы знаете. Масленый блин, говорил про него Тузеев. Но в этом лучении, в круглении было столь явное издевательство, что и в секретарях-то его держали именно поэтому. Если бы он был слишком верный, то был бы дурак. А так он улыбался на всякий случай, такой оборотный, всегда готовый отыграть, — словно все, как и положено начальнику, знал заранее. Сияющая его улыбка будто шла впереди него, или как будто он ее нес. И теперь, когда Валя вошла, он втолковывал пылкой румяной дуре с такой изумительной доброжелательностью, словно издевался каждым словом:

— Ты пойми, сегодня, может быть, в Бессарабии и Буковине решается будущее Европы! Ты понимаешь, какого масштаба выбор там делается? А? Климова? И в этих условиях ты в своей группе не вовлекаешь в работу студентку из Бессарабии, на что это похоже! «Из лыв густых выходит волк на бледный труп в турецкий полк» — ты знаешь, кто это сказал?

Румяная в ужасе хлопала глазами.

— Закрой, кричит, багряной вид и купно с ним прикрой свой стыд, — продолжал Драганов. — «Оду на взятие Хотина» надо знать, Климова, тем более что сейчас она мирным путем осуществляется вторично. (Он занимался русским восемнадцатым веком, стихосложением.) Товарищ Скурту у тебя не вовлечена, а надо, чтобы была вовлечена. Ступай, девушка, работай. А тебе что нужно, товарищ Крапивина? — и он улыбнулся Вале еще шире, чем только что Климовой.

— Я по личному, — сказала Валя, не глядя на него.

— Это очень хорошо, что по личному, общественное у меня уже вот где, — только что не пропел Драганов. — Когда красивая женщина приходит по личному, очень приятно.

Он-то мог себе такое позволить, и никогда не было понятно, когда он перестанет шутить.

— Ко мне приставал Гвирцман Михаил при свидетелях, — сказала Валя, сразу подпираясь свидетелями, — против моего желания.

Удивительно было, как легко сказалось.

— Это ужасно, — сказал Драганов, не изменяясь в лице, словно прямо ждал чего-то подобного. — Против желания при свидетелях — чудовищно. Я надеюсь, вы дали достойный отпор? — Неясно было, перешел ли он на официальное «вы» или имеет в виду свидетелей.

— Отпор я, конечно, ему дала, — сказала Валя, задыхаясь, — но считаю недопустимым и хочу заявить. Потому что я считаю недопустимым.

— Ну конечно, а то как же, — согласился Драганов. — А ты присядь, товарищ Крапивина. Уже потому недопустимо, думаю, что ты же не просто так студентка, верно? Мы все помним Колю Тузеева. Мы помним стихи товарища Комлева про девушку Валю. А девушка Валя, как будто заране скорбя, она чересчур осторожно любила тебя. И тут такое. Нужно примерно наказать, правда?

— То есть я дала отпор, конечно, — говорила Валя, словно этим отпором можно было еще поправить дело. Но вдруг ей самой стала противна своя суетливость. В конце концов, кто поставил ее в это положение, кто вообще ее вынудил? Если бы он не полез руки свои распускать, ничего бы этого не было, Фомина не держала бы ее на крючке и сама она не стояла бы тут сейчас в идиотском положении. — Но поскольку против моего желания и никак со мной не согласовав... ничего вообще никак...

И после она ничего почти не помнила — ни что говорила, ни как писала.

* * *

В следующий вторник Драганов поджидал Мишу у выхода из третьей поточной аудитории. Он был неулыбчив и деловит.

— Пойдем, товарищ Гвирцман, потолкуем, — и они отправились на третий этаж, причем Миша, идиот, шел радостно, предвкушая общественное поручение. Что скрывать, по-настоящему он был в этом смысле невостребован. Выступить от курса в Доме литераторов, сочинить стенгазету — сколько угодно, но у него были идеи по очеловечиванию, усложнению агитации, он был уверен, что нужно меньше барабанного боя, и теперь Драганов — поговорив, может быть, с Борисом, главным активистом курса, — обратился к настоящему резерву.

Они вошли в комитет, Драганов уселся за стол и некоторое время молчал.

— Гвирцман, — сказал он наконец обычным своим голосом, столь непохожим на издевательский фальцет его публичных назиданий. — Я мог бы тебе ничего не говорить, но это было бы непра-

вильно. Отнесись с пониманием и про это наше
с тобой собеседование не трепись.

Идиот Миша все еще рассчитывал на секрет-
ное политическое задание и с готовностью кивнул
несчастной кучерявой головой.

— Тебе не следовало распускать руки, и ты плохо понимаешь, с кем имеешь дело.

Миша не успел испугаться и стал припоминать, с кем подрался за последнее время. Но он
и в школе почти не дрался.

— Короче, у меня на тебя заявление от Крапивиной, и поскольку она о нем растрепала,
то я обязан дать ему ход. Думаю, ничем для тебя
серьезным это не кончится, все обойдется. Но тебе,
Гвирцман, надо думать, кого и где хватать.

Миша с облегчением рассмеялся, ибо был, как
уже сказано, идиот, молокосос, карась-идеалист.

— Я никогда ее не хватал.

— Я не знаю, что ты с ней делал, — утомленно
выговорил Драганов. — Ты это все будешь объяснять теперь не мне. Но она написала на тебя заявление, что ты, оскорбив тем самым память по-
гибшего друга, полез с поцелуями к его вдове. Ни
о чем с ней предварительно не договорившись. —
Он неприятно усмехнулся. — Мне по-хорошему
следовало бы эту бумагу, конечно, того... Я мог бы
ей объяснить, что так не делается, что нечего свою
вдовью честь носить как медаль и так далее, тем
более что никакая она не вдова и у Тузеева имелась
невеста еще в Сталинграде. Прислала мне письмо,
между прочим, со стихами героя. Но поскольку

Крапивина уже успела растрепать, а товарищ Тузеев пал смертью храбрых, то я обязан дать ход.

— Товарищ Драганов! — быстро заговорил Миша. — Это бред какой-то! Я не трогал ее вообще!

— Гвирцман, — протянул Драганов. — Ну Гви-ирцман. Ты это будешь рассказывать на факультетском собрании. И если оно решит, что ты никого не трогал, то мы примем соответствующее постановление. Мы постановим, что она сама себя трогала.

— Какое факультетское собрание? — вскочил Миша. — Вы понимаете вообще, что говорите? Это теперь каждый, кто кого-то поцеловал, даже не поцеловал вообще...

— Сядь ровно, — сказал Драганов, и было в его тоне нечто, от чего Миша погас и сел. — Гвирцман. Ты должен говорить не то и не так. Ты еще не понимаешь, но я тебе сейчас объясню, дважды объяснять не буду. Ты должен кивать и повторять: ужасно виноват, не сдержался, подвергся гибельному очарованию. Надевай же платье ало и не тщись всю грудь закрыть, чтоб, ее увидев мало, и о протчем рассудить. Потому что рассуди ты сам, кто хуже: откровенный развратник или скрытый враг? Товарищ Смирнов, отделавшийся легким испугом, явился на семинар пьяным и в том каялся, плакася горько. Теперь представь, что товарищ Смирнов принялся бы утверждать, что он не был пьян, и тем поставил бы под сомнение объективность всех однокурсников? Которые ясно чувствовали, что от него пахло? Тебе сильно повезло, что ты к ней полез с поцелуями, а не с разговорами. Воспользуйся же этим и делай, как я тебе говорю.

Миша весь покраснел, чувствовал, как кровью наливается затылок, как шумит в ушах и как он перестает понимать, на каком он свете. Это было попадание в «Уленшпигеля», в донос инквизиции.

— Разврат — это хорошо, простительно. Ну у тебя был порыв, ты понимаешь? — И Драганов поднял на него голубоватые, а может, и зеленоватые, а впрочем, какие угодно глаза. В этих глазах не было сострадания, только утомление. — И если ты поведешь себя правильно, то есть горячо раскаешься и свалишь все на безусловный инстинкт, согласно учению товарища Павлова, то отделаешься, как Смирнов. Если скажешь, что был пьян и плохо соображал, это будет вообще прекрасно. Алкоголик — это уже родной. Ты понял?

— Но товарищ Драганов! — Миша не желал ничего понимать. — Я клянусь, что ничего не было, нельзя же признавать, это значит ввести в заблуждение... ведь она про кого угодно так скажет...

— Но она сказала про тебя, — уже без всякой снисходительности припечатал Драганов. — И заявление у меня лежит на тебя. И она повторила при свидетелях. Пойми, это совершенно неважно, виноват ты или нет. Когда-нибудь ты это поймешь. Считай, что это входит в обязательные требования. Что когда-нибудь любой должен оказаться виноват и с готовностью принять. Тебе ясно? Ты же не будешь прятаться, когда тебя призовут? Вот считай, что тебя призвали. Каждый должен быть готов убить врага, когда это надо, и прикрыть собой командира, если надо, и заткнуть пробоину своим телом, если надо. И сейчас тебе надо сказать: виноват, я ужасно виноват. Это каждый должен уметь делать, и ты плохой комсомолец, если не умеешь. А приставал ты там, не приставал... Теперь понятно тебе?

Мише ничего не было понятно, но он кивнул. Он видел, что почему-то неприятен Драганову и что весь этот разговор его тяготит — потому, вероятно, что Драганов был не сволочь и не получал удовольствия от расправ. В действительности же он был Драганову неприятен именно тем, что не желал сознавать очевидного; что с точки зрения Драганова человек, не желающий признавать себя виноватым, был дезертиром и нарушал собой высокий смысл игры. Эта игра Драганову тоже не очень нравилась, но в ней был смысл или, верней, отсутствие смысла, почти ветхозаветная торжественность. Миша же пошлыми ссылками на свою невиновность вносил в эту ситуацию нежелательную рацею. Ломоносов, главный предмет его занятий, — он-то все понимал и при виде северного сияния не задавал лишних вопросов, а сразу начинал сочинять о Божием величестве. Песчинка как в морских волнах, как мала искра в вечном льде. Вопрос «Но где ж, натура, твой закон?» является в этих обстоятельствах риторическим. Зато смотри, какой у меня левиафан. Почему все виноваты, а ты не виноват? Кто сказал тебе, что ты не виноват? Пожалуй, следовало бы тебе объяснить кое-что.

Но Мишу было жалко, и Драганов искренне пытался его вытащить — вопреки собственному настроению и здравому смыслу.

— Короче, Гвирцман, — сказал он. — Мое дело — дать тебе разумный совет, а твое дело — послушаться. Пойди подумай. Послезавтра будет собрание, и лучше тебе за это время подготовиться. Если будешь трепаться — пеняй на себя. До свидания.

Послезавтра! — о, это была отдельная мука. Если бы завтра, а еще лучше сразу! Были друзья, тогда казалось — настоящие, и Миша мог бы рассказать им, но Драганов рискнул собой, пытаясь его спасти (так это ему казалось), и он не смел подвести секретаря. И что было рассказывать? Что он не приставал к Крапивиной? Смерть чиновника! Пойти к Крапивиной? Но Миша и представить этого не мог. Это было унижение, хуже унижения. И главное — он до конца не верил. Она не могла.

Можно было, конечно, поговорить с ней начистоту, пусть бы она не брала назад заявление, черт с ним, посмешище так посмешище. Но она по крайней мере объяснила бы ему, чего хочет. Странно: Миша и тогда еще, накануне собрания, больше беспокоился о том, что думает и чего хочет Валя, и зачем она все это затеяла. Ему и в голову не могло прийти, конечно, что будут какие-то последствия. Даже не пожурят, все выяснится. Ведь он ничего не сделал. Он сам не понимал, что существует уже в больной логике: постоянно оправдывается перед невидимыми милостивыми

48

государями. Милостисдари! Ничего не было! Он, конечно, не выдержал бы и подошел, появись она в институте накануне собрания. Но она не пришла, и Миша кипел в собственном соку. Обсудить ситуацию было не с кем. Никаких объявлений не было. Хотели врасплох, чтобы никто не успел подготовиться. Настало девятое сентября, и к этому дню Миша почти уговорил себя, что все это сон, бред, ничего не будет, в крайнем случае сделают замечание. Он с детства, когда бывали неприятности, словно уплывал от них, прятал голову под крыло, воображал себя в другой стране, в полной недосягаемости.

Комсомольское собрание было объявлено после четвертой пары. В ИФЛИ курсы были небольшие, и потому собрания бывали общими для всех возрастов. Но клеймили на них редко — на Мишиной памяти только Соломину, за утрату бдительности (отец проворовался и сел, она не желала отрекаться. Но отец ее в самом деле был скользкий тип, и хоть она не отреклась, что пристойно, но вела себя до разоблачения с откровенным и глупым чванством).

Под сборища отведена была пятая поточная аудитория, огромный желтый амфитеатр торжественного античного вида. Здесь читалась новейшая история. Теперь она здесь делалась. Никто не догадывался о поводе. Пересмеивались. Зашли несколько преподавателей, главным образом аспиранты. Миша с отвращением заметил Евсевича — тот, конечно, не мог упустить такого случая покв—

таться. Потом он увидел Валю, которой не было на занятиях, — пришла перед самым собранием: она сидела одна на предпоследнем ряду, глядя прямо перед собой с выражением решительным и несчастным. Миша тоже сидел один, а не с Борисом и компанией, как обычно. Но она выглядела такой затравленной, словно обсуждать собирались ее, — да так оно, в сущности, и было.

Ее заставили, догадался он, но кому он до такой степени помешал?

— Товарищи, — сказал Драганов высоким измывательским голосом, выходя к трибуне. — Я попросил вас собраться, чтобы экстренно отреагировать на жалобу комсомолки Крапивиной. Вдова... подруга нашего студента Николая Тузеева, павшего в бою под Суоярви, подверглась домогательствам в грубой форме со стороны нашего студента, нашего товарища. — Он сделал паузу, чтобы каждый в ужасе успел себя спросить: неужели я? Но нет, и в мыслях не было! — Михаила Гвирцмана.

По амфитеатру пронесся вздох, точней, выдох: от Гвирцмана никто не ждал насилия, и, следовательно, ничего серьезного. Миша стыдно заулыбался, покраснел и подавил желание раскланяться. Сойферт ему даже подмигнул. Могло обойтись, могло.

— Я не буду просить комсомолку Крапивину поделиться обстоятельствами. Поверьте, они имели место, ситуацию я изучил. Мы заслушаем товарища Гвирцмана, и он лично нам все изложит. Предлагаю высказываться по существу вопроса.

— Какое существо? — закричали с мест. — Мы ничего не видели!

— Гвирцмана надо поощрить! — крикнул кто-то дурашливым голосом. — Он пренебрегает женщинами, это обидно!

— Я хотел бы призвать к серьезности! — пропел Драганов, словно готовясь в любой момент перевести судилище в фарс. — Товарищ Крапивина считает себя оскорбленной!

— Выслушать Крапивину! — крикнули несколько голосов.

— Товарищи, я не знаю, насколько удобно... Вы готовы высказаться, товарищ Крапивина? — спросил Драганов предупредительно.

— Я готова, — сказала Валя и встала. — Позвольте мне с места!

— Разумеется, — закивал Драганов, — разумеется.

— Третьего числа, — сказала Валя и замолчала. — Сего года, — добавила она. — Мы были у Клары Нечаевой. Там все немного выпили. Сильно не выпивали.

По амфитеатру снова прокатился шум одобрения.

— Так всегда бывает, когда недостаточно, — крикнул тот же шут.

— Но некоторые потеряли контроль, и вот Гвирцман, — сказала Валя и опять помолчала. — Во время танцев. Позволил себе. Нас никогда не связывало ничего. Я вообще ни с кем, ничего не позволяла. Как вы знаете. Но Гвирцман неожиданно. Он ни о чем меня не предупредил.

— Что же он так! — крикнула, кажется, Саша Бродская.

— И вот, — в час по чайной ложке цедила Валя. — Он попытался поцеловать меня, я уклонилась. Он попытался меня обнимать, я еще уклонилась. Было замечено, обратили внимание. Про меня подумали я не знаю что. Я хотела дать пощечину, но удержалась. Он сам понял. И поскольку я считаю, что это аморально, то мне бы хотелось осудить. Чтобы осудили все.

— Какая-то она прямо уклонистка, — шепнул Мише Полетаев, перегнувшись сзади.

— Ну, товарищи, вы теперь все слышали и можете высказываться, — предложил Драганов.

По-школьному подняв руку и не дожидаясь разрешения, встала Голубева, вся красная, порывистая, с вечным гниловатым запахом изо рта. Миша был уверен, что она собирается его защитить, и ему стало стыдно, что он вспомнил об этом запахе.

— Вот я слышу сейчас смешки, — начала Голубева, словно еле сдерживая рыдания. — А ведь, товарищи, мы непонятно над чем смеемся. Это с домостроя идет неуважение к женщине, и все эти разговоры, что если женщина говорит нет, то это значит да. Я вижу, к сожалению, и в нашей среде такие явления. У нас, у которых должен быть, казалось бы, новый быт, на двадцать третьем году революции, у нас самая разнузданная жеребятина. Это не мещанство даже, это люмпенство, товарищи. И то, что так называемый поэт позволяет себе...

я лично никак не ожидала. Но если задуматься, товарищи, то я ожидала. Я должна была ожидать, потому что такие проявления я вижу. И я знаю, что многие девушки просто стыдятся заявить. А я считаю, что тут нечего стыдиться!

— Долой стыд! — крикнул шут, но никто не засмеялся: дело принимало серьезный оборот.

— Разрешите мне, — сказал Круглов, юноша серьезный и действительно круглощекий, похожий на Дельвига — апатичный, но способный на внезапные резкости. — Мне представляется, товарищи, — сказал он, почесываясь, — что мы несколько, э, полезли не в свою сферу. Еще Энгельс предостерегал от вынесения частной жизни на общественное рассмотрение.

— Это где же? — спросил кто-то с места. Миша подозревал, что Энгельс ни о чем подобном не предостерегал и даже не думал, ему в голову не могло прийти такое мероприятие на двадцать третьем году диктатуры пролетариата, но у Круглова были ссылки на большинство полезных цитат, а если надо было, он не затруднялся с изобретением нужного высказывания.

— В «Происхождении семьи, частной собственности и государства», — отчеканил Круглов. — Там прямо сказано, что вопросы личной жизни не должны рассматриваться в публичных собраниях. Мораль не формулируется большинством голосов. Я там, так сказать, не присутствовал, лампу, так сказать, не держал. Мне кажется, что товарищ Крапивина поступила бы мудро, если бы она лично обсудила ситуацию с Гвирцманом, возможно, даже дала бы ему пощечину, от которой так мягкотело уклонилась, и мы не должны были бы сегодня тратить время на порицание поцелуя, вдобавок, сколько можно понять, несостоявшегося.

Круглова любили, кто-то даже зааплодировал. По нему было видно, что он может так себя вести, что ему разрешили, а человека, которому разрешили, всегда видно, даже если он сам себе все позволил. И после этого все могло рассосаться, потому что Драганов — Миша ясно это видел — и сам хотел, чтобы обошлось. Он готовился уже подвести итог, вынести порицание, призвать крепить и все такое. Но тут встал Никитин, и разразилось то, о чем Миша и теперь не мог вспоминать без отвращения.

Ждать такого от Никитина было невозможно, чай, не Голубева. Никитин был дерганый, хлипкий, сутулый человек, с влажными руками и нервным тиком. Его никто не любил, но так, как не любят явление значительное, заставляющее себя терпеть. Он что-то писал, что-то вечно неоконченное, но, по слухам, замечательное. Он читал Джойса. Миша почитал однажды Джойса в одном номере «Интернациональной литературы» и понял, что это искусство верхних десяти тысяч, по большому счету — не нужное никому. Никитин всегда говорил глупости, но со значением. Миша был к нему снисходителен. Никитин был как бы кандидат на вылет отовсюду, самый уязвимый и жалкий из всех очников, но именно эта жалкость защищает надежней любой протекции. Его словно брезговали додавить. И потому ждать удара именно от Никитина было немыслимо — кто такой он сам?! — хотя тут же Миша увидел безошибочную логику: Никитин должен был отвлечь внимание от себя, любой ценой сделать крайним другого.

И он, большим и указательным пальцами, липкими пальцами, непрерывно поправляя очки, заговорил, что шутка, товарищи, безусловно хорошая вещь, но повод-то, если всмотреться, не такой уж шуточный. Я не беру сейчас женский вопрос, личные дела, всю эту жеребятину. Но есть у нас категория людей, которые всегда как бы в стороне, всегда как бы с усмешечкой. Я слышал лично, несколько раз слышал, как наш товарищ Гвирцман иронизировал над менее, возможно, образованными, менее, вероятно, осведомленными студентами. Что же, Гвирцман жил в Москве, он сын, насколько я знаю, врача, он имел возможности обучаться в прекрасной школе. Но смысл нашего института — в обучении тех, кто знает меньше и подготовлен хуже, а кого и когда подготовил Гвирцман? Кому он предложил помощь? Я слышал только, как он в толпе таких же снисходительных московских выпускников потешался над провинциалами, в том числе над товарищем Тузеевым, которого нет уже с нами. И возможно, — тут Никитин поднял голову и взглянул прямо на Мишу, и это был взгляд торжествующей кобры перед броском, — возможно, стихи товарища Тузеева были действительно не так совершенны. Как у Гвирцмана, скажем, который владеет техникой. Владеет, владеет, что там. Отдадим ему должное. Но сказать ему нечего, потому что жизни он не видел и видеть не хочет. И когда Тузеев, чьи стихи, повторяю, были, да, несовершенны, сделал шаг вперед и вызвался добровольцем, — в одном этом было больше поэзии, чем во всех грамотных и гладких сочинениях Гвирцмана и его покровителей. (Каких покровителей, не понял Миша, что, что он несет? Он Бориса, может быть, имеет в виду?!) Ведь почему Гвирцман позволил себе откровенно свинский, прямо сказать, поступок? Он потому только это себе разрешил, что действительно считает себя выше — выше закона, коллектива, Тузеева, Крапивиной... И вот эти усмешечки, эта отдельность, этот узкий кружок — насколько все это может быть терпимо? Почему кто-то на основании личной удачливости, по праву рождения, рискну сказать, может у нас...

И понесло, понесло.

Миша какое-то время слушал и пытался понять, потом понял только, что его хотят утопить и что вылезла наконец наружу давняя, тихая неприязнь, которую он все время чувствовал; случалось же ему ощущать взгляды вслед, перешептывания, липкие, как никитинские пальцы. И он не понимал, за что ему все это, а теперь вдруг понял. Пиковая дама означает тайную недоброжелательность. Вот про что была вся эта странная история, такая, в общем, непушкинская, взявшаяся ниоткуда. Ему всегда казалось, что это безделка, а ведь Пушкин всю жизнь чувствовал тайную недоброжелательность. Все на него смотрели с неодобрением, в ожидании, что наконец-то он, звездный мальчик, гуляка праздный, сорвется. Вот что сделала Валя Крапивина: она все это вытащила наружу. Миша мог ее не целовать, мог вообще ничего не делать — они бы придрались к тому, что он плохо завязывает шнурки. Вот это, закончил Никитин, вот это я хотел сказать, и это вовсе уже не шутки.

И тогда вылез Гольцов.

О, Гольцов. Самое смешное, что Миша понадеялся. Он подумал вдруг, что сложности вроде скрытой неприязни бывают у липких, линялых, шатких, которым надо отводить удар от себя, — а Гольцов-то другой, простой и крепкий, и уж он защитит. Уж он скажет. И Миша попытался ему улыбнуться, но, к счастью, Гольцов смотрел в другую сторону.

Он заговорил сразу в своей манере, отсекавшей любые надежды. Ничего человеческого, конечно. Новизна была в том, что они с Никитиным выступали в связке. У них, вероятно, был сговор, и получался в самом деле эффективный двойной удар: один подводил теоретическую базу, другой ударял пролетарским гневом. Непонятно было только, чем им помешал лично Миша — Никитина он не трогал, Гольцова не замечал. Но, видимо, они чуяли, что чем меньше на факультете будет Миши, тем больше будет их. Гольцов рубил просто, по-пролетарски. Я, товарищи, не буду все эти тити-мити, из классиков и всякое (кивок в сторону Круглова). Гольцов был до того нагляден, что явно репетировал, конструировал образ: не могло же такое

получиться само, от природы! Самая-то природ-
ная природа как раз и есть итог многолетних усилий садовника. Я не буду разводить и подводить,
а я так скажу: Никитин совершенно прав. Он совершенно прав, товарищи, в том, что мы имеем
тут прямое оскорбление. Не Крапивина оскорбле-
на, товарищи, а мы оскорблены. И я гниль эту
чувствовал с самого начала, потому что Гвирцман
не в коллективе, и потому что, когда на
войну шли, он тоже все это вот хи-хи по углам!
И он сейчас, посмотрите, в глаза не смотрит. Он не
смотрит сейчас в глаза коллективу и не может ничего сказать! Потому что прямо не умеет говорить,
а только все экивоки и хи-хи, и в стихах то же
самое. Я, может быть, не шибко культурный — тут
он воспарил, и Миша ясно почувствовал наслаждение, почти экстаз, с которым Гольцов накручивал
себя, — я из простых, как вон и Крапивина, и мне,
товарищи, ее боль понятна. Но с этим барством,
понимаете, с этим свысока презрением пора кон-
чать! Это вышло только сейчас наружу, но это было
всегда. И вот я даже скажу, пусть некоторые оби-
жаются, пускай, товарищи, не страшно, — я скажу,
что чем больше вот эта культурность, весь этот
лоск, тем больше там в глубине обычного, товарищи, насильственного хамства! Просто самого что
ни на есть хамства. И я предлагаю решительно чи-
стить ряды, потому что мы просмотрели, нам надо
самим себе сказать, что мы просмотрели. Да.

Гольцов долго еще говорил бы, но тут Миша
почувствовал, что ситуация переломилась, что он

действительно обречен и виноват в этом только сам. Он слишком долго попускал и не возражал. И когда Гольцов в третий раз зашел на тему лоска и барства, Мишу словно пружина вскинула с места, и он закричал: товарищи, что это такое?! Вы вообще слышите или нет, что он несет?

Гольцов в другое время прицепился бы к этой барственной оценке и начал бы рассказывать, что он, конечно, из простых, но это никому не дает права... но он так обалдел от Мишиного вскрика, что упустил инициативу.

— Товарищи! — заговорил Миша, сбиваясь и задыхаясь. — Вот меня упрекнули, что я молчу. Давайте я скажу. Я молчу только потому, что непонятно, как возражать на бред, на то, чего не бывает! Мы можем тут сейчас про любого, про всех... про неучастие, про скрытое хамство... что если человек умеет писать в рифму, то это он от высокомерия... Давайте еще скажем, что мы академиев не кончали! Я не понимаю, кем надо быть, чтобы выступать в стенах своего института, и гордиться невежеством, и от имени этого невежества осуждать знание! Но это ладно, это личные проблемы Гольцова, который тут с тайной радостью сводит какие-то непонятные мне счеты. Помолчите, Гольцов, мы вас слушали (тут он точно перешел на мы, кое-чему выучился в институте, помимо античной философии). Я про другое. Я про то, с чего все началось. Валя Крапивина, ты-то что молчишь, пока они тут тебя полощут? Ведь это все о тебе на самом деле. Вот я спрашиваю тебя при всех: зачем, почему ты выдумала все это? Ведь не было ничего. Ведь сейчас, при всех, ты не сможешь мне соврать. Да, я к тебе подошел, я с тобой говорил, мы с тобой танцевали. Не может же комсомольское собрание постановить, чтобы ты ушла в монастырь. Мы с тобой говорили, но скажи при всех: какое насилие? О чем вообще речь? Что мы все тут творим такое? Я ничего не говорю, у меня могут быть недостатки какие угодно, и я, может быть, действительно позволял себе кого-то критиковать, и меня критикуют, и это нормально. Мы здесь не для того, чтобы всех хвалить, особенно тех, кто гордится своей бескультурностью. Но Валя! Что ты молчишь? Скажи ты сейчас, скажи всем!

Валя встала, дико осмотрелась, потом подхватила сумку и стремительно выбежала из аудитории. Мише казалось, что ее каблуки стучат невероятно громко. Ее лицо пылало, но она не плакала.

— Гвирцман! — заорала Голубева, еще более красная, чем во время собственной речи. — Тебе мало, что ты к ней полез, ты еще здесь ее довел!

Половина зала зашумела в том смысле, что позор, довел, а другая — в том смысле, что никто никого не доводил.

— После того не значит вследствие того! — выкрикнул тот же шут уже вовсе не к месту.

— Товарищи! — запел Драганов, чувствуя, что ситуация вырывается из-под контроля и сваливается в скандал. Он на мгновение сделался серьезен. — Товарищи, тихо. Мы выслушали уже достаточно много. Мне кажется, сказаны были важные,

достойные слова. Действительно, Гвирцман себе
позволил... и мы действительно не должны... ми-
риться с некоторым, как было сказано, неучасти-
ем, некоторым высокомерием... Но давайте не
будем снимать ответственность и с себя, товарищи! Вот выступление Владимира Гольцова, талант-
ливого, между прочим, поэта, которого нельзя не
поздравить с недавней публикацией его совершенно справедливого письма в «Литературной учебе».
И не нужно ему принижать себя, говоря: я, мол,
из простых. Деление на простых и сложных осталось в дореволюционной публицистике. Так вот,
Владимир, а лично вы как старший товарищ многое ли сделали для того, чтобы ваш товарищ Гвирцман был вовлечен в общественную работу? Вы
слушали, как он будто бы хихикал, хотя я вот
тоже несколько раз слышал, как вы хихикали,
но это же не делает вас врагом. Но почему вы
не подошли к нему прямо, а дождались момента,
когда мы будем обсуждать Гвирцмана публично?
Может быть, тут есть какая-то особенность вашего
характера?

Он еще некоторое время утихомиривал всех,
то ли всерьез, то ли насмехаясь, — но Миша, чьи
нервы страшно напряглись и чутье обострилось,
ощущал, что в аудитории все было сложно. Вита-
ло в ней и некоторое облегчение от того, что акт
каннибализма, кажется, не случился, и легкое
разочарование от того, что замах был так хорош,
а удар оказался вполруки. Оле, оле, мы не увидим
казни! — как кричали прокаженные в одной пье-

се: у них отнимали последнюю радость. И потому он не ждал спасения от Драганова, хоть и видел, как Драганов старается: он явно заговаривал стихию, которая могла сожрать и его. Так что когда примирительная речь завершилась предложением ограничиться для первого раза строгим выговором, и тогда другого раза не будет, — Миша понимал, что этим не кончится; и, когда встал аспирант Выборнов, все стало понятно. Выборнов бывал на Халхин-Голе, имел сухое желтое лицо, раннюю седину и репутацию хмурого вояки, гвардейской косточки.

Он сказал, как Миша и предполагал с самого начала, что для исключения из комсомола, вероятно, пока еще оснований нет. Потому что такое исключение сразу лишило бы человека надежды, а Гвирцман, конечно, не безнадежен. Но, как мы видели из его сумбурного тут выступления, он ничего не понял. И для того, чтобы он понял, ему надо, мне кажется, окунуться в жизнь. Скажу на примере, мне более понятном. Вы знаете, наверное, что я отчасти заслужил свою кличку Сапог. Я связал свою жизнь с армейской темой и знаю, что делает с неподготовленным человеком армия. Я наблюдал, можно сказать, лабораторным образом превращение невоенного и, скажу даже, демонстративно разгильдяйского человека (он так и сказал, этими самыми словами) в настоящего бойца. Ему достаточно несколько раз было побывать в обстановке, приближенной к боевой. И если у нас нет пока возможности поместить Гвирцмана в обстановку боевую, ему имеет смысл на какое-то время окунуться все-таки в жизнь простых, как он выражается, людей. (Миша сроду так не выражался, но тут уж возражать стало бессмысленно.) Я думаю, что собрание поступит наиболее верно, если ограничится действительно выговором, но рекомендует руководству института временно с Гвирцманом расстаться. Через какое-то время, пусть год, пусть, возможно, полгода, он сможет нам доказать, что понял свои ошибки. Или не понял, не осознал. Что ж, тогда могут потребоваться более радикальные средства. Но пока, мне кажется, ему и самому будет неловко смотреть в глаза своим товарищам после сегодняшней, прямо скажем, истерики и недавнего своего проступка.

Он это все выговорил не то чтобы четко, а как бы скучно, несколько скрипуче, — эта постоянная скрипучесть странно сочеталась с его напыщенными балладами о пограничниках, любящих своих собак больше жизни, больше сна и пищи; но эта скука и связывалась в общем сознании с будничным геройством, и после него спорить было незачем. И все с мрачным удовлетворением согласились: рекомендовать к исключению. И даже ни малейшей неловкости — потому что хотя Миша и не был ни в чем виноват, а все-таки ясно же, что так для него хорошо. И эта эмоция — трудное решение вопреки нашей человеческой слабости — очень всем польстила; и принято было единогласно.

В коридоре Драганов отвел Мишу к третьей поточной аудитории.

— Ну гляди, Гвирцман, — сказал он доброжелательно и без тени обычной своей издевки. — Я сделал все, что мог, ты сам видел. Не могу сказать, что ты вел себя неправильно, потому что правильного поведения тут не было. — Он взял его за рукав. — Через полгода вернешься, восстановишься, ты сам все слышал. Остальные тоже поняли. По-моему, расплатился ты скромно. Поработаешь, встанешь на учет, принесешь характеристику с производства, будешь исправившийся. Они тут исправившихся очень любят и больше не трогают. Понял? Как говорил мой дедушка, замечательный, между прочим, историк римского права, когда его обсчитывали по мелочи, — спасибо, Господи, что взял деньгами. Иди.

И Миша пошел.

По дороге его несколько раз нагоняли и пытались объясниться, и у него хватало твердости все эти объяснения отметать. Хватило у него сил даже встать после почти бессонной ночи, во время которой он чего только не передумал, и даже соблазн самоубийства несколько раз с горьким смехом прогнал, потому что уж очень это было безвкусно, а теперь можно было позволить себе все, кроме безвкусицы: только не это! И, подставив голову под ледяную воду, он пошел с утра в институт, страшно бледный и гордый, — но за сто шагов до цели развернулся и сбежал. Миша знал, что на него будут смотреть и сочувственно, и злорадно, а главное — и сочувствующие, и злорадствующие будут ужасно счастливы, что все это приключилось не с ними;

ясно, что с кем-то должно, и он, может быть, действительно отделался испугом, но он занял именно ту нишу, которая пустовала. Если отовсюду пачками вылетали студенты за неверное слово или ошибку в дате, почему ИФЛИ должен был оставаться неприкосновенным? Нет, они нашли у себя пятую спицу и белую ворону, и вычистили поганым железом, каленой метлой.

Весь день он шатался по Арбату, заходил к букинистам, просматривал древние подшивки, все это без цели, без смысла. Как всякий человек на переломе, и скажем честно — как человек под ударом, он загадывал поминутно. Открывалось все на какой-то ерунде: доставлена египетская мумия, где ели сонные в тумане (представил, как сонные едят, и нашел в себе силы усмехнуться), в отчаянии бросился на трупъ. Трупъ с твердым знаком был почему-то особенно смешон, словно за ним тянулся хвост земного существования. Люди, заходившие к букинистам, были старорежимные, точно выпавшие из времени, и он теперь был такой же. Выпадать из времени оказалось не страшно, все чувства притупились. Одни глядели на него сочувственно, словно он теперь пополнил ряды прокаженных, а они всегда радуются прибытку, хотя и слегка презирают новичка; другие откровенно насмехались, словно и падение его было ненастоящее, неполное. Конечно, он все это додумывал. Конечно, им не было до него дела.

Вечером зашел Полетаев, они вышли побродить и поговорили. Когда он возвращался домой, было чудесное сиреневое небо, листья кружились под фонарями на Чистых прудах, и он подумал: что же, обойдется. Даже и полезен такой опыт изгойства. Одно — надо чем-нибудь себя занять; но, может быть, и полезно иногда постоять пустым, подождать, к чему потянет. Во дворе ему кивнул сосед со второго этажа, шофер Леня. Раньше он работал на ЗИСе и был мастер на все руки. При любых неполадках с водопроводом или еще с чем бежали к нему. Леня этот был улыбчив, всегда спокоен, и встреча с ним тоже показалась Мише хорошим знаком.

На третий день после собрания он заставил себя зайти в институт, увидел приказ об отчислении, встретил в коридоре секретаршу, которая сказала, что он должен зайти и получить копию; предстояло еще сняться с комсомольского и воинского учета. Он сделал и это. К счастью, Драганова в комитете не было, учетную карточку выдал ему вполне безличный и безразличный человек. Куда теперь поставиться — надо было решить быстро; слишком долго пребывать в пустоте не мог никто. А хорошо бы пожить неучтенным, чтобы никто не учитывал тебя. Он мог, конечно. Он, конечно, мог. Конечно, можно было бы поговорить в деканате. И, может быть, как-то бы снизошли. Как-никак он был на третьем курсе и на хорошем счету. У него не было ни одного хвоста, его любили на кафедре иностранной литературы, что, пожалуй, тоже служило сигналом. Лучше бы его любили на кафедре народного творчества. Но он ни о чем не стал просить, никого не отлавливал, хотя Евсевич и намекал. Но лучше доскрести до конца, чтоб не осталось никакой грязи, никакого гноя. Он уйдет и вернется через полгода совершенно очистившимся.

Дома он все рассказал только через три дня. В самых черных красках расписал Валю, не смог отказать себе в этом, хотя не прятался и от собственной вины. Да, пытался поцеловать, но ничего не было. Послушай, но это какой-то старорежимный суд чести, сказал отец. Можно подумать, что ты бросил ее с ребенком. Прости, старик, возразил ему Миша (это обращение бытовало у них чуть ли не с Мишиного шестого класса), прости, но наша контора вообще довольно старорежимная. И в каком-то смысле это даже правильно. Суд чести, лицей. Я думаю иногда, что хорошо немного побыть вне коллектива. Хорошо, сказал отец. Я рад, что ты рад. Но теперь, конечно, тебе надо куда-то устраиваться. Поспрашиваю, ответил Миша, попробую. Возможно, куда-то литработником. Нет, ты прекрасно понимаешь, что это не то. Я никогда тебе не помогал, продолжил отец, и голос его постепенно набирал гордости, никогда не подталкивал, хотя ты знаешь, что, если бы пошел по медицинской части... были, были возможности. Но теперь уж позволь. Теперь уж, хочешь ты или нет, но самое время тебе поработать санитаром, образования это не требует, а стаж даст. У нас как раз всегда вакансия. В прозекторской? — спросил Миша. Отцу понравилось, что он может шутить. Нет, отчего же в прозекторской. Хотя и туда придется заглядывать,

каталку возить — дело такое. Работа неквалифици-
рованная, подсобная, но как раз такая, после которой на женщин даже в твоем возрасте смотреть,
пожалуй, не захочется. Словом, в институте сочтут,
что ты исправился.

Миша терпеть не мог медицину. Он понимал,
что это дело благородное, необходимое, куда более
важное, чем вся словесность, вместе взятая... хотя
еще вопрос, что нужней на смертном одре: камфо-
ра, которая все равно ничем уже не поможет, или
вспомнившееся напоследок «Прозвенело в померк-
шем лугу». Но польза ведь не принуждает к любви,
любовь как раз избирает себе предмет, далекий от
всякой пользы, — как случилось и с Валей Крапивиной, которую он всячески гнал из памяти. Больница была отвратительна своими запахами, и вот
чудо — от отца никогда не пахло больницей; там
кормили ужасной едой, там умирали. Собственно,
лежали там те, за кем не могли устроить домашне-
го ухода — страшные одиночки, никому не нужная,
неряшливая старость. Миша понимал, что все это
детские впечатления, оставшиеся от тех дней,
когда отец брал его на работу: один раз, чтобы
показать коллегам, а другой раз — проконсуль-
тироваться насчет миндалин, которые, о радость,
решено было не удалять. Все были с ним ласковы,
но вид больницы невыносим. Наверное, надо было
теперь окунуться туда, это была расплата за высокомерие, за хихиканье. О, за многое. Но как же
он этого не хотел. Впрочем, перспектива мыкаться
по московским редакциям была еще унизительнее.

И Миша согласился на печальную участь санитара (он сразу решил, что «медбрат» ему нравится больше), медбрата, мечтая о том, что судьба, уж верно, воздаст ему сторицей.

Отец работал в Склифосовского, а Мишу устроил в Боткинскую. Все врачи друг друга знали и держали круговую поруку. Когда отменяется совесть, остается профессия.

* * *

Миша был, скорее, неприятный человек — и знал это. Он не хотел бы писать книгу с таким героем. Хорошо писать о герое, который приятен, о его любви к славной девушке, любви, похожей на дружбу. О его друзьях, не готовых каждую минуту к предательству. О здоровой зависти к живым, а не о болезненной — к мертвым.

— Эти мне еврейские маленькие Пушкины, — говорил про Мишу дядя Иван, и Миша сразу понимал, что он и есть маленький еврейский Пушкин, пестовавший это сходство, но где у Пушкина было дворянство и пять веков истории, там у Миши была родительская библиотека, пятьдесят томов издательства Academia. У Пушкина была свобода обращения с материалом, а где Мише было взять эту свободу, когда он и материала не знал? Утешало отчасти то, что материала больше не было, от него остались только эти самые пятьдесят томов Academia. Двадцатый век отменил все, Германия сейчас жгла книги. Материалом была Валя, и Миша не знал, как с ней быть. Валя осталась единственным материалом, который не упразднен. И на ней-то он так ужасно погорел, мальчик, которому не нужно было казаться хорошим, чтобы себя уважать.

Миша не хотел казаться хорошим. Этим он отличался от сверстников, не от большинства, а от всех. В сущности, только это и давало ему надежду, что из него получится писатель, не обязательно поэт, но в любом случае пониматель всего этого тонкого устройства. Что устройство есть, он понимал, и оно никогда не казалось ему слишком сложным. Как говорили в школе, когда учили надевать химзащиту, — «нормативы божеские». В жизни тоже были нормативы божеские, можно было разобраться, если отмести некоторые преграды в самом себе. И желание казаться хорошим он почти отмел.

Работа санитара предполагала удобный график: понедельник, среда, пятница. И хотя вторников и четвергов, даже вместе с выходными, не хватало, чтобы вытеснить из головы больничные зрелища, четыре дня в неделю он все-таки принадлежал себе. И непонятно еще, что было мучительней, куда было деть это внезапно высвободившееся время: не роман же писать, в самом деле. Все начинающие авторы ждут, что появится у них свободный день — и они тут же возьмутся за роман; но в том и парадокс, что роман можно писать только урывками, когда текст вырывается со страшным напором, а когда у тебя есть время и даже комната — пиши не хочу! — возникает именно не хочу. Неловко было смотреть по утрам на детей, идущих по бульвару в школу номер двадцать (сам он учился на Покровке, и с двадцаткой они враждовали — доходило и до побоищ). Неловко было сидеть за столом перед тетрадью и что-то в ней карябать, пока мать, стараясь двигаться бесшумно, убирала в комнатах. У всех в квартире были дела. Мать иногда занималась с маленькой дочкой соседа Лени, умненькой понятливой девочкой, тихой и всегда удивленной. Она все понимала и всему удивлялась. Мать рассказывала ей те же сказки, что когда-то Мише, — про лесных человечков, про говорящую собаку Мику. Слушать это было невыносимо, грусть и злость душили его. Он убегал и шлялся по центру, и в этих шляниях случались забавные встречи.

Он принадлежал теперь к деклассированным элементам, или к лишним людям, или, если хотите, к бывшим. Но в бывших и таилось самое интересное, потому что большинство бодро марширует к финалу, а бывшие умудряются этот финал пересидеть и затеять на руинах что-то новое. Октябрь был теплый, Миша много ходил и не мерз. Сначала проговаривал про себя бесконечные обвинительные или защитительные речи, которых не сказал на собрании — слава Богу, потому что все они могли ухудшить его участь. После начал размышлять — иногда вслух, да и кому было его слушать, например, на Воробьевых горах? — о лишних людях; ему пришло в голову, что в каждом тексте русской литературы есть дуэль сверхчеловека с лишним человеком, Печорина с Грушницким, Базарова с Павлом Петровичем. А все это потому, что участь лишних и новых — одна: ими все пренебрегают. И тогда они, маргинальные люди, устраивают дуэли.

В больнице было, пожалуй, даже интересно. Для будущей прозы много чего можно было подсмотреть. В умирающих что-то было, а в мертвых — уже ничего, и это наводило, хочешь не хочешь, на мысль о душе. Были любопытные казусы — лежащая в параличе Соколова, про которую никто толком не знал, понимает она что-то или уже нет, и ее муж, сидевший около нее целыми днями и гладивший ее руку, а иногда читавший вслух. Соколова дышала самостоятельно, но питалась через капельницу. Иногда мужу предлагали отключить ее от питания, но он отказывался. Он был уверен, что она все понимает. Конечно, слишком долго это продолжаться не могло, но Соколова была старая большевичка, и ее пока терпели. Соколов же не был большевик, он был бухгалтер, но бухгалтеры имеют иногда поразительно глубокие чувства.

Миша насмотрелся на умирающих, и его презрение к смерти несколько поколебалось. Раньше он думал, что принимать в расчет смерть вообще не стоит, что она не наше дело. Теперь он понимал, что в жизни большинства — скажем, девяти десятых — она вообще была единственным событием, главней рождения, ибо в рождении ничего от нас не зависит. И умирать лучше всего не с гордо поднятой головой, в этом бывает ужасный моветон, а с покорным сознанием неприятной работы, которую надо исполнить. Кичиться совершенно нечем. Достоинство не в том, чтобы гордиться и бодрячествовать, а в том, чтобы сделать все абсолютно естественно. Как ни странно, все толстовские разговоры о правильном умирании простых людей были глупостью умного человека, подгонявшего мир под свои взгляды. Так называемые простые люди умирали хуже всего, в истерике, в озлоблении, в непрерывных капризах, ибо у них не было никаких механизмов защиты от страха. Тише всего умирала низовая интеллигенция, иногда — старики из бывших, сохранившие веру. Легче все-таки было тем, у чьей постели кто-то сидел. Вообще же умирали довольно часто, и Миша понял, что от медицины, в сущности, толку мало — прав был Чехов: ерунда сама пройдет, а прочее неизлечимо. Отец любил повторять эту фразу. Больница нужна была не больному, а родственникам, получавшим право думать, что они сделали всё, что могли.

— Дело твое, в общем, очень печальное, — сказал он отцу, не решаясь вымолвить, что это дело обреченное.

— Но все остальные еще печальней, — возразил отец. — Я хотя бы имею отношение к самому главному. — И добавил: — Ты теперь, кстати, тоже.

— Не уверен, что это главное, — сказал Миша. — Вот если бы существовала профессия, помогающая подготовиться к смерти... Но это, как ты понимаешь, не литература и подавно не богословие.

— Химия, — фыркнул отец, и больше они об этом не говорили, но тайно сблизились.

Постепенно Миша оттаивал, подползала тоска по сборищам — у Бориса, у Нины, у Сергея. Но он, конечно, накрепко запретил себе туда ходить. Ведь они все предатели. Они предали его легко, без сожаления. И будем честны: в последнее время ему было там, в этом кругу, тесно. Политические разговоры. Попытки искреннего раболепия, без лести, от чистого сердца. Чтение газет между строк, извилистые рассуждения об Англии, о стравливании с Германией, о развороте на Восток. Почему-то о Турции, хотя какая Турция? Тихоголосые писчебумажные девушки, делающие вид, что им интересно. Да Крапивиной спасибо надо сказать, что он выпрыгнул из всего этого. Разве он не дерзил им всем — в тайной надежде, что они его сами выгонят? «Зеленая лампа», любомудры, кружок дозволенной избранности, поиски подлинного марксизма, политинформации Бориса, якобы со знанием тайных пружин. Дикое самодовольство. Ему, конечно, очень нравилась роль скептика. Он вообще теперь стал во многом себе признаваться, находил в этом неведомое прежде наслаждение — все додумывать до конца. Да, ему нравилось, что было куда пойти. Что к его разборам прислушивались. Что ему было кому почитать. Но разве он не догадывался, насколько все это хрупко, насколько все они готовы к сдаче? Себя ли, другого ли — какая разница? Вся эта декабристская пошлость, которую чувствовал один Грибоедов (Пушкин — нет, в Пушкине не было той желчи, он по доброте своей вечно умилялся): чуть надави — пойдут писать друг на

друга подробнейшие, верноподданнейшие досье.
Миша понимал, что им его не хватает, что они его,
вероятно, ждут. Но он, зачумленный, запретил
себе. Больше никогда. И хотя знал за собой отход-
чивость, которую презирал как признак слабости,
а не доброты, — прошло две, три недели, а он был
тверд: никаких сборищ, никакого Карманицкого
переулка.

Конечно, все это было очень славно. Все эти
сидения в тесном кругу, восхищенные женские
взгляды — да, женские, уже не девчоночьи, — слабое вино, тени веток на обоях, одуряющие весенние
запахи в форточку, папиросные гильзы со следами
помады, и иногда, выглядывая в окно, в фиолето-
вый вечер с одним из первых апрельских дождей,
он чувствовал такую полноту счастья, какой, он
знал, не будет уже никогда. Слагаемые этого счастья были просты и даже пошлы: фонари, ветки, кислый рислинг, всякие глупости под гитару,
стыдно перечислить; но без целительной дозы этой
пошлости не бывает ничего великого. Блажен, кто
смолоду. Теперь он своевременно выброшен из всего этого, теперь ему предстоит окунаться в жизнь
и взрослеть в одиночестве. Но иногда, перетаски-
вая тюки зловонного белья или отвозя в прозектор-
скую очередной труп, он думал: Валя Крапивина,
сволочь, мразь, что же ты сделала с моей жизнью.

Но потом он представлял на своем месте любого другого из их компании, из так называемой
семерки, и понимал ясней ясного: никто бы не выдержал, никто. Все слишком хорошо о себе думали,

а он всегда что-то понимал, только у него хватало
презрения к себе и остальным. И хотя ему достало ума понимать, что и это красивость, и это тоже
самолюбование, даже, может, большее, чем у Бориса, — он себя не одергивал. Он имел теперь право
думать о себе лучше, потому что все прочие преимущества были у него отняты.

И писать он стал иначе, например так:

У меня теперь много свободного времени.
Делать нечего мне,
Как всему беззаботному нашему племени
В безработной стране.

...И был необыкновенный день в конце октября, странный день, очень плохой, как понимал он
впоследствии: день, начавшийся с плохого и тоже
странного сна. Такие сны должны сниться убий-
цам. Он никогда не видел ничего похожего, но,
может быть, теперь, когда он сам был виноватым,
приплюснутым человеком, когда у него отнято
все, вся культура, на которую он привык опираться и на которую не имел теперь права. Такие сны
должны были сниться загнанным, тщетно — именно тщетно! — убегающим от преследования. Наверное, это было как-то связано с войной. Ему снился
противогаз. Устройство показывал англичанин.
Он говорил: сделано так, что нельзя подложить
даже спичечного коробка. Почему именно коробка,
спрашивал он? А некоторые подкладывают, но
в условиях настоящей газовой атаки — смертель-

но. И он раз за разом погружался в противогаз, но тут же выныривал оттуда. Было невозможно, душно, жарко. Может быть, у вас дыхательный клапан завинчен? — спрашивал англичанин. Дайте мне, я проверю. Да нет же, говорил он, все отлично. Попробуйте. И Миша снова окунался в жар, в задыхание, и в этом противогазе еще надо было бежать. Он побежал сквозь сгущающийся серо-желтый воздух и выбежал вдруг в парк, но в парке все было не то. Листья пожухли — вероятно, под действием газа, — и кое-где валялись серыми кучками бывшие люди, полуистлевшие, вероятно, под тем же действием. И страшно давило, страшно жгло, но снять проклятую маску было нельзя, не то он сам тут же превратился бы в горсть серого тряпья. А потом надоело, и он сорвал маску. Воздух был обыкновенен, даже прохладен. Можно было дышать без страха отравиться. Но голос англичанина — его не было видно, он наблюдал откуда-то, — сказал очень холодно, очень серьезно: если вы не хотите играть в эту игру, что ж, вы будете играть в другую игру. Он сказал это по-английски, но при этом совершенно по-русски. Английской была интонация — разочарованная, высокомерная. Так и сказал: тогда вы будете играть в другую игру. И Миша понял, что это гораздо хуже любого противогаза, хуже даже, чем превратиться в серое тряпье, — но просить о пересмотре было уже бесполезно. Это не могло быть пересмотрено. И он проснулся с таким отвращением к себе, какого не чувствовал даже после собрания.

День был свободный, и он так устал от тоски и мыслей о себе, что решил совсем не думать, просто идти куда глаза глядят. И очутился в районе Новослободской, сел в трамвай, и трамвай понес его довольно быстро неизвестно куда. Миша загадал: раз он весь день шляется, не думая, то, значит, самое время проявиться судьбе, и трамвай привезет его к судьбе. В вагоне не было, однако, ни одной девушки его возраста, вообще ни одного приятного лица. Ехали среди рабочего дня либо старики, либо угрюмые люди сельского вида. Что они делали в Москве в это время? У некоторых были грязные рогожные мешки. Что могло быть в таких мешках? Человеческое мясо хорошо возить в таких мешках. Миша, кажется, заболевал, ломило виски, и горло побаливало. Обычная осенняя простуда, но теперь — очень некстати. С простудой можно ходить в институт, но не таскать тюки. Миша смотрел в окно, там подозрительно рано темнело, места были незнакомые. Казалось, сон продолжается, но все происходило наяву, просто он ехал непонятно зачем неизвестно куда. Город истончался, уменьшался, пропадал. Наконец трамвай остановился на конечной, там делал круг, дальше начиналось поле. Миша оторвался от холодного окна, к которому последние десять минут блаженно прижимался лбом, и увидел, что, кроме него, в вагоне осталось всего двое: согбенная старуха и ражий дядька с баулом. Они сошли и как-то сразу растворились в сыром воздухе, словно их тут ждали и мгновенно подхватили. А Мишу никто не ждал, он вышел из трамвая и шагнул в почти опавший, серо-желтый лесок. Тихо здесь было и пусто, и пахло землей. Небо было низкое и не серое даже, а бурое. Закурить бы, подумал Миша, но он не курил: пробовал и не понравилось. Он прошелся по облетевшему перелеску, чувствуя, что надо повернуть, что вот-вот его засосет воронка пространства, присутствие которой он ощущал иногда: именно так люди и пропадают без вести, и потом никто их не может найти, а выплевывает их это самое пространство за тысячи верст от дома, на какой-нибудь железнодорожной станции, где они ничего не помнят и никого не узнаю́т. Это пространство было от него в полушаге, но он чуял, что надо еще куда-то пройти, сделать еще несколько шагов, а уже потом, возможно, повернуться и со всех сил бежать к трамвайной остановке, к последнему, что связывало его с городом и с жизнью. Он прошел еще метров тридцать и увидел то ли канавку, то ли ручей, и что-то ему подсказало, что перепрыгивать эту канавку не надо, а надо постоять. И точно — он поднял глаза и увидел, что напротив, на том берегу, стоит и в упор смотрит на него Валя Крапивина.

Это, значит, и была судьба. Она изменилась, но не настолько, чтобы не узнать. Щеки втянулись, лицо стало уже и строже, но по-прежнему она носила челку и по-прежнему смотрела с вызовом. Конечно, это была не она, но уж очень похожа. Скорее всего, это была галлюцинация. Если все время думать о человеке, то и начнешь его всюду видеть. Но он-то видел ее не всюду, и на улицах она ему не мерещилась, и на сходствах, как сказано, никто его не ловил. А здесь стояла именно она, подойдя к той же канавке с другой стороны. Скорее всего, это был призрак. И надо было ее окликнуть, заговорить, но он понимал — и она понимала, — что делать этого нельзя. Или она следила за ним, пряталась, ехала в том же трамвае и вышла раньше? Нет, этого никак быть не могло. Он смотрел на нее полминуты, не больше. Потом резко повернулся и быстро пошел назад — бежать было ни в коем случае нельзя, как нельзя бегать от собаки. Если это призрак, то, подобно шаровой молнии, он прицепится к тому, кто создает ветровой поток, в этот поток попадает призрак и может двигаться в нем быстрее, и не отцепится наверняка. Мише в голову приходили сумасшедшие, никогда прежде не являвшиеся мысли, он и такого порядка слов не помнил за собой. Все было как в бреду, и его знобило. Оглядываться тоже было ни в коем случае нельзя, но спиной, как и положено при встрече с призраком, он чувствовал ясно, что она тоже развернулась и тоже уходит. Но он-то идет к остановке, а вот она куда? Никакой остановки все не было, он усомнился уже в ее существовании. Может, проклятая канавка поменяла их местами, и теперь он идет все дальше в лес, а Валя уже едет в трамвае, приедет сейчас в институт и пойдет на лекцию. Но это был вовсе уж бред, Миша не настолько еще сошел с ума. И тут подошел трамвай, и Миша вскочил в него, словно за ним тянулись руки виллис, и водитель сказал, что здесь входить нельзя, здесь выходят. Входить можно было только напротив, здесь была конечная, а там начальная. На остановке Миша прочитал название: парк Тимирязевской академии. Господи! Это был тот парк, в котором грот, а в гроте убили студента Иванова, того, который стал впоследствии Шатовым; им рассказывал об этом Дурмилов, большой специалист по всякого рода бесовщине. Дурмилов, щурясь, тянул: у этого места дурна-а-а-я слава! Вот, значит, куда его занесло. Трамвай, казалось, никогда не поедет. Но прошло полчаса, и он поехал, и Миша заснул, трясясь на переднем сиденье, а дома начался жар, и от походов на работу он по крайней мере на неделю был избавлен. И три долгих месяца он так и не знал, что это было.

* * *

Но странно — после этого дня (потому ли, что ночь темнее перед рассветом?) стало легче и легче, и даже медбратство не было уже так мучительно. Привычка все побеждает, а молодые привыкают быстро. В ноябре он уже не терял аппетита после прозекторской, научился смеяться специфическим анекдотам, перешучивался с кастеляншей Марфой, сочинил даже стишок к семидесятилетию почечного больного Самохина из урологии, и внучка Самохина, очень хорошенькая, робко позвала его заходить, когда деда выпишут. И он записал адрес. Завелась у него и среда, не хуже прежней, потому что в больнице лежали всякие люди, не только никчемушные старики, но и вполне свойские парни, ровесники. Поскольку Миша так и не закурил, важная возможность для знакомств была утрачена, но пачку папирос астматику Колычеву он все же принес. Константин Колычев, двадцати шести лет, был совершенный инвалид, в чем душа держалась: ему регулярно грозились отнять ногу (и всякий раз спасали), кожа у него была именно та, что называется пергаментной, лицо треугольное, дробящееся и рассыпающееся от постоянных кривых усмешек. А похож он был то ли на политического ссыльного в Якутске десятых годов, как их описывали в партийных мемуарах, то ли на так и не выросшего мальчика из горьковских очерков про всякие подвальные страсти-мордасти. По вечерам Колычева лихорадило, он не мог лежать, ему хотелось двигаться и говорить. Он шатался по коридору на костылях, задирал сестер, на него не обращали внимания — потому, вероятно, что уже списали; но он был живуч.

— Санитар, — позвал он однажды. — Вы, вы. Подойдите. Вы мне можете морфия достать?

Про морфий было, конечно, сказано для затравки разговора. В коридоре были больные, да и какой морфий, откуда?

— Вы производите впечатление юноши просвещенного. Как вас сюда? Вы действительно сын Гвирцмана из Склифа?

Миша не отрекся.

— Почему же он вас сюда послал? Набираться опыта? Это хорошо, полезно. Врачу на войне всегда лучше.

Миша тогда не стал расспрашивать его про войну, хотя Колычев заговаривал о ней часто. Это была его идея фикс, пунктик. У легочных больных, знал Миша, такой пунктик есть непременно, и еще они часто озабочены эротикой — какие-то бугорки в мозгу. Он об этом читал в одной из отцовских кабинетных энциклопедий. Но про эротику Колычев с ним пока не разговаривал, а про войну — случалось. Собственная обреченность, видимо, заставляла его фиксироваться на чужой. Он был из тех, кому можешь рассказать про себя все: потому, наверное, что никому не расскажет, умрет не сегодня завтра. Но Колычев не умирал, и его даже выписали. Он позвал Мишу заходить, и Миша зашел.

Тут стал ему открываться невероятный мир, который был вроде и близко, но никто о нем не знал, потому что все ходили по поверхности. Пленка была весьма тонкой, и провалиться не составляло труда. У Колычева собирались совсем не те поэты, которых Миша привык видеть в институте. Читали они явно хорошие, но непонятные тексты, по большей части слишком простые: иногда это были детские стихи, иногда — отрывки прозы, сочиненные словно идиотом, с чересчур простым синтаксисом и непривычными названиями привычных вещей. Это была не заумь, а что-то после зауми, как будто в стране победили заумники и насадили свой язык, но у людей еще оставался прежний, и потому они говорили на странной смеси обывательщины и всяческого дырбурщила. Было понятно, как это сделано, и идея казалась привлекательной, но сам текст не впечатлял, то есть действовал только на ум. Бывал у Колычева кинохудожник, приносивший записки о Средней Азии, где половина слов была непонятна из-за среднеазиатского колорита. Бывал экскурсовод, писавший только в жанре экскурсии, тоном гида описывавший визит в булочную, в Парк культуры, в уборную. Миша не читал ничего своего и в обсуждениях старался помалкивать. Иногда, если Колычев был один, он показывал ему кое-что из ифлийского творчества и стыдно радовался, когда Колычев все это разносил.

— Послушай, какая бесподобная мерзость: «Такая точность, что мальчики иных веков, наверно, будут плакать ночью о времени большевиков»!

— Он писал это честно, — сказал Миша слишком твердо для трезвого, и было, увы, слышно, что он старается говорить именно твердо.

— Ну конечно, честно! — хихикал Колычев, дробясь и рассыпаясь. — Это и есть самое гнусное, что абсолютно честно! Если бы он сказал это за деньги, я бы первый восхитился. Искусство добывать деньги — не последнее и по крайней мере почтенное. А он — искренне! И ему никогда ничего за это не обломится, потому что они по-своему как раз порядочные люди. Они платят тем, кто честно зарабатывает, а не тем, кто хочет дойти до Ганга.

Колычев одной ногой уже стоял за чертой, а потому все, что касалось войны, смерти и неудовлетворенной страсти, было ему близко и родственно. Он в этом понимал. Он все чаще терял сознание и в эти минуты, видимо, что-то видел.

— Война будет обязательно, — говорил он, — и скоро. Без войны из всего этого нет вовсе никакого выхода. И заметь, что они подбираются с разных краев. Он пробовал в Испании, не вышло, там потушили. Все, кто видел эту неудачу, были виноваты. Он попробовал на Халхин-Голе. Тоже не получилось, потому что взяли и победили, а противник оказался тьфу. Тогда он зашел в Финляндию. С Финляндией было чуть лучше, но здесь, наоборот, тьфу оказались мы.

— Всё глупости, — не очень уверенно говорил Миша. — Если бы так хотели войны, не было бы пакта.

— Дурак, — беззлобно говорил Колычев. — Пакт ему нужнее всего. Они сейчас договорятся и вместе будут делить мир. Ты видел когда-нибудь, чтобы мы поддерживали приличного человека? Только людоедов. И здесь глубокая мысль. Все оттого, что мы не верим в чистую любовь. Мы можем поддерживать только корысть, а корысти ради нас любят только сволочи. Мы и Гитлеру нужны только ради хлеба. Сырья у нас вагон. Это будет гораздо хуже, чем война с Гитлером. Это будет война вместе с Гитлером, и слава Богу. После нее нас точно не будет. Мы вскочили на тонущий корабль, не буду тебе говорить, как он называется.

— Какой не думал век, что он последний, а между тем они толклись в передней, — процитировал Миша.

— Конечно, не последний, почему последний? Есть разные стадии вырождения, есть интересный подземный мир, у темноты свои градации. Мы все это увидим. Ясно только, что мы уже в подземном царстве, а там можно пробивать еще много днищ. Советская власть недурна, но есть в ней черное пятно, и оно будет теперь расползаться, пока не захватит ее всю. Ты думаешь, они подружились просто так? Нет, это давно должно было случиться. Ты же знаешь, зло потому только еще не победило, что не умеет договариваться. Но на этот раз они договорились, и я не знаю, что может мир противопоставить этой силе. Наверное, они поссорятся, но только тогда, когда уже завоюют всех прочих. Тогда, разумеется, победим мы, потому что мы больше. Но, впрочем, за это время они смешаются до полной неразличимости.

И, как в стихах колычевских гостей, это была чушь, но в ней что-то было. Во всякой чуши что-то бывает, и порой кажется, что она-то и есть истинное лицо мира.

* * *

9

На Чистых прудах появилось новое лицо — девушка в белом свитере. Саша Горецкий сказал, что познакомится завтра же. Почему не сегодня? Сегодня он был не в лучшей форме. Вообще все самое важное надо откладывать на завтра. Сегодня рано, послезавтра поздно. Лида Сажина призналась, что у нее над постелью висела одно время бумажка: «Завтра начну худеть». Очень утешало по утрам. А потом как-то сама похудела и стала красавицей. Она говорила об этом легко, как и положено самоуверенной красавице, но с девушкой в белом ей было не сравниться. Та вообще была фея.

Миша решил, что с Горецким конкурировать не будет. Он увидел, как девушка в белом свитере села на скамейку и стала переобуваться, понял, что она сейчас уйдет и шанс будет упущен, и подъехал к ней, торопясь изо всех сил, чтобы не успеть передумать.

— Здравствуйте, — сказал он, — мы любим вас.

Эта фраза пришла в последний момент и была прекрасна тем, что на нее нельзя было не ответить. И она ответила именно так, как он предполагал:

— Здравствуйте, а сколько вас?

Теперь близорукий Миша хорошо ее рассмотрел. Она была красива необыкновенно, ровно в том смысле, какой и вкладывается в это слово: обыкновенная красота может остановить взгляд, может даже заставить разинуть рот и посмотреть вслед, но не вызывает желания любой ценой, вот здесь, сейчас, вступить в то же тайное общество, в котором состоит эта женщина. Ведь она состоит, иначе откуда такая уверенность, ладность? При виде такой красавицы всегда понимаешь, что где-то есть такие, как она, но мы их не видим, потому что это общество тайное. Она была из тайного общества людей, ходящих по воздуху. Они в любой момент могли из этого воздуха соткаться и защитить ее от всякой опасности. У нее всегда все получалось. Улыбка ее была заговорщицкая. Волосы ее рыжие с золотом, нос прям и ровен, лоб высок, черты соразмерны. Уста ее имели тот карминный оттенок, ту нежную алость, которой Миша никогда не видел, но представлял. Карминную помаду готовил парфюмер Рене для королевы Марго. В этом слове был также камин.

— Нас человек семь, — небрежно отвечал Миша, — они все вон там катаются, а я расхрабрился и подъехал.

Он вообще сильно осмелел с того момента, как его отчислили. Кроме того, у него был теперь заработок. Он был самостоятельный, немного демонический юноша, которому нечего терять.

— Вы хорошо сделали, — ответила она, — но долго собирались. Я уже ухожу.

— Это ужасно, — сказал Миша. — Лучше мне вас не провожать, ведь вы идете к кому-то, а я этого не переживу.

— Лучше не провожать, — кивнула она, — потому что я уже переобулась и не смогу вас ждать. А иду я в театральную студию, туда нельзя опаздывать. Вы это переживете, а завтра я опять здесь буду в это время.

— Вы не придете, — сказал Миша, — я точно знаю. Я не смогу даже позвонить вам.

— Не сможете, — подтвердила она очень серьезно. — Мы недавно приехали, телефона еще нет. Поэтому я приду. Ведь вы меня любите.

И ушла, и, конечно, обернулась. Он знал, что она обернется. Обернулась, но махать не стала.

Назавтра Миша пришел ровно в семь, и, конечно, она явилась в четверть восьмого, это было как балет. И он подлетел к ней. Она была еще лучше, потому что без берета. Берет не шел, или, точней, ей все шло, но он увидел теперь всё золото, всю рыжину. Вокруг было сказочней прежнего, снег порхал, фонари сияли благожелательно. Миша прищурился, и вокруг всего выросли лучи.

Ее звали Лия, ее отец работал в Германии, потом приехал. О матери она никогда не рассказывала. Она училась теперь в педагогическом институте, но готовилась поступать в театральный, в какой-нибудь из трех, как делается всегда: куда пройдет. Поступать сразу после школы она не решилась, а в педагогическом думала проучиться год, просто чтобы не терять времени. В крайнем случае останется учительницей, она прекрасно ладит с детьми. И почти со всеми она говорила как с детьми, не снисходительно, а скорей сострадательно и очень серьезно. У нее были ямочки на щеках, тонкие пальцы, все в ней было невыносимо, невыразимо изящно, и Миша всегда понимал, что приблизиться к такой девушке ему не дано. Но он уже понимал, что, если ничего не делать — ничего и не будет, и потому нагло расспрашивал об отце, нагло набивался в театральную студию, куда она ходила, — и в самом деле получил приглашение туда зайти.

Они репетировали пьесу, которую сочиняли сами. Сюжет ее был — строительство города в тайге. Началось с этюдов: Орехов предлагал «безнадежное положение», «невыносимую неловкость», «знакомство», и как-то все это закрутилось вокруг быта комсомольцев в новеньких бараках, вокруг массового выезда в незнакомые места. Тут был простор для освоения любой натуры, импровизировали сколько угодно — в тайге появлялись валуны, льды, только что не пустыни; публика была самая разношерстная, работы хватало всем типажам. Орехов пояснял, что строительство города — древнейший сюжет, позволяющий всем раскрыться. Ну, или уничтожение, неважно. Если греческая Илиада была про осаду и разрушение, то наша, советская Илиада должна быть про созидание.

Орехов был из беспризорников, и поначалу Мишу это поразило — так он был культурен, мягок и так умел подладиться к каждому; но, вдумавшись, Миша понял, что это и есть школа беспризорщины — иначе не выживешь. Со всеми ласков, любую идею принимал восторженно, с тщательно имитируемым детским любопытством, но умел всегда повернуть так, чтобы на ней появлялся ореховский налет. Он в высшей степени умел то, что называется «студийностью» и без чего будущего театра не бывает. Миша полагал, что и Станиславский действовал так же. Это не было актерской вольницей: Орехов сначала создавал климат, в котором каждый являл свое лучшее, а после отбирал то, что ему годилось. Годилось ему, впрочем, не лучшее. Миша с трех репетиций понял, что без Орехова это был бы другой спектакль, куда более талантливый и пестрый. Орехов отбирал идейное, позитивное и трогательное. На этом думал он построить советскую сказку. Его главной формальной идеей был хор, объяснявший все обстоятельства. Герои занимались в основном тем, что рассказывали о себе — как говорил дядя, выбалтывались, — выясняли отношения и пели песни. Изобразить на сцене трудовой процесс не удавалось даже хору. Выходила лютая вампука: о, как мы побежим! Вместо трудового процесса были песни, много, из них состояло почти все действие. Это и была комсомольская опера с вкраплениями споров о вредительстве. Без вредительства не выходило конфликта.

Студия собиралась дважды в неделю, по средам и субботам: Миша скоро начал благословлять эти дни, точней, глубокие, мягкие поздние вечера. Декабрь сорокового был теплый. Техника Орехова была такая: он «задавал обстоятельства». Назначенцы, то есть те, кого он уже назначил на роли, вступали в диалог. Летописцы, они же Несторы, записывали удачные реплики. Наблюданцы, они же недовольцы, предлагали свои действия в предложенных обстоятельствах. Обсужданцы, они же зрители, отбирали лучшее. В паузах между сборами Орехов все это записывал. Так из вариантов, ветвясь и кустясь, росла пьеса, в которой от бурных споров, насмешек и озарений почти ничего не оставалось. Если бы Творец творил коллективно, мир был бы невыносимо скучной равнодействующей. Эту мысль следовало продумать.

Но самым ценным результатом всего творившегося в гимнастической зале на Никитской была не комсомольская опера о городе ветров, а то, что происходило после репетиций и вне студии. Когда режиссер Степанов, немногословный и вечно недовольный — без этого он не мог бы выглядеть единственным профессионалом, — гулко хлопал в ладоши и говорил «Сегодня всё», начиналось главное: раздувался настоящий самовар, за который отвечал Орехов (у него был для этой цели особый сапог, никто не подпускался к сапогу), заваривался чай, девушки — как были, в гимнастических трико, прелестные, разгоряченные, — устраивали застольный уют, распивалось легкое белое — возникала милая суета, и тут-то импровизировались диалоги получше сценических.

А всего слаще было возвращаться с репетиций. Всякий город создан для своего тайного заветного действия, и Москва — по крайней мере та, какой она была в том декабре, — казалась устроенной для ночного возвращения с репетиций одинокого медбрата, влюбленного одновременно в ангела и демона, причем демон был немного ангелическим, а ангел — демоническим, или так: ангел — немного падшим, а демон — немного взлетевшим; вот такая сложная, витиеватая цель — но ведь и сам город сложен и витиеват, изгрызен переулками, кротовьими норами, внезапными выходами из одного пространства в другое. Миша шел пешком с Герцена на свои Чистые пруды под крупными снежными звездами, город был тих, снег глушил все, даже трамваи Бульварного кольца лязгали вполголоса. Петербург, положим, хорош для неусыпных трудов и судорожных пиров Петра, для экзекуций и рекреаций, для корабельного строительства на плоских берегах и восстаний на обширных площадях; Москва нехороша для восстаний, они в ней обычно не удаются, а для трудов тесна и суетлива. Москва вся как бы кругами расходится после чего-то главного; камень брошен, и пошли круги — Бульварное, Садовое, Окружная железная дорога... Вся Москва расходится кругами — с пьянки, гулянки, репетиции. Репетиции длятся вечно, от слова репетэ; спектакль никогда не состоится, главное — расходиться. В Москве хорошо поздними вечерами возвращаться из школы, с заседаний непременно авиамодельного кружка, хотя хорош бывает и кружок мягкой игрушки. Хорошо идти с репетиций, долго провожать друг друга, прощаться в подъезде, целоваться, возвращаться, терять варежки. Москва создана для молодых людей, еще не перешедших окончательной черты ни в чем — ни в изгойстве, ни даже в любви; переходить эту последнюю черту в Москве всегда негде.

Миша много думал о том, где же и как им наконец с Лией сделать то, к чему все шло; чем больше обожали Лию все хозяева и гости студии, чем ярче сиял вокруг нее ореол этого обожания, чем напевней делалась ее речь, как бы состоящая из одних переливчатых гласных, — тем яснее Миша видел, что это все ему, и не за особенные его достоинства, а просто потому, что он первый осмелился это взять. Вот так подойти и сказать: мы вас любим. И все-таки она чего-то ждала от него, чего-то еще ему не хватало, он знал, что форсировать нельзя.

Но он уже знал, что из всех его воспоминаний, которые случится же когда-то перебирать, самым золотым светом будут сиять все эти посиделки и попевки. И, когда ему вспоминалась Лия, а она, собственно, и не вспоминалась, а так и жила с ним все дни, встречала его теперь каждое утро, и он тупо улыбался в подушку, — он чаще всего видел ее в профиль, рот полуоткрыт, волосы еще собраны в хвост после акробатики, слушает Гуннарса и Цветкова, поющих хором еженедельную порцию частушек, — и на лице то сложное сочетание любопытства, любви и жалости, которое он видел у нее только в студии. Он не понимал, как можно было так слушать частушки, или песенки Горецкого, или жестокие романсы Орехова, которых набрался он еще в беспризорничестве.

— Это же шлак на три четверти, Лийка, — сказал он в начале очередного провожания; Лийка — была единственно доступная ему фамильярность, надо же было называть ее как-нибудь простецки, чтобы не прорывалось все время благоговение. В конце концов он был студент, хоть и отчисленный, и старше двумя годами, и должен был скрывать, что чувствует ее старшинство.

— Ну вот четверть и останется, — ответила она тихо и как бы виновато, все понимая, но не умея предотвратить. И, после нескольких шагов в молчании: — Не факт, что это будет лучшая четверть.

Он заговорил о том, что в литературе остается как раз лучшее, можно оспаривать отсев, как некоторые пытаются доказать, что Кюхля писал лучше Пушкина, — но почувствовал (он всегда это чувствовал с ней), что говорит мимо темы.

— Литература не то, я не про литературу.

— А про что?

— Про четверть. Вообще останется четверть, и я никогда не понимаю кто. Себя, например, не вижу, про себя ничего не знаю. Ты вот останешься. — Этот ее взгляд он знал: прищуренный и, кажется, неодобрительный, словно говорящий: «Ишь ты!» — но так, как говорят про удачливого жулика.

— В каком смысле останусь?

— В прямом. Запоминающийся такой. Это не всегда хорошо, кстати. Виноват будет другой, а запомнят тебя.

— Любишь ты, Лийка, говорить непонятно, — сказал он, чтобы стряхнуть страх. Он всегда побаивался, когда она так говорила.

— Да все тебе понятно. Мишка, отстань. Сколько можно целоваться.

Он понял это как намек — действительно, хватит целоваться, пора уже дело делать. Есть рубеж, на котором не стоит задерживаться. Но рубеж этот труден, и всегда есть страх, что ничего не получится: он это чувствовал, хотя дальше интенсивного обжимона (нужно другое слово, но где взять?) ни с кем еще не заходил. Дело не в банальной робости, не в пошлом «получится — не получится», но в том, что последнего взаимопонимания не будет, а без него любые совпадения прочитанных книжек ничего не значат. Ужас, что все должно подтверждаться чем-то грубым и земным, хотя отчасти, конечно, небесным. Ужас, что в основе всего так-таки плоть, базис, как в основе всякой поэзии, учат нас отцы-основоположники, лежат производительные силы. И, значит, придется решать десятки унизительных вопросов, переходить от провожаний и разговоров к поискам идеального времени и приемлемого места. С ней было ясно и просто, но до поры. Барьер он чувствовал, и, если бы не барьер, Лия была бы обычным своим парнем, как все та же Вера, комбригская дочка.

И временами он начинал ненавидеть ее красоту, которая притягивала всех, красоту, на которую оглядывались (заодно скользя взглядом и по нему — и взгляд этот был не завистливый, как ему бы хотелось, а снисходительный: ну, этот-то не помеха). Он видел в ней и силу, и мудрость, и скрытый талант — ведь, не сочиняя песенок и не подавая реплик, она все-таки была в студии талантливей всех, это признавалось молчаливо и единогласно; а другие видели красоту в самом пошлом смысле, и с ними надо было держаться так, чтобы не увели. Ах, она с такой легкостью могла польститься на ложную многозначительность, на чье-то жирное восхищение, на зрелость, наконец! Столько пошляков вокруг мечтали с ней быть, и для красоты это так привлекательно — желать восхищения, раздаривать себя! Сам он рядом с ней чувствовал себя иногда как собака на сене: Лию надо было уступить тому, с кем она смотрелась бы лучше. И при этой мысли он закипал.

Иногда им случалось разговаривать о войне. Эту тему Миша ни с кем старался не расковыривать, потому что ему всегда казалось, что только сказанное слово приближает катастрофу, а пока о ней молчат, она как бы спрятана. Самое ужасное, что он не понимал, с кем будет эта война. Иногда ему даже представлялось, что она будет гражданской. С Германией мы договорились, никакой Европы больше нет, Англия далеко, Америка еще дальше, с Японией в последнее время тоже начались странные телодвижения с обеих сторон — мы как бы не против, да и мы не против, да, и ведь мы такие большие... Интересно было бы с Африкой, тут намечался как будто сюжет. Еще любопытней с Антарктидой, вылезут оттуда страшные ледовые люди... Но понятно было, что вечно жить в таком неврозе нельзя, он должен чем-то разрешиться, иначе никто так и не поймет, к чему мы всю жизнь готовились. Все это Миша попытался изложить — по возможности насмешливо, хотя смеяться было не над чем: мало того, что вся история придет к бездонному зеро, но и вся его жизнь кончится ничем, а это волновало его гораздо серьезнее.

— Нет, — сказала Лия, — война обязательно будет. Я знаю.

Миша даже возмутился: что ты знаешь, откуда?

Она помолчала таинственно.

— Я могу тебе рассказать, и ты даже поймешь. Но будет ли тебе хорошо от этого?

— Ох, Лийка. Мастерица туман разводить.

Но полчаса спустя он сам жалел, что уговорил ее рассказать. Страшно было все — и то, что она это знала и вот такое носила в себе; и само по себе то, что она рассказала; и главное — что она, похоже, была права.

— Это убийство двадцать второго года, — сказала она, наконец решившись. — На ферме Хинтер Кайфек.

И уже в названии фермы почудилось ему ужасное.

— Мне сначала в школе рассказали, когда я там училась. И потом я все прочла, все, что могла. Но яснее не стало.

— И кто кого убил?

Лия все молчала.

— Ну, слушай, — заговорила она наконец, глядя вдаль странно расширенными глазами, словно ее и мучила, и завораживала эта история.

Она рассказывала не так, как дети рассказывают страшное — наслаждаясь и гордясь, что завладели вниманием всей компании где-нибудь ночью у костра, — а как будто заглядывая на изнанку мира, и то, что она видела, было жутко, но очень важно.

— Это ферма в Верхней Баварии. Сейчас ее уже нет, там год спустя все сровняли с землей. Три здания — дом, конюшня и сарай. Все это такое, знаешь, немецкое, низкое, приплюснутое. И толстые стены, беленые, как каменное мыло. Жили там Груберы. Муж и жена, Андреас и Цецилия, она старше на десять лет. Его насильно женили, потому что она единственная наследница фермы, а он из бедняков, батрачил там у них, что ли... Он ее не любил совсем. И она действительно очень некрасивая, тоже низкорослая. И у них была дочь Виктория. И с этой дочерью он стал жить как с женщиной с ее четырнадцати лет.

Лия сказала об этом очень просто, как говорят о скоте.

— Подожди. Дочь точно была от него? Может, эта Цецилия была вдова уже?

— Нет, точно. Если бы не от него, было бы не так дико. Но именно от него, и он бил их все время. Обеих.

Замолчала.

— А соседи?

— Соседи знали, конечно. В деревнях всегда всё знают. Но это же ферма, отдельный, можно сказать, хутор. Там две соседские семьи. Про одну будет дальше потом, а на другой вообще с ними не знались. Не любили их сильно. Викторию эту еще туда-сюда, а Андреас был хмурый, часто пьяный. Жена все знала. Она не возмущалась, ничего. Да и что могли они обе? А потом, в двенадцатом году, когда Виктории было двадцать три года, ее выдали замуж, но к отцу она продолжала бегать при первой возможности.

— Добровольно?

— Ну, кто же теперь скажет. Думаю, добровольно. И муж все знал, поэтому через два месяца такой жизни он сбежал от них. Назад к родителям. И призвался оттуда в армию, и пошел в четырнадцатом году на войну. Его убили под Аррасом, знаешь битву при Аррасе? В октябре. Тысяч сто поубивали с разных сторон. Он провоевал всего три дня. Мясорубка.

Миша слышал только об одной битве при Аррасе — той, в которой убили барона де Невиллета и тяжело ранили Сирано, — но кивнул. Да и какая разница.

— Вот. А у Виктории осталась дочь, непонятно от кого. Тоже Цецилия. К двадцать второму году

ей было семь лет. А в пятнадцатом году Виктория
вдруг призналась священнику на исповеди, что все
это время вот такое было с отцом. А священник не
смолчал, видишь? Все одно к одному. Если священник нарушает тайну исповеди, это страшное
дело. Но ему показалось, что инцест — это более
страшное дело. И он проговорился, и Андреасу
дали год каторги, а Виктории — месяц тюрьмы.

— Ей-то за что?

— А по немецким законам это общий грех.
Прелюбодеяние. И он год спустя вернулся, и все
это опять началось, представляешь? Но в девятнадцатом году Виктория соблазнила соседа. Пришла
к нему за чем-то, якобы по хозяйству, и там в сарае
буквально заставила. Так он рассказывал. Он был
немолодой уже, сорок с лишним. Похоронил только что жену. И там уж непонятно, кто кого соблаз-
нил. Но у них было несколько раз, в том же сарае.
И она забеременела опять. И сосед пришел к Андреасу просить ее руки, но тот сказал: никогда.

— Почему?

— А кто знает. Наверное, любил. Такая тоже
любовь.

— А сосед?

— Сосед сказал: но она же беременна. А Андреас ответил, что он за это уже отсидел и все равно запишет ребенка на себя. Но ребенок родился
больной. Уж он-то явно был от этого дикого брака
с отцом. Он не рос почти и был отсталый. Видишь,
сколько там уродства на одну ферму? Прямо концентрация, всё налицо. И тогда этот сосед женился

на другой, но про ребенка все равно всем говорил, что это его сын.

—Вот. — Она снова замолчала, и Миша не торопил. Он уже чувствовал, что дальше будет хуже. — И вот март двадцать второго года. Я это все очень хорошо помню, в газетах подробно было. Мы же в Мюнхене жили, там это недалеко. В библиотеку ходила, всё читала. В конце марта Андреас ездил на ярмарку. И там в кабаке одному человеку рассказал, что начались странности. Что он слышал шум на чердаке ночью, а в лесу, рядом с фермой, кто-то ходил с факелом. А потом видел, что от опушки леса к его дому шла цепочка следов. Явно один человек. И следы обрываются у его порога, а обратных следов нет.

—Жуть.

—Да. Вот он это рассказал, а сам с выручкой поехал домой. Он не хранил деньги ни в банке, нигде, не верил никому. Все знали, что деньги в доме, и все его боялись. И на следующий день, и через два дня видели дым у них из трубы, и свет был в окнах. Приходил мастер чинить трактор, с ним Андреас за неделю договаривался, потому что весна, скоро пахать. Он приходит — никого нет, сарай открыт. Стал чинить трактор, нарочно громко свистит, поет — вдруг откликнется кто. Никто не отозвался. Он постучал — глухо. Удивился и ушел. А потом почтальон пришел, принес газеты. Видит — окно кухни открыто, там детская коляска. Удивился, газеты бросил и ушел. А еще через день приходит — опять окно, опять коляска.

Ее не сдвинул никто. Тут он насторожился и пошел в поселок, и там вспомнили, что дочка в школу не ходит уже три дня. Пошли к этому соседу, от которого сын. Он говорит: я их тоже не видел. Видел только, говорит, свет от фонарика позавчера ближе к лесу, но когда я окликнул, то фонарик погас. Пошли на ферму впятером, взяли самых крепких на всякий случай, а там уже не надо было никаких крепких. Там в сарае лежат Андреас, его жена старая, Виктория и девочка. Лежат прямо на пороге, старой дверью прикрыты и сеном. У всех четверых головы разбиты ударом крест-накрест, то есть как бы в два удара тяжелым и острым. И кирка рядом, мотыга. Так выглядело, будто их кто-то заманил в сарай вечером. Они все уже были в исподнем. Дверь там узкая, заходили по одному. Кто-то их там ждал. А потом убили прислугу их, хромую, тоже больная была — одна нога короче другой, и если над ней смеялись, то она на людей прямо кидалась, нигде не задерживалась дольше месяца. А эти взяли, они сами, понимаешь, кидались на людей... Вот, ее зарубили в комнате, а младенца — в детской. Причем...

— Да не тяни ты!

— Причем, — сказала она, опустив голову, — его ударили, уродца этого, с такой силой, что полчерепа на метр отлетело буквально. И кровать в щепки. Кто-то сильно очень молотил.

— Начинаю догадываться.

— Погоди. Ни гроша не взято, все деньги на месте, хоть они лежали практически на виду. И самое страшное не это, а то, что на чердаке нашли привязанную веревку, очень толстую, и потолок был разобран над конюшней. А там все строения — сарай, конюшня, дом, — они соединены, так что можно было спуститься, скажем, в конюшню и пройти в сарай. И на чердаке были следы, там жил кто-то. И до убийства, и, что совсем непонятно, после. Их убили еще в конце марта, а ушел убийца совсем недавно. Он задавал корм скоту. Собаку привязал, но кормил. И ходил по опушке, ходил, не уходил никак. Собак привезли, они нашли следы на опушке, а дальше их замело, и в лесу они уже не нашли никого. И еще, ты знаешь... Вот я не могу про это рассказывать.

— Но теперь-то, раз начала...

— Вот эта девочка... она из всей семьи, мне кажется, была самая нормальная. И она умерла не сразу. Потом писали, что если б ее вовремя нашли, то она бы спаслась. У нее порезана была шея, и она пальцами пыталась зажать раны. И нашли несколько клочьев волос, у нее в руках были зажаты клочья и кругом были. Это оказались ее волосы. Ты понимаешь? Она лежала там под трупами еще живая, зажимала свои раны и от боли рвала сама на себе волосы. Лежала, может быть, три часа, может быть, всю ночь. И была жива. И не могла кричать или боялась. Может быть, она и рвала волосы, чтобы не кричать. Вот как после этого можно вообще? Я понимаю, конечно, что под Аррасом умерли в ужасных муках, с разорванными, там, животами, триста тысяч человек, и от газов в разное время погибло не меньше, но там война. А когда я подумаю про эту девочку, дочь, наверное, собственного деда, которая родилась на этой глухой ферме, ничего, кроме фермы, в жизни не видела, и умирала там ночью, и рвала на себе волосы... я тогда думаю: нет, уже никто никого не спасет.

— Но это сосед, конечно.

— Нет, не сосед. У соседа алиби. Оно, правда, странное, потому что сначала он якобы там в предполагаемую ночь убийства сказал жене, что пойдет ночевать в сарай... слышал он какой-то шум, сказал, пойду караулить. А потом жена сказала: нет, он спал со мной. Но следы остались кровавые, такие большие мужские ботинки. А у него не нашли таких.

— Мало ли, в лесу выбросил. Сжег.

— Нет, не нашли. И не сжигал он ничего. И мотив у него какой был — обида? Правда, он платил на ребенка. Но это же его было решение. Я знаю, кто.

— Убитый муж, — сказал Миша, криво улыбнувшись.

— Конечно. Но понимаешь... его же никто не видел убитым. Было дознание. Опросили всех, кто с ним воевал. Видели его в начале боя, а потом там такое началось, что уже было не до отдельных людей. Объявили пропавшим без вести, а потом кто-то сказал: да видел я, в него осколок попал. И записали погибшим. Кто же там найдет.

— Это важно. Ты не говорила.

— Да. Но я не для эффекта, а просто — не пришлось. И я думаю, что он решил отомстить,

и ждал, и пришел в двадцать втором, когда они
уже не ждали, и убил всех.

— Ты думаешь, он так любил Викторию?

— Да не думаю. По-моему, тут другое. По-моему, он просто навидался... и решил, что самое
средоточие греха — вот. Что и война была для
того, чтобы смыть общие грехи. Что, грубо говоря,
война была из-за них. Что он там рехнулся, после
первых обстрелов, и ему представилось — вот,
когда люди столько грешат, рано или поздно
у Бога заканчивается терпение. И он подумал, что
вся война, весь вот этот Аррас, кишки на деревьях
и все такое — это было за Викторию и Андреаса.
Потому что много же было таких ферм. На него
это сильно подействовало, я думаю, он потому
и сбежал. И ребенка с такой силой убивал, чтобы
от них никакого уж следа не осталось. А может,
просто этот ребенок ему представился таким исча-
дием ада — плод греха и еще урод, — и он его
за всех...

— Ужасные вещи ты носишь в голове, конечно.

— Ну а как, Миша? Там ведь все газеты это об-
сасывали, и до сих пор обещают премию за любую
информацию, которая поведет к раскрытию. Мод-
ная такая тайна. Причем, конечно, никто никогда
не найдет. Его же считают мертвым.

— Но почему он тогда там жил еще три дня?

— А не знаю. Наверное, ждал погоды, чтобы
тихо уйти, чтобы в лесу следы замело. Там снег
вдруг пошел, в начале апреля. Или еще чего-то
ждал. Или кормил коров, чтобы не орали. Не знаю.

Но они шли к нему в сарай, как будто знали его. Понимаешь? К незнакомому человеку они бы не пошли. Андреас, видно, вошел первым, его там завалили, а дальше пошла жена, а потом Виктория, а потом дочь. Но, конечно, к чужому не вошли бы. Хотя тоже не знаю. Странно все. Он же мог бы с чердака прямо в спальню спуститься. Но знаешь, как я представлю... что вот они жили там, а он в это время прятался на чердаке и готовился... ел что-то, там объедки нашли... И что потом этот рабочий сидит, чинит трактор, а на чердаке в это время выжидает убийца. И если только рабочий что-то заподозрит, его тут же мотыгой... И он свистит еще, да? Но, думаю, его бы он не убил. Он этим отомстил — и хватит. Правда, служанка... непонятно со служанкой.

— А представляешь, если это все из-за служанки?

— Я тоже думала. Она на кого-то наорала, на ребенка, который дразнился, — а он вырос, убил ее и всех. Причем, понимаешь, я даже не очень бы удивилась. Просто потому, что настолько уже можно все... Понимаешь, там Германия после войны. Нищая. И все со всеми, буквально. Извращения любые, все. Потому что война ведь не кончилась. И я даже думаю... то, что он, как бы мертвый, как бы из аррасской могилы за ними пришел, — это ведь и значит, что война не кончается, видишь? Эта война еще будет, придет за всеми. Потому что я не знаю, чем еще можно такой мир спасти.

— А войной можно? — спросил Миша. Он разозлился. Ему не хотелось войны и не нравилось, когда в войне видели нравственное благо.

— А войной можно, но не всякой. Вот ты подумай. Должна быть такая война, которая во что-то перерастет. Во время которой люди что-то вспомнят. Она должна быть очень огромная, очень. Очень страшная. Но только такая война сотрет все вот это, и с нее начнется новый мир. Уже навсегда.

— От количества зла, Лийка, ничего нового начаться не может.

— Нет, может! — закричала она. — Ты просто не понимаешь еще. Все это время растет, пухнет огромное, невыносимое зло. Оно было рассредоточено, а теперь собралось. И это единственный шанс его убить, и мы все сейчас ждем, чтобы оно набухло и треснуло. Его можем убить только мы, больше некому.

— А виновата ферма.

— Виновата ферма, да, — кивнула она. — Виновата ферма. Но пойдем ходить, я не хочу больше про это говорить.

— Я все равно теперь буду про это думать.

— Думать — пожалуйста! — согласилась она. — Обязательно думай. Ты же должен знать, чем все кончится.

И этой же ночью Миша почти не спал: ему все представлялся чердак, свет на опушке и толстая веревка в конюшне. И рядом неслышно переступает скот. И убил всех кто-то, кого они знают, кого они все бессознательно ждут. Но ничего мистического он в этой истории не видел. Ну, не взяли денег, подумаешь. Значит, кто-то, у кого достало жестокости убить Груберов, очень сильно их ненавидел — до того, что брезговал деньгами и любым их имуществом. Но действительно, хоть Миша и не хотел себе признаваться, концентрация уродства и зла во всей этой истории была такая, что только всех убить — а уж после такого убийства сровнять с землей ферму, и Мюнхен, и Германию, и весь прочий мир. Словно язык какой-то выхлестнулся из преисподней.

И на Лию он смотрел после этого иначе — как на девочку, причастную тайне жизни. Ведь только в нераскрытых преступлениях и виден почерк жизни: в раскрытых все рационально, а здесь вскрывается подвальное. И хотя Лия была грозно-прекрасна, говоря обо всей этой грязи, — теперь он еще меньше был готов переступать черту; и ему виделся в этом грех — странное слово, совсем не из его лексикона. Словно, сделав с ней это, он бы уже бесповоротно накликал расплату — ту самую, о которой она говорила: общую месть за личные грехи.

* * *

10

Но тут, казалось, сама судьба его подтолкнула: режиссер Степанов договорился в «Колизее». Там двадцать девятого декабря предполагалось новогоднее празднество, и на последнем сеансе студия получила концерт. Пение, танцы, стихи со сцены, все это, разумеется, бесплатно, но потом вечеринка в фойе уже для своих. До глубокой ночи, сколько сил хватит. К Новому году готовились по всей Москве так широко и празднично, словно он должен был наконец принести избавление от всех страхов: город украшался, иллюминации было много, как никогда, в школах разрешены были танцы — словом, по угрюмому замечанию угрюмого Севки, «веселились, как в последний раз». Очень может быть, что балы действительно устраивались напоследок: с будущего года предполагалось раздельное обучение — не везде, а в лучших школах, своего рода смольных институтах и пажеских корпусах. «И обязательно чтобы на линейке "Боже, царя храни"», — говорил Горецкий. Вообще все удивительно распустили язык, словно постепенный переход обратно к царизму предполагал и некоторую фронду. Это пролетариату нельзя, говорил Горецкий, а лицеистам можно.

Таким знаком судьбы нельзя было пренебречь: Миша жил ровно напротив «Колизея». Оставалось уговорить родителей двадцать девятого декабря отсутствовать подольше, часов эдак до трех. От ночи 29 декабря все чего-то ждали: Орехов, кажется, имел виды на Аню или Надю (не на обеих же), но на ком остановиться — пока не представлял. Горецкому нравились все. У Севы была Люся, и с ней, кажется, давно уже все было, даром что она оставалась в студии единственной школьницей; именно в Люсе было волшебное сочетание робости и наглости. Как большинство ранних дебютанток, она была не слишком хороша: перед красавицами все робеют, а тут что ж робеть, да еще и при явно провоцирующей смелости? Сева был одинок, неприкаян, Люсина любовь была для него спасительна. Остальные не определились, кажется, или Миша попросту не успел вникнуть в сложный клубок притяжений и отталкиваний, образовавшийся в студии за год ее существования, — но все ожидали развязки. Атмосфера несколько истерического веселья уплотнялась по мере приближения празднества с физической, невыносимой осязаемостью. Лия словно решила ничего не предпринимать. Они оба всё понимали и двигались к неотвратимому, и только иногда Миша ловил на себе ее вопросительный, почти жалобный взгляд.

К празднику каждый готовил свое: Севка пел «Кирпичики» с новым, оптимистично-индустриальным текстом. Показывали третью сцену из «Города ветров» — монтаж-поверку, где каждый в рифму, а то и с песней рассказывал о родном крае. Родные края у всех выходили почти неотличимы и, кажется, довольно противны, коль скоро об отъезде оттуда сообщали с таким восторгом. Маленький серьезный Сема показывал фокусы. Товарищи, перед вами бутылка с водой. Всем видно? Теперь, товарищи, закройте глаза. Нет-нет, не подглядывайте! Раз... два... ТРИ! Товарищи, она абсолютно пуста! Как это могло получиться? Никакой алхимии, товарищи, одна наука! Студенты подтвердят вам, что точно так же исчезают деньги, можно даже не закрывать глаза. Миша собирался почитать, но еще не решил: ему и хотелось поучаствовать в общем празднестве, и стыдно было вылезать со своей самодеятельностью. Все-таки стихи — серьезное дело, они не могли не прозвучать диссонансом. Лия должна была блистать на вершине пирамиды и собиралась еще спеть, Горецкий вызвался аккомпанировать, и Миша нисколько не ревновал.

В магазинах появилось множество ватных вещей — сугробы с наклеенными блестками, деды морозы в небывалом количестве, парики и накладные бороды, жизнь затихла, даже о политике писали все меньше, разве что британцы наступали на итальянцев. Из разговоров в квартире Миша запомнил главным образом, что год был плохой,

високосный, и наступающий наверняка будет
счастливее. Сам он не мог сказать о сороковом
годе ничего однозначного. С одной стороны, год
был ужасен, невыносим, с другой — небывало ярок
и принес ему великие надежды. Между тем спро-
си его кто-нибудь, любит ли он Лию, он не смог бы
ответить с последней честностью. Лия была слишком хороша, чтобы ее любить. Если совсем прямо,
то все, случившееся с ним в 1940 году, было незаслуженно: и ужасное, и прекрасное. Будущий год
должен был все это выправить, а точней, вправить,
как вывих; и при этой мысли Миша сжимал зубы.
Вывих ему однажды, в третьем классе, вправляли.

Настало и двадцать девятое; Миша все утро
перелистывал последнюю тетрадь и решился прочесть одно, совсем не праздничное. Диссонировать,
так до конца. Ему почему-то казалось, что, если он
не выступит, — у него не будет на Лию вовсе уж
никаких прав. После предпоследнего сеанса — то
была «Музыкальная история», натужно-веселая, без
единой запоминающейся реплики, в самом деле
очень похожая на исполнение арии Ленского про-
летарием в натуральном виде, — в фойе расстави-
ли стулья в пятнадцать рядов; желающих праздновать было много больше, чем стульев. «Аншлаг,
аншлаг!» — потирал руки Орехов.

Во время второго танца — это был медленный
фокстрот «Домовой», — Лия спросила просто
и серьезно:

— Миша. Тебе это нужно вообще?

— Что? — на всякий случай спросил Миша.

— То, для чего ты меня собираешься вести
к себе.

Миша ничему с ней не удивлялся, да вдобавок
выпил.

— Нужно, — сказал он так же просто.

— У тебя это уже было? — уточнила она.

— Было, — соврал Миша.

— Понимаешь, — Лия глядела на него очень
прямо, — я обычно про всех могу это сказать.
А про тебя не могу. Много что могу, а это нет.

— Ты, Лийка, цыганка, — сказал Миша, пытаясь свести все на шуточку.

— Может быть. Это неважно. Я просто действительно не знаю.

— Тогда, может быть, мы пойдем и все узнаем?

— Мы пойдем, — сказала она. — Но не сейчас.

— А тебе, — спросил он, осмелев, — это совсем
не нужно?

— Вот я и думаю, — ответила она. — Думаю
и пока не понимаю. Но у меня это было.

Тут Миша опешил. Ему потребовалась пауза.

— И что? — спросил он. — Это было плохо?

— Это было очень хорошо. Настолько хорошо,
что мне теперь каждый раз трудно решиться.

Ого, подумал Миша. Каждый раз.

— Сколько же тебе было? — этот вопрос его
действительно интересовал.

— Мне было шестнадцать лет. И я не жалею.

— Лийка, а ты вообще о чем-нибудь жалеешь?

— Пока нет. Потому что я сначала понимаю,
а потом делаю. Пойдем, возьми мне мороженого.

Они протанцевали еще два раза, и Лия была молчалива и странно послушна.

Наконец сказала:

— Ладно, чему быть, того не миновать. Пошли.

— Лийка, если ты не хочешь...

— Да теперь уже какая разница. Ты что, боишься меня?

— Еще бы не хватало.

— Ну тогда пошли, — сказала она решительно. — Видишь, все уже как смотрят. Только и ждут, пока мы пойдем. Еще немного — закричат «Кисло».

— Почему не «Горько»?

— Потому что не свадьба, — ответила она с тихой яростью. — Веди давай.

Дома они долго и яростно боролись на диване в его комнате. То тихо целовались, то он принимался ее штурмовать, а она отчаянно защищалась, словно вообще забыла, почему тут оказалась, словно это у нее был первый раз, а не у пыхтящего Миши. Фонарь светил в окно, Миша проклинал себя и готов был отступиться, но смешно, смешно же, в конце концов! Лийка, бормотал он, ну почему? Она молчала и отворачивалась, потом целовались снова, потом начинался новый штурм, и Миша уже боялся, что, если до дела все-таки дойдет, он будет к этому моменту ни на что не способен. Сначала она еще улыбалась, он шутил, теперь оба молчали, и лицо ее было все угрюмее.

— Миша, — сказала Лия вдруг трезвым спокойным голосом. — Давай ничего не будет.

Он опешил и замер.

— Сейчас не будет, — добавила она. — Потом, может быть. Давай будет потом. Пусть у нас какое-то время будет это на потом.

— Ага, — сказал Миша, стараясь выровнять дыхание. — Морковь перед носом осла.

— Миша, — сказала Лия и замолчала. Некоторое время они лежали, не шевелясь.

— Теперь ты должна сказать, что я очень хороший.

— Но ты действительно хороший. Просто я знаю.

— Что же ты знаешь?

Лия села.

— Я действительно иногда знаю, — она словно оправдывалась, и потому он не мог даже рассердиться на нее по-настоящему. — Ты хороший, и я хорошая. У нас может быть когда-то, потом, и будет. Когда ты уже будешь не такой хороший, а я тем более. Но понимаешь... Как это сказать. У тебя есть плохая девочка или должна быть, но думаю, что уже есть. Ты уже знаешь ее. И она плохая. И у вас все будет. Вам будет что делать вместе, понимаешь? А нам пока нечего. У тебя сначала должна быть она.

— А у тебя кто?

— Может быть, никого. Я не знаю. Но потом будет лучше, правда. Я же не говорю тебе нет. Я же не пошла с Горецким. У меня это было уже, и хватит. Просто потом это может быть так хорошо, что сейчас не надо портить. Может быть, потом... когда мы будем готовы, не знаю... может быть, от нас родится кто-то невероятный.

— Но зачатие должно быть непорочным, — сказал Миша слишком зло и покраснел в темноте.

— Глупый ты какой, — сказала Лия. Другая девочка погладила бы его по голове и все испортила, но это была Лия, она делала только точные жесты. Сейчас точный жест был — расстегнуть пуговицы у ворота. — Ну хочешь, я сама? Только смотри, ничего не делай и смотри. Вот. Видишь? И нечего бороться, незачем пыхтеть. Я сама. Смотри и запомни. Вот я такая, и я буду твоя. Но потом. Пожалуйста, Мишка, пожалуйста!

Это был, конечно, обман — так, по крайней мере, казалось Мише после, — но теперь он купился. Разумеется, она сберегла себя для кого-то другого, может быть, того, с кем все уже и было, — но простой трюк подействовал, и он удовольствовался подачкой. Помажут и покажут, а покушать не дадут. Так думал потом неприятный человек Миша, обозленный неудачей, но в тот самый момент, при свете ртутного уличного фонаря, он смотрел на ее грудь как на святилище, смотрел с благоговением, и жест, каким она распахнула белую рубашку, казался ему жертвенным и трогательным. Она даже чуть подалась вперед, чтобы ему было лучше видно. И, даже в эту минуту ко всему подбирая эпитет, он подумал о млечной белизне — не молочной, а млечной, архаической, библейской.

— Хорошо, трогать нельзя, — сказал он тихо и хрипло. — Но хоть поцеловать можно?

— Не надо, пожалуйста, — сказала она просительно, но в то же время и гордо, без малейшей
мольбы.

Он не знал, долго ли смотрел, но в конце концов — конечно, не насытив взгляда, но, как всегда в ее присутствии, почувствовав меру, — сказал
грубовато:

— Ладно, замерзнешь.

И так же естественно, как только что расстеги-
валась, Лия застегнула рубашку.

— Но ты обещаешь? — спросил он совсем уже
по-дурацки.

— Ничего ты не понял, Мишка, — вздохнула
она без всякой театральности. — Что же я могу
тебе обещать? Я буду просто очень ждать. Очень
хотеть. Видишь, какие вещи я тебе говорю.

И она ушла, потребовав, чтобы он ее не прово-
жал.

* * *

Засыпая, он думал, что утро следующего дня будет невыносимо. Но проснулся он, как ни странно, с чувством необыкновенной свежести, и подушка пахла волосами Лии, и в конце концов она ему оставила надежду, сколь ни жалким выглядело такое самоутешение. Почему-то он, так ничего и не добившись, чувствовал себя победителем. И если бы добился — наверняка теперь чувствовал бы себя хуже. Победителю вообще плохо: все время надо бояться, не уведут ли победу. А он теперь в нише благородного проигравшего — не побежденного, но именно проигравшего; и победа у него впереди. Так во всем.

Между тем конец года готовил ему сюрприз. Он вспомнил, как год назад ставил себе задачу непременно расстаться с невинностью, и что же? У него оставалось два дня, которые уж точно не приблизят его к разрешению этой задачи. Хорошо было в прежние времена: пойдешь к проститутке, и никаких страданий. Впрочем, много рисков иного порядка, и как-то стыдно. Тридцатое был день нерабочий, и он поплелся к Колычеву, хотя всякий раз себя корил за встречи с ним.

Колычев, как обычно, ему обрадовался. Ему приятно было видеть у себя на дне свежего человека.

Он расспросил Мишу, как все прошло, но в действительности этим не интересовался. Колычев готовился к собственному празднику. На Новый год он был зван к приятелю. Новый год они всегда справляли тридцатого, потому что тридцать первого было скучно. Колычева, как он говорил, раздражала вся эта новая эстетика. Ему больше нравился стиль пятилетней давности, когда никто еще ничего не праздновал и не было ватных дедов морозов.

— Они все время празднуют, ты заметил? — говорил он, грассируя. — Все празднуют. Все что-то отмечают. То у них Пушкина застрелили, то Маяковский застрелился. Им плевать, что первого поэта России пристрелил, как собаку, французский педераст, а последний поэт застрелился из боязни сифилиса, как гимназист. Они празднуют, изволят кушать. И заметил ты, что́ они кушают? Этого приличный человек в рот не взял бы. Они едят краба, морского таракана, едят миногу, морскую пиявку, которая даже не рыба. Она прогрызает рыбу и паразитирует на ней. С нее свисает, болтается, — он показал. — Впрочем, какие праздники, такие и закуски.

— А ты куда пойдешь? — спросил Миша, стараясь быть небрежным.

Новый год в их семье принято было встречать исключительно дома, но тридцатого можно и в гости, ничего страшного.

— А я пойду в один дом, любопытный дом. И тебя могу прихватить, если хочешь.

— Ну, это неловко, — сказал Миша, стараясь на этот раз быть скучающим.

— Неловко, да, — согласился Колычев. — Но очень смешно. Он, кстати, пристойный человек, метростроевец. Я сочинял им однажды праздничный монтаж к открытию станции метро «Площадь революции». Отлично заработал.

Знакомства и занятия Колычева были непредсказуемы. Впрочем, на дне всему выучишься.

Миша почему-то страшно не хотел, чтобы все сорвалось. Он прошлялся по праздничному городу до семи, чтобы еще чуть опоздать, и все это время думал о Лии, о том, что есть у них общее — даже слишком много общего, — а потому, возможно, им и не нужно сближаться. Но тогда, думал он, она может сойтись со своей противоположностью, с человеком из самого верха, потому что они тоже любят отнюдь не пролетарок. И это будет вовсе уже невыносимо. Он не знал до сих пор, любит ли ее, но уже ревновал.

Между тем начинало темнеть, и Миша подумал, что приспособился наконец к безразмерному свободному времени, которое у него теперь было. Он свободно плавал в нем, а не пережидал. Вообще, когда ты плаваешь в мире, а не относишься к нему как к временному испытанию, можно дождаться ответа, иногда благожелательного. Он не представлял, как вернется в институт, который — теперь это ясно было Мише — выполнял единственную функцию: помещал их всех в аквариум, давал отсрочку от жизни. Возможно, в таком аквариуме можно достигнуть выдающихся результатов — выучить, например, арамейский язык или прочесть фестский диск; но цена этих достижений незначительна. Ему и в институтские годы приходила иногда странная мысль, что все это понарошку — и рассказы Гриба о Бальзаке, и Дживелегов со своим Средневековьем. Жизнь давно устремилась дальше, обтекая их, и надо было нюхать эту жизнь, в которой были не только колхозы, а и Колычев, и даже эти бессмысленные как будто скитания по зимним улицам. Побыть лишним иногда совсем не лишне. Лучше лишним, чем пристроенным. И к новому дому вблизи Таганки он подошел умиротворенным — не в последнюю очередь потому, должно быть, что и день был такой, как он любил, — мягкий, с обильным снегом.

Колычев был уже тут. Метростроевскому начальнику полагалась квартира в две комнаты, без роскоши, но с той же основательностью во всем, какая чувствовалась и в станциях первой ветки. «Ты понимаешь, — тихо объяснял Колычев, — чем нынешний человек глубже в какой-нибудь норе, тем он лучше. Сейчас правильней всего находиться под землей, я живу в подвале, но это еще не совсем правильно. Вот Меркуров находится глубоко, и как-то вся эта атмосфера его не касается...»

У Меркуровых все было достойно и просто. Прекрасен был его большеголовый сын, симпатична смиренная дочь, в которой, однако, шипело и пузырилось тайное хулиганство, и в жене его, усталой, но доброжелательной, происхождения, как пояснил Колычев, крестьянского, тоже чувствовалась выносливость и глубокое, ничем не нарушаемое равновесие. А ведь подобрал ее Меркуров во времена, когда она бежала из деревни, бралась за все — в сущности, побиралась. Зато теперь она выстроила ему по-крестьянски ладный быт. Было несколько военных — непонятно, какое отношение они имели к Метрострою, и вид у них был такой, словно они только что прилетели с одного задания и теперь собирались на другое. Впрочем, у всех военных, каких Миша знал, включая подполковника Самохина из больницы, был теперь такой вид. Он думал, что будет случай за столом порасспросить военных, действительно ли уже вот-вот, — но как-то это было не совсем прилично.

Все было, как за обычным новогодним столом, но странной дополнительной радостью выглядело то, что праздник еще не сейчас, еще завтра. Меркуров добродушно пояснил, что отмечать все праздники загодя приучился именно в метро, когда накануне открытия станции те, кто ее строил, ехали первым поездом и потом пировали в пустом вестибюле, где завтра будет не протолкнуться.

Гостям были подаваемы холодец, вареная картошка, превосходные котлеты в золотистых сухарях. Из напитков была простая главспиртовская водка, потому что Меркуров признался с обычным своим прямодушием, что от вина пьянеет сильней, а водка помогает выводить из организма вредные вещества, образующиеся от подземной работы (ни о каких таких веществах Миша не слышал и решил, что это он так с серьезным видом шутит). Несколько запьянев и становясь, как всегда, многоречивей (но ничуть не глупей), Колычев воробьем наскакивал на военных: ну что там? ну что там?! Война продолжала его волновать и тут. Военные отделывались пословицами и поговорками. Худой мир, сами понимаете. Иногда отвечали чуть более распространенно: да подумайте, кто же отважится напасть? У них был такой прием — Миша откуда-то знал его, хотя с офицерами общался мало: они с таинственным видом, с особой секретностью сообщали что-нибудь общеизвестное, лишь бы отвязались. Ну вот посудите сами, говорили они: какая же может быть война? Я не имею права, сами понимаете, но просто задумайтесь: разве в танках, в авиации кто-то может сегодня иметь над нами серьезное превосходство? И не просто количественно, но я вас заверяю, что командирские навыки и все вот это. Ведь посмотрите, Испания, Финляндия, все это время мы именно соревновались. Весь мир видел. И мы показали такое доминирование в воздухе и на земле, что это, заверяю вас, отдалило всякую возможность.

Вот видишь, говорил ему Колычев, когда они вышли курить, они все подтверждают. Ему обязательно нужна война. Он ничего уже не сможет

без войны. Если не будет войны, то ему будут смеяться в лицо. Ничто, кроме войны, не сможет все
это списать. Поэтому они забегают то с одного, то
с другого бока. И теперь я уже точно чувствую, что
именно в этом году: у меня, братец, всегда сбывает-
ся — как встретишь, так и проведешь. В прошлом
году я встречал без Нины, и провел без Нины, и ис-
пытал огромное облегчение. Человеку с моими
данными нельзя иметь Нину, она выжрет у него
все потроха. А в этом году я встречаю с военными,
и уж это наверняка, вспомнишь Колычева.

Ближе к полуночи затеялась таинственная
игра в предсказания. Больше всех радовались мер-
куровские сын с дочкой, Андрей и Аглая — кто
сегодня дает такие имена?! — и Миша был действительно в ударе. Они с Колычевым солировали.
Игру эту придумал или вычитал где-то Борис, она
была в большом ходу в Карманицком переулке и на
прочих институтских сборищах, но там все было
по-детски. Правила состояли в том, что испытуе-
мый мысленно задавал три вопроса. Был вариант,
что они записывались на бумажке, но только в том
случае, когда их можно было огласить. Иногда,
случалось, у испытуемого была личная тайна. Вот
так-то Миша и получил тайное, но совершенно
определенное предсказание насчет того, что в на-
ступающем году у него появится любовница, долго-
временная подруга. Медиум избирался всякий раз
заново. Выделить медиума из числа присутствую-
щих было несложно: ведущий рисовал на клочке
бумаги нечто. Присутствующие отгадывали. Разу-

меется, все друг друга знали, но это не облегчало задачи. Легко было угадать только у Олега, всегда рисовавшего член, иногда крылатый (все знали его страстную мечту об авиации). Тот, кто попал ближе всех к реальности, — точно угадать не удавалось почти никому, — доказал свою сверхчуткость и, отвернувшись от испытуемого (иногда еще завязывали глаза), начинал отвечать. Эта игра прокатывала в любом обществе — будущим интересуются все; лучше были только танцы, но здесь попалось общество нетанцующее, хотя Меркуров и обещал, что скоро нагрянет настоящая молодежь, вот они покажут класс.

Ведущим назначили Андрея. Что бы он такое мог изобразить? Миша напрягся. Игра ведь базировалась на известном эксперименте Фройда или кого-то из его учеников, проверявших знаменитого телепата, — и телепат опростоволосился, но не совсем: испытатель нарисовал три квадрата один в другом, а телепат нарисовал просто три квадрата мал мала меньше; мало ли, информация может искажаться, как сигнал, идущий по проводам. Надо было сосредоточиться, самая большая ошибка была — настраиваться на внутренний мир Андрея, воображать ум выпускника, а ведь это совершенно неважно. То, что человек рисует, имеет столь же касательное отношение к его биографии, как и то, что я пишу: еще Гриб им доказывал, что поэт от своего прошлого не зависит и ловит голоса извне. На эту тему Гриб прочитал непонятное и потому запоминающееся: быть может, прежде губ уже родился шепот, и в бездревесности кружилися листы, и те, кому мы посвящаем опыт, до опыта приобрели черты. Какое отношение к этому имеет биография? Мысли носятся в воздухе, улавливать их следует оттуда, а не из личного прошлого. И Миша отчетливо увидел спираль, спиралевидную змею, которую Андрей непонятно почему изображал, отвернувшись к окну, в полумраке, чтобы и по движениям рук ничего нельзя было угадать. Колычев сказал — круг, военные — лошадь, лопата, хорошо, присоединяюсь, пусть будет лошадь; Меркуров предположил мороженое в стаканчике, мать — гитару, Аглая — пистолет. Прочие гости не придумали ничего интересней обычных предметов, стоящих в комнате: лампа, стол, люстра. Спиритом был назначен Миша, потому что Андрей нарисовал торнадо, о котором только что прочел в записках путешественника Стайна: это и впрямь была спираль, но вертикальная, крутящийся вихрь. И ведь подсказывало Мише нечто вроде внутреннего голоса, что спираль стоит вертикально, — но он не послушался. Впрочем, его интуиции и так хватило. Хорошо, его усадили на стул лицом к двери, а сами стали загадывать. Разрешено было задавать три вопроса. Первой спрашивала Аглая, непрерывно хихикая. Какие вопросы о будущем могли быть у пятиклассницы? Миша, однако, изобразил уважительную задумчивость. На первый вопрос после долгого молчания ответил: все-таки да. Аглая засмеялась, но как-то неуверенно. На второй — опять да. Она замолчала. На третий вопрос, посланный ему мысленным усилием, он почти машинально сказал нет, и вдруг она оглушительно зарыдала: у некоторых возбудимых детей, он знал, переход от смеха к слезам был стремителен. О чем она спрашивала? Он потом гадал: ну, а скажи он да — неужели все повернулось бы иначе и через двадцать минут вошли бы другие люди? Но другие люди могли оказаться и похуже.

Дальше спрашивал Меркуров, глава семьи. Мне нечего скрывать, сказал он, я могу вслух, но Миша настрого предупредил: если хотите, откроетесь после. Пока же извольте посылать усилием. Меркуров усмехнулся. Что ж, сказал он, первый вопрос. Но не совсем «да» или «нет», а скорее очень или не очень. Возможно, он спрашивал, очень ли плохи его дела или очень ли его любит жена. Миша изо всех сил попытался настроиться на его волну, но выпил все-таки порядочно и видел перед собой сплошное серое поле. Наконец он решительно сказал: нет, не очень. Меркуров хмыкнул — нервно, как ему показалось, — и задал второй, на этот раз только да или нет. Миша почувствовал сквозь легкий морок головокружения — с закрытыми глазами прямо сидеть было трудно, — что вопрос для него важен, что тут не шутки и что спрашивает он о чем-то пугающем. Нет, сказал он, решительно нет. Вот же на! — крякнул Меркуров, стараясь выглядеть огорченным, но в душе, кажется, ликуя. Я-то спрашивал, признался он фальшиво, откроем ли мы второй вестибюль у «Сокола». Выходит, не откроете, вздохнул Миша. Ну, это мы еще посмо-

трим, отозвался за спиной Меркуров, но без особенной суровости, словно его втайне радовала эта
отсрочка. Ну, а третий вопрос? — спросил он, приятно размягченный. А третий и подавно нет, подмывало сказать Мишу, но он ответил сухим «да».
Однако, воскликнул Меркуров. Ну, стало быть, надо
обследоваться, а то все не решусь. Обязательно,
поддакнул Миша.

— Ну-ка, а я? — спросил Колычев. Он явно сам
желал побыть медиумом, и Миша решил предоста-
вить калеке эту возможность.

— А медиум устал, перенапрягся. Нужна пауза.
Не хочешь мне поотвечать?

— Это можно, — ухмыльнулся Колычев, уселся
на Мишино место и потребовал, чтобы ему шерстя-
ным шарфом завязали глаза.

— Ну, тогда первый вопрос, — сказал Миша
и спросил четко: любит меня Лия?

Колычев думал с минуту, вертел головой, при-
ставлял палец к носу и наконец сказал:

— Это неважно.

— Нечестно, нечестно! — закричали все, и военные тоже.

— Но мне является именно такой ответ, — пожал плечами Колычев. — Просто вижу красными
буквами в темноте: неважно!

— Допустим, — согласился Миша. — Тогда вот
еще.

Он спрашивал, восстановят ли его в институте.

— Да, но нескоро, — сказал Колычев. — Очень
нескоро. Еще будет много всего.

— И тогда третий, — провозгласил Миша и поинтересовался мысленно, отомстит ли он Вале Крапивиной.

— А вот это произойдет немедленно! — четко ответил Колычев, и не прошло минуты, как задребезжал звонок.

«Это наши!» — радостно крикнул Меркуров и бодро поднялся встречать. В прихожей мигом стало шумно и даже на слух тесно; вошло человек семь, и Миша сразу услышал голос, который так ненавидел.

«А ведь медиум-то — Колычев, а не я», — подумал он, и Валя Крапивина в сером в клетку платье вошла в комнату.

* * *

Сессия была невыносима. Все смотрели на Валю как на злодейку. Сами его выгнали, а теперь она была виновата. Она дала им повод побыть мерзавцами, потравить, поулюлюкать, и теперь можно было все переключить на нее. А ведь она сама и заявление бы писать не стала. Хорошо, что Фомину отчислили. Никто не знал, что виновата Фомина, но симметрия была соблюдена. Если отчислили отличника Мишу, то зачем же терпеть тупую Фомину? До третьего курса она брала задницей, угрюмой усидчивостью, так мало вязавшейся с ее нервной натурой. Я нервная, говорила она, но упорная. И вот она все высиживала, выучивала. Но античная эстетика — предмет, где попа не вывезет, хотя бы эту попу и мяли все пролетарии Сокольников.

А на Валю, да, смотрели с крайним неодобрением, и она поначалу относила это на счет своей мнительности, ибо сама себя винила; но человек, который себя винит, для остальных еще более

уязвим. В общежитие после занятий ехать не хотелось, и она часто просто шлялась где попало, заез-
жала порой и в глухие окраинные места, в которых
ей странным образом было легче — там хоть люди
не попадались, кроме одного ужасного случая,
который был похож на галлюцинацию. Ей показалось, что она увидела Колю. Живого. Хотя до этого
он даже во сне ни разу не привиделся. Она поняла,
что эдакими путями недолго и с ума сойти. Сходи-
ла в поликлинику, пожаловалась на бессонницу
и головную боль. Доктор задавала разные вопросы,
не имевшие отношения к голове. Намекнула даже,
что надо вести жизнь более активную, в том смысле, конечно, что плавать и бегать, но Вале послы-
шался намек. И то сказать, она уже так долго пребывала в статусе вдовы, так долго никого не под-
пускала... немудрено было и с ума сойти. Коля хоть
и не нравился ей по-настоящему, но он был сильный, здоровый товарищ. Правда, излишне разговор-
чивый — никто бы не подумал, на него глядя.
С виду такой суровый, а все время рассказывал про
свое детство, как будто только и ждал повода про
него поговорить. Отца он, оказывается, ненавидел.
Зачем ей было все это знать? Но после Коли-то
не было никого... Конечно, она сделала большую,
тяжелую ошибку. За эту ошибку следовало распла-
титься.

И когда она беспомощно поплыла на экзамене
по зарубежной литературе, Турищев, человек железный, чьего одобрения почти никто не слышал
(Мишу он, впрочем, ценил, но и то никогда не хва-

лил вслух), спросил прямо: что же вы, Крапивина, не подготовились? Все от претендентов отбивались? Я поставлю вам, конечно, «посредственно», но, если вздумаете жаловаться, высокочтимая вдова, не пишите по крайней мере, что я вас домогался. Я, в отличие от товарища Симонова, вдовами не интересуюсь. Это сказано было наедине, она пересидела всех, отвечала последней, и потому он себе позволил. При людях бы сдержался, конечно. Но это было уж совсем за краем. Про товарища Симонова она не поняла, а расспрашивать однокурсников постеснялась. Если бы он поставил ей честный неуд, она бы, пожалуй, даже не расстроилась: все-таки уважение. Но этот пос, натянутый вдовий пос был хуже плевка, и он явно сказал то, о чем думали все. Первая мысль Вали была уйти к черту из института. Но, как ни странно, и вторая мысль была та же. И когда она под крупным мокрым снегом, одна, шла на Усачевку, ей вдруг представилось, что и вся история с Мишей была только для того, чтобы свернуть ее с фальшивого пути. Какой она филолог, какой ИФЛИ? Ну, писала сочинения получше других, читала побольше, но это по меркам Тамбова. Языки ей не давались, вообще все это было не ее. Конечно, не в Тамбов теперь возвращаться, но она и в Москве найдет работу, мало ли. И она с таким облегчением, с таким приливом счастья об этом подумала. Да еще по-московски мокрый снег, тяжелый, крупный, так падал, так светили усачевские фонари сквозь облепленные ветки, что на минуту с души свалилась вся тяжесть последних трех месяцев. Конечно, теперь все поймут, что ей ничего не надо, никакого вдовства. И хотя следующим утром она уже передумала, но еще через день, когда вдруг подморозило и строже стал весь пейзаж, и надо было готовиться к истории, а историю она ненавидела и дат не помнила, — ей все стало ясно, как ясны были строгие черно-белые улицы.

Почему-то она пошла к Драганову. Может быть, втайне надеясь, что он отговорит, а может быть, именно перед ним хотела оправдаться и сообщить о решении ему первому.

— А и очень хорошо, товарищ Крапивина, — сказал он вдруг. — И чудесно. И жизнь посмотрите, и вообще... А я даже так тебе скажу: вот товарищ Симонов поехал на Халхин-Гол, а товарищ Долматовский остался в аспирантуре. Так товарищ Асмус знаешь что сказал? Аспирантура дура, штык молодец.

Валя машинально кивнула.

— И вообще, если хочешь знать, вот это вот твое решение, — сказал он без обычного своего издевательского распева, — это решение, Крапивина, взрослого человека. Совершенно нечего тебе тут делать, и я очень рад, что к пониманию этого факта мы с тобой пришли практически одновременно. Оформляйся и приступай к созидательному труду, и мое тебе горячее одобрение.

Ей нужно было устроиться туда, где дают общежитие, и туда, куда возьмут охотно, сразу. В кадрах, она знала, больше всего нуждался Метрострой. Про это объявляли в метро, висели объ-

явления, заманивали снабжением и особыми усло-
виями для желающих потом поступить в институт. В институте она уже была, спасибо, а вот
общежитие — это очень было хорошо. Она не хотела быть проходчицей, шпалоукладчицей, но и какой-нибудь учетчицей ей не улыбалось. А вот если
бы машинистом или помощницей машиниста,
потому что про эту профессию много писали. Девушки, водившие поезда, были как бы на виду,
и ей хотелось оставаться в почете, пусть не за
Колю, а уже за собственный труд. Она, конечно,
не представляла, как это — быть машинистом
такого стремительного состава, который несется
в темноту гораздо быстрей обычного поезда. Но
пока он несется, машинисту и свет первому становится виден, никто в поезде еще не видит, а он
уже. И она отправилась записываться на курсы
машинистов, потому что знала, что московский
метрополитен — единственный, где женщин при-
нимают на такую работу. Она читала даже про
женскую бригаду в метро и думала, что если женщина может управляться с отбойным молотком,
а таких примеров много, то как-нибудь управится
и с поездом. Ведь в метро вагон не сойдет с рель-
сов, ему просто некуда.

Курсы располагались близ депо новой линии,
на станции «Сокол», в странном здании из числа
тех, которых никогда не замечаешь: оно было еще
дореволюционной постройки, красно-кирпичное,
но приобрело теперь бодрый и деловитый вид.
В нем было крепко накурено, что служило первым

признаком сосредоточенной работы. Крапивина узнала, где тут главный по кадрам, и прошла прямо в кабинет.

— Вы к кому, товарищ девушка? — весело спросили ее.

— Я по кадрам, — сказала она твердо. — Мне хочется на машиниста... записаться.

— На машиниста? — изумился плотный человек в косоворотке, с зачесом через плоскую лысину. — Да куда же вам на машиниста? Мы можем только после техникума да еще после курсов.

— Ну, я школу хорошо закончила, — не сробела Крапивина. — Десятилетку. Может, вместо техникума... это...

— Присядь, товарищ девушка, — сказал кадровик. — Работа машинистом трудная, не хухры-мухры.

— Ну, помощником.

— Так ведь и помощником надо сперва техникум. Ты формулу закона Ома можешь записать?

Валя помнила, что закон Ома бывает для полной цепи и для участка, и деловито уточнила:

— Для полной?

— Ну, хоть и для полной, — улыбнулся кадровик, не то радуясь ее познаниям, не то сознавая всю их хилость.

Валя решительно записала: I = U/R, но больше ничего не помнила.

— Это для участка, — сказал кадровик. — Ну, неважно. А чем вы после школы занимались? Или сразу к нам?

Он уже перешел на вы, потому что человек, знающий формулу закона Ома, хотя бы и для участка цепи, заслуживал уважения.

Валя собиралась было рассказать, что училась в институте, но хочет хлебнуть жизни, — но тут в отдел кадров решительно вошел мужчина лет сорока, крепкий, крупный и широкий, из тех, которые всегда спешат и вместе с тем никогда не торопятся. В нем чувствовалась начальственность.

— Кому ты, Макарыч, уши пудришь? — спросил он с порога, и это тоже было приятно, весело — пудрят ведь мозги.

— Девушка вот хочет быть машинистом, — пояснил Макарыч. — Согласна помощником.

— Да зачем же машинистом? — спросил ее быстрый. — Ишь, такую красоту под землю прятать. Машинист должен быть некрасивый, чтоб его не видел никто. Это я могу в машинисты или вот Макарыч. — При этом он знал, что вполне симпатичен, и улыбался очень радостно. — А вам зачем же. Мы вам лучше работу найдем. Вы какого происхождения?

— Я происхождения крестьянского, — сказала Крапивина, что было, конечно, не совсем так, но дед ее действительно был из крестьян, да и потом, человек из Тамбова не может быть никем иным, это же ясно. Все служащие там все равно имеют отношение к земле.

— Так это вообще прекрасно. Вы пойдете, красивая девушка, ко мне секретарем? Человек я основательный, серьезный, всякого легкомыслия себе не позволяю. А то у меня, понимаете, случился прорыв трудового фронта, секретарь мой вздумала рожать, некому чаю вскипятить. Пойдете? Меня зовут Георгий Степаныч.

И Крапивина, которая совсем было решила прикоснуться к тяжкому труду и загнать себя под землю, сразу согласилась — потому что она и так уже сделала над собой огромное усилие. Она ушла из института, где ее, может, и не любили, но уважали и побаивались. Она бросила ИФЛИ, знаменитое место. Неужели за такой подвиг ей не полагалось теперь послабление? Ведь работать секретарем в Метрострое не менее почетно, чем всякий низкоквалифицированный труд, и затем ли она заканчивала десятилетку? Так что она зарделась и согласилась, и Георгий Степаныч — между прочим, начальник нового депо, — сказал ей, куда приходить с документами.

Крапивина понимала, конечно, чем она ему понравилась. Было в ней такое, что видели не все, а только самые понимающие. Гвирцман вот видел (она его теперь не вспоминала иначе как по фамилии). И ей ясно было, что с Георгием Степанычем что-то будет, но у нее так долго ни с кем не было, что готова она была и с Георгием Степанычем. Работа у них пошла дружная, в меру тяжелая, сравнить хоть бы и с проходческой. Валя и была немного машинистом, потому что вела тяжелый и стремительный поезд — делопроизводство начальника депо; до нее работала, видно, девушка совсем легкомысленная. Она не успела передать дела, потому что рожать ушла чуть не с рабочего места, — но видно было отсутствие основательности. Крапивина была девушка аккуратная, но не это была ее сильная сторона; а сильная та, что умела она улыбнуться, и улыбкой этой передать многие оттенки — от «пожалуйста, вас ожидают» до «сочувствую, но ничем не могу». И в депо все были люди свойские, гораздо приятней, чем в институте, где все время надо было что-то из себя изображать. И общежитие было недалеко от работы, и дом поновей, чем на Усачевке, и, когда ее позвали на странный Новый год к Меркурову, да еще предупредили, что отмечать праздник будут по железнодорожным обычаям, — она радостно пошла, но не думала, конечно, ох, конечно, не думала.

Но если бы даже и думала, вот в чем заключается вся непостижимость женской природы, да и всякой вообще природы, — то непременно бы пошла.

* * *

— 13 —

—Самолет летит, колеса стерлися, — сказал Миша дурашливо. — А мы не ждали вас, а вы приперлися.

Самым чутким — как положено больному — оказался Колычев. Он не только сразу понял, что Миша знаком с новой гостьей, но и то, что он никак не ждал ее встретить, и то, что он этой встречи давно ожидал, и то, что Валя эта, скорей всего, и была та самая, на кого он темно намекал.

—Здравствуйте, Миша, очень приятно, — сказала новая гостья, тряхнув мокрыми от снега светло-рыжими волосами. Вид у нее был зазывный, влекущий, наглый: блядский вид, проще говоря, Колычев отлично такие вещи чувствовал, хотя и не любил. Ну, не всегда ведь и любишь то, что чувствуешь. — Вы тоже теперь устроились по метростроевской части?

—По части я медицинской, — сказал Миша, — а тут в гостях. А вы каким же образом, Валентина?

— А я по метростроевской, Михаил, по самой вот метростроевской. Я в депо на «Соколе», знаешь «Сокол»?

Сколько раз представлял себе Миша эту встречу, в каких деталях! Случай предоставился, но к такой ситуации он не был готов, нет. И она была необычайно хороша, много лучше, чем на таком уже давнем — три месяца прошло, а будто сто лет — вечере у Клары Нечаевой. Как будто нарочно для него.

Поглядывал на них один Колычев, остальные занимались друг другом, шумно обсуждали какого-то Спирина, гадание было забыто, да и не для таких компаний была эта тонкая игра. Начались танцы, и Миша властно, не спрашивая, повел Валю Крапивину в медленном танце, что умел, то умел, и удивился тому, как легко она ему покорялась. Видно, близость с Лией, хоть и несостоявшаяся, а все же удавшаяся в чем-то, сделала его сразу хозяином положения. Ему теперь нельзя было не покориться.

— Ты, Гвирцман, зла на меня не держи, — сказала Валя, не дожидаясь, пока он первым скажет какую-нибудь убийственную гадость. — Я перед тобой сука, сама знаю, а все-таки ты тоже хорош.

Она и это сказала очень просто, словно тоже повзрослела, и все их тогдашние отношения были теперь вроде школьного детства.

— Из института я ушла, потому что не могла больше.

— Сессию провалила? — язвительно сказал Миша.

— Нет, — ответила она все так же просто, и в простоте этой было нечто дразнящее, и голову она закидывала так, чтобы ему захотелось поцеловать. Зубами дразня, вспомнилось ему. Это было сказано коряво, но очень верно. — Просто не могла. Считай, что совесть. Но ты же не поверишь.

— Конечно, не поверю, — сказал Миша. Он решил, что надо тоже говорить просто, не оттягивая выяснения. Что-то было еще у них интересное впереди, так что на выяснении прочих отношений можно было не заморачиваться. И пахло от нее незнакомыми духами, запах был взрослый. — Какая совесть? Откуда у тебя совесть?

— Ну и думай как тебе нравится.

— Да мне совсем не нравится, но как же еще думать? Это просто наши там тебя застыдили, они-то всё поняли.

— Наши тебя попросили на улицу, и всё, — сказала она презрительно. — Наши... тоже... Какие у тебя наши? Они тебя, небось, забыли давно.

— Очень ошибаешься.

— Ну и прекрасно. Мне до них теперь никакого дела нету. Им цена копейка. И если хочешь знать, это они тебя погнали, а не я. Я никого не заставляла, вольному воля.

— Да уж конечно, вольному воля, — передразнил он. — Ты так все это поставила, что им деваться было некуда.

— И сам бы, небось, голосовал как надо? — спросила она и заглянула ему в глаза, да вдобавок еще широко открыла свои — сегодня ярко-зеленые.

— Может, и голосовал бы.

— Ну так что ж ты недоволен? Сам от себя
и получил, и от таких же. Умные все вы там,
а кишка тонкая.

— Знаешь что, Крапивина? — сказал вдруг
Миша, который сам от себя такого не ждал. —
Меня теперь уже ниоткуда не выгонят, поняла?
И я теперь с тобой сделаю то самое, за что меня
выперли. Тогда не сделал, а сейчас сделаю, ясно?

— Ой, ой, какие мы страшные, — засмеялась
она неприятным смехом, но Миша видел, что это
ее несколько напугало, а с другой стороны, со-
противляться не станет. Потому, что очень даже
не прочь. Шлюха — она и есть шлюха, и он хотел
шлюху, и, в конце концов, солдат и шлюха — два
главных героя всего мирового искусства. Рыжая
блудница, которую только и запомнил прокуратор
Иудеи из всей евангельской истории. И сейчас он
сделает с ней то, что и положено делать со шлюха-
ми, если только за них не вступается комсомольское собрание.

— Пошли! — сказал он, и дернул ее за руку,
и потащил в соседнюю темную комнату. Комнату
эту, как он понял, делили Меркуровы-младшие,
друг друга, сколько он мог заметить, недолюбли-
вавшие; и эти два созревающих подростка успели
ее наполнить, как бы зарядить флюидами своего
быстрого нервического созревания.

Все-таки Миша был здорово пьян, потому и ре-
шителен. Но он помнил, что в любую секунду могут
войти, и на всякий случай придвинул стул к двери.

Свет зажигать не стал. Да она и не дала бы ему зажечь свет. Тут снова вышла неожиданность, потому что не он на нее набросился, а она — с жадностью, которая сразу его испугала и разочаровала. Сначала расстегнула на нем рубашку, стала хватать за плечи, прижимать ладони к груди, даже щипать, потом полезла рукой страшно сказать куда, и Миша растерялся, не мог даже поцеловать ее толком. Он по запаху понял, что и она была пьяновата, что они с компанией пришли от собственного стола, за которым уже подпили, и запах этот был не то чтобы совсем неприятен, но грубоват, пошловат, смешан с запашком недавно съеденного зельца. Только что, проверяя себя, Миша чувствовал: хочет. Но теперь, когда она с таким голодом на него набрасывалась, явно опытная, явно грубая, — он не очень-то и хотел. Он был готов долго ее штурмовать, как Лию, а тут было совсем иное, даже, пожалуй, унизительное. Это не он ее насиловал, а она его. И струна, минуту назад такая натянутая, словно ослабла, а то и вовсе лопнула. Он подумал, что хорошо бы сейчас подойти к окну, лбом прижаться к стеклу.

— Ну ты что? — спросила Валя. — Что ты? Ты мальчик, что ли?

Все, что она делала, было грубо и потому не достигало цели. Но Валя не понимала своей ошибки, ей стало вдруг смешно.

— Ах-ха-ха, — залилась она пьяным смехом. — Ах-ха-ха, что ж я не поняла-то. Да ничего бы ты мне не сделал, тебе так и надо было сказать, что ты не по этой части...

И этот ее смех... Миша встряхнул ее за плечи,
а потом ударил, довольно сильно, хоть и ладонью,
плашмя, но не по щеке, а по всему хохочущему
лицу; ударил так, что у нее кровь из носу потекла.
И она удивилась, но как-то радостно удивилась,
даже, похоже, начала трезветь. Она смотрела на
него в почтительном изумлении, а он вдруг понял,
что ему понравилось (в голове мелькнуло: говорят,
что мужчина остается девственником, пока не ударит женщину; и в этом смысле он лишился невинности раньше, чем...) И он врезал ей во второй раз,
уже по щеке, и она перестала смеяться, а только
улыбалась самой мерзкой из своих улыбок, самой
блядской. И эта кровища на верхней губе, темная,
черная в свете одинокого фонаря за окном. И еще
раз. Сука, бормотал он, тварь. И это, кажется, ей
тоже нравилось. И струна внезапно натянулась
с такой силой, какой он не помнил и в одиноких
своих упражнениях, — непонятно, что так подействовало: то ли эти удары по мотающемуся перед
ним белому лицу, то ли черная кровь, то ли бляд-
ская улыбка, а то ли очень трезвое, твердое осозна-
ние, что теперь ему точно конец. Если его выгнали
за одно прикосновение губами к воздуху вокруг ее
волос, то теперь его расстреляют. Все-таки она погубила его. Сука, повторил он, окончательно про-
падая, и стал даже не расстегивать, а рвать на ней
одежду, и она помогала ему. Кто-то сунулся было
в дверь, но тут же испуганно исчез.

Очень быстро она оказалась на полу, а он на
ней, очень быстро слетали с нее тряпки. Он много

раз представлял ее голой, но, конечно, ошибался. Не так все было. Ему казалось, что у нее сильное, твердое, тонкое тело. А между тем она была мягкой, необыкновенно податливой, с кожей влажной и даже липкой. Некоторое время он тыкался вслепую, ее это забавляло, послышалось уже не вакханское ах-ха-ха, а тихое, почти уютное хихиканье. Наконец она ему помогла, он с остервенением об нее колотился, тычась губами в шею. Запах кожи тоже был странен — и отвратителен, и притягателен одновременно. Он не переставал думать, конечно, и заметил, что чем отвратительней, тем притягательней. Его тянуло будто в могилу — под всеми духами и присыпаниями, померещился ему даже детский тальк, какая-то уж совсем прапамять, — от нее шел земляной дух, почти болотистый. Вот интересно, мертвый Тузеев кончал сюда, пока совсем не кончил. Было не тесно, она была не тесна. По причине все того же опьянения, часто выражающегося в сухостое, он не так быстро, не так сразу, как могло бы, и еще как-то, еще сколько-то, тянул, и странно было, что он обнимал это — злобное, невыносимо отталкивающее. Ведь теперь ясно было, что ничего человеческого. Человеческое могло быть с Лией, но теперь уж, конечно, не будет. Теперь всю жизнь будет это болото, замарался навсегда. И когда — успев выдернуться из нее, потому что еще бы не хватало, — он ей забрызгал живот, первым чувством было такое раскаяние, такое омерзение, каких он не знал, не помнил в жизни. И какое-то время еще лежал,

отдуваясь, пока такое же тихое, уютное хихиканье
не защекотало ему ухо: ведь мальчик, да? Знала,
знала. Мальчик. А туда же лезет. Куда лезешь,
мальчик? Подвинься, говно. Да, это было то самое
слово, оно ничуть не резало слух. ПОДВИНЬСЯ,
ГОВНО. И стала невозмутимо надевать свои тряпки, и он увидел грудь — ничего похожего на ту
светящуюся святыню, которую он, подумать страшно, оглядывал вчера. Сука, тварь, опять пробормо-
тал он сквозь зубы...

Он вскочил, голова болела и кружилась.
Ну вот, предсказание сбылось, рубеж перейден,
а о чем же плакала Аглая? Неужели и о своей по-
руганной душе? И все не мог найти пуговицы на
рубашке, пока не понял, что они отлетели.

Валя сидела, привалившись к стене, склонив
голову на плечо. Видно было, что губа у нее рас-
пухла. Не могло быть и мысли о том, чтобы с ней
говорить. И мысли не могло быть. Не могло быть
и мысли, повторял он, и ни одной мысли не было.
Боль набухала в правой половине головы, пуль-
сировала. Он выскочил в прихожую, в большой
комнате танцевали, танцевали под ужасного, не-
выносимого «Домового». Домовой причитал: вау,
вау! Теперь, конечно, она на него заявит. Там свидетели, на ней одежда порвана. Она скажет всем,
и хотя его неоткуда теперь выгнать, но тем лучше. Окончательно асоциальный элемент. Он выбежал, не зашнуровывая ботинок, тихо прикрыл
дверь — не дай бог, заметят. Всем было не до него,
но это сейчас. Сейчас она выйдет туда, все скажет.

Возможна погоня. Те, что пришли с ней, догонят и изобьют. Он плутал какими-то дворами. Но холод немного остудил голову, и он глубоко, судорожно вздохнул. Потом его вырвало. Хорошо, не на нее, подумал он. Кончил бы уж и всем желудком заодно.

Но стало легче, и он заметил, что вокруг была божественная зеленая ночь. Ни одного окна не горело в больших новых домах вокруг — нет дураков праздновать за день до Нового года. Какой-то доброжелательный пьяница, начавший отдыхать за сутки до праздника, посмотрел на Мишу сострадательно. Чувствуя, как проникает в кровь свежая колкая влага, как из головы уходит мечущаяся боль, Миша шел по Садовому кольцу. Теперь они, конечно, никогда больше не увидятся. Интересно, заявит она все же или нет. Положим, он всегда сможет доказать, что все было по обоюдному согласию и даже по ее инициативе. Гнусность. Он попытался не думать вовсе, но страх уже гнездился. Он взял пригоршню снега и потер лоб. Как это все плохо, в сущности, в какое болото соскользнула его жизнь. Но хорошо, что убежал. Может быть, он уедет куда-нибудь. А может быть, и обойдется теперь. Все равно есть какая-то правильность в том, что он это сделал. В конце концов, он это сделал. И, проходя по Краснохолмскому мосту, он посмотрел в зеленоватое гнилостное небо, а потом победоносно плюнул в реку.

А боялся он зря. Ей очень даже понравилось. Отымел, как имеющий право, и даже ей показа-

лось, что некий опыт. Она, конечно, тоже губа
не дура (и полизала опухшую губу), она все правильно ему сказала, она и виду не подала, что
было почти хорошо. Теперь-то он был ее. Теперь-то
никуда не деться ему. А это откуда, спросила Бров-
кина, кивая на разбитую губу. А, это, засмеялась
Валя, это он кусался.

* * *

14

Новый год Миша встречал дома, как и предполагалось, но и тут не обошлось без приключений,
хотя и совсем иного свойства. Сосед Баландин долго маялся животом и наконец под самый бой курантов был увезен на «скорой». Отец сразу ему сказал, что подозревает заворот кишок и что добром
не кончится, но Баландин никак не желал ехать
под праздник, все уверял, что так уже было и пе-
реможется, а вот если бы порошок... Отец сказал,
что порошка от таких случаев не предусмотрено,
что можно сделать только хуже, что без рентгена
ничего сказать нельзя, но симптомы плохие. Что
ты хочешь, объяснил он Мише, начал праздновать
очень рано и, видимо, пережрал. В этих случаях
всегда начинается со схваткообразной боли, потом
проходит — и Баландину полегчало, — а потом
боль становится постоянной, после чего, простите,
калообразная рвота и некроз, тут уже ничего не по-
правишь. Судя по тому, что это абдоминальная область... я мог бы тебе подробно нарисовать... Благо-

дарю, сказал Миша, благодарю, достаточно. Помни, что аппетит мне еще понадобится.

Баландин был изумительный в своем роде человек. Пребывал на пенсии, до того трудился кладовщиком, но сравнительно рано получил инвалидность по причине больных вен. В качестве кладовщика, хотя бы и бывшего, он отличался особенной бережливостью, у него бесполезно было просить даже спички. Большую часть времени он проводил не в комнате, а на кухне, глядя в окно, — и у этого окна, всегда почему-то зимнего, серого, Миша его и запомнил. Он глядел на тополя, на клен, на медленный крупный снег и встречал Мишу вопросом — ему, вероятно, казалось, что, если Миша студент, он должен всегда интересоваться политикой: «Слыхали, целое гнездо гадючье раскрылося? А што, и правильно. Теперь к ногтю». В их квартире никого, слава богу, не брали, а в доме случалось, и Баландин говорил: инженера Грунского увели. А я считаю, что и правильно. Он што же думает, он будет вредить, а люди — глядеть? И всегда это он скрытничал. Пробегал, будто гонится кто. Какую бы гадость ни говорил Баландин о людях, всегда подчеркивал, что эта гадость заслужена, что поделом.

Жена его была сильно моложе, белобрысая, тихая, и двое детей: сын-подросток, поступивший в ремесленное, и дочка, удивительно похоже передразнивавшая всех, говорившая голосом матери, со всеми ее интонациями. Отца она, кажется, не любила, или Миша это додумал, чтобы лучше к ней относиться. Она была мягкая, приятная, как из русской сказки, и всего пугалась. Сейчас ей было лет восемь. Баландин на жену покрикивал, сына лупил, все это знали. Перед Мишиным отцом благоговел, считая доктора кем-то вроде шамана. Собственный организм был для Баландина тайной: он никак не мог установить связь между тем, что пережрал, и тем, что теперь у него начинает покалывать или тошнить. На этот раз, впрочем, ему всерьез поплохело, и отец, не слушая возражений его кроткой жены, позвонил прямо в больницу. Дрянь дрянью, но не помирать же человеку. В результате без четверти полночь врач и фельдшер, страшно ругаясь, снесли Баландина в машину. Он порывался протестовать, но вскоре с облегчением отключился: судьба его попала в чужие руки.

— И правильно, — сказал Миша с баландинской интонацией, усаживаясь за стол. — Он думал, он будет жрать, а кишечник — варить. Нет, товарищ, так не будет. Кишечник будет перекручиваться, заворачиваться. Он думал, справедливости неть, а она исть.

Отец дал ему благожелательный подзатыльник, по радио послышались гудки и отдаленный колесный шум, и с шестым ударом курантов наступил сорок первый год. Миша задумался: если как встретишь, так и проведешь, то что ему сулит именно этот год? Какой урок заключен в том, что увезли Баландина? Он подумал: главный смысл происходящего — безусловно, заслуженность. Пусть все в новом году получат то, что заслужили.

Давно пора. Мы наработали на полноценный конец света, и за то, что я вчера сделал с Крапивиной, по большому счету, следовало бы меня примерно наказать чем-нибудь посерьезней изгнания. Но ведь это на сторонний взгляд, а ежели жить внутри той жизни, которой живем мы, все логично и даже прекрасно. Кто мог бы вернуть нам другую логику? Потрясение каких масштабов должно случиться для этого? Что-то, чего я не могу себе представить, как жители Содома не могли и допустить, что их невыносимое существование когда-нибудь кончится. Но есть же простые вещи, к которым никогда не поздно вернуться. Словно напоминая об этих простых вещах, мать сказала: Миша, позови к нам этих Баландиных, бог уж с ними. Нельзя же, чтобы они встречали Новый год вот так. Миша поморщился — ты хочешь отравить праздник себе и всем? — но мать была права, он чувствовал это и пошел. Жена Баландина, Саша, плакала в кресле, ФЗУшник отсутствовал, веселясь в своей компании, а дочь Нюта тихо читала книжку-раскладушку, которую давно знала наизусть. Пойдемте к нам, сказал Миша весело, что ж так сидеть? Нет, отвечала Саша, я не пойду, как это я пойду, когда он там больной лежит и, может, его уже режут. Это нельзя. А Нюта пусть пойдет, пойди, Нюта. Нюта радостно вскочила и пошла с Мишей. За столом, по-баландински жадно уплетая торт «Дунай», добытый отцом, она с материнской интонацией — скорбной, но ускоренной сообразно детскому темпераменту, — тараторила:

— И ведь какое у нас несчастье, Господи помилуй, только подумайте! (Она говорила «помилый»,
словно это был эпитет к имени Божьему.) — Какие
ужасти. Наш папа покушал, и его ужасно рвало,
а мог, я думаю, вообще.

— Ужасно, ужасно, — сказала Мишина мать.

— Кушать много не надо, и не будет ужасно, —
сказал отец, отодвигая от Нюты тарелку с тортом.

...Мысль о доносе точила Мишу. Теперь, когда
он фактически исполнил первый план мести, Валя,
конечно, не упустит случая. А если она уже сняла,
как называлось это в судебной медицине, побои, —
то есть зафиксировала распухшую губу, — то придут за ним непременно.

И еще. Его тянуло к ней, как на место преступления. Поначалу он эти мысли гнал. И, конечно,
его тошнило от нее, от самого воспоминания,
от этих жидких грудей... Где она работает? Ах да,
на «Соколе», в депо новой ветки. И после очередного дежурства, в свободный день, проторчав дома
до пяти, он отправился туда — не повезет, так
не повезет. Выйдет, поговорим — тогда ладно;
не выйдет или вовсе соврала, что ушла из института, — отлично, видеться не станем вообще.
И он поехал, совершенно не отдавая себе отчета,
что едет. Это был лучший способ — не думать,
а делать.

Он почему-то очень ясно запомнил обстоятельства этой поездки: двадцать третий трамвай,
медленный, шаткий, желтые здания Ленинград-
ского проспекта, пухлый снег, медное солнце,

черных галок, которых было очень много, и это, наверное, ужасная примета; в метро ему никак не могли объяснить, как пройти в депо, и он полчаса блуждал среди бараков, длинных сараев, инструментальных мастерских, где вслед ему смотрели приплюснутые люди, совсем не похожие на праздничных строителей метрополитена, какие глядели с плакатов. Наконец, узким проулком, по натоптанной скользкой тропе, он вышел к приличному двухэтажному зданию, административному, значит, корпусу, где она теперь трудилась. Ну, понятно же, что не проходчица. Вероятно, у нее была там должность, что-то мелкое, секретарское, да и кто бы взял ее на другую работу? Он все-таки не верил до конца, что она покинула ИФЛИ. Это слишком было непохоже на нее и на других людей этой складки, пробивающих себе дорогу лбом, пузом, коленом, чем придется. Он думал зайти, но... что сказать? И кто пустит? Ведь метро, еще бы, место стратегическое. И опять галки чертили над ним, и от них наступала ранняя темнота. День хоть и прибавлялся на воробьиный шаг, а все же к шести небо было уже густо-синего, почти черного цвета, и без толку, конечно, он сюда заявился.

Он топтался напротив двухэтажного здания минут десять, когда вдруг выпорхнула — именно выпорхнула — Крапивина, а за ней сановито, молодцевато вышел плотный мужчина в овчинном полушубке удивительно добротного вида. Мужчина и сам был добротен, черноус и похож на артиста, чьей фамилии Миша не помнил. Этот артист однажды сыграл героя, а в другой раз — вредителя, и оба раза очень убедительно. Всякий герой притворялся вредителем, так что, когда его разоблачали, никто особенно не удивлялся. Герой-вредитель шел чуть позади Крапивиной, как ее хозяин, словно выгуливал на незримом поводке. Он распахнул перед ней дверь черной машины, названия которой Миша не знал, потому что вообще плохо разбирался в технике, то ли дело Борис, который ею бредил и гордился каждым новым советским ЗИСом; но машина была начальственная, серьезная. Валя Крапивина хихикала, Миша слышал этот смех, визгливый, фальшивый, смех шлюхи, отлично знающей, куда ее везут. Мужчина усадил ее на заднее сиденье, сам уселся рядом с шофером и, вероятно, сказал ему: «Гони к "Яру„», — что еще можно сказать в подобных обстоятельствах? Миша его уже ненавидел. На Крапивиной была та же самая псивая шубка, что и в гостях, но это, конечно, ненадолго. Скоро приоденется, расфуфырится.

Мише полагалось бы чувствовать стыдное облегчение от того, что никакого доноса она не пишет и счастлива с начальником, секретутка без страха и упрека, — но вместо этого он испытывал страшную досаду, потому что ему, выходит, кинули кость с барского стола. Повез наслаждаться... Он вообразил медленное, сановитое, молодцеватое раздевание, со смакованием, со вкусом; вообразил козлиный дух, начальственный запах, притом что сам-то, конечно, с обочины жизни. Он, Миша, мог быть хоть Аполлоном, никакой привлекательности это теперь не составляло. Хозяева вот — совсем иное дело. И он, опять теряясь, пошел назад, к метро, оттуда зачем-то отправился на «Динамо», в больницу, но там никому не был нужен. Только в аллее выпивал с приятелем, опасливо озираясь, пациент из второй хирургии, которого Миша не знал по имени; он и на Мишу стрельнул недоверчиво — нарушался режим, — но Мише так невыносимо вдруг захотелось выпить, что он нагло подошел и попросил хлебнуть. Обрадовавшись, что не накрыли, пациент дал ему приложиться. Сейчас еще заражусь черт знает чем, подумал Миша и хлебнул, закашлявшись.

...Он шел по Ленинградскому и думал: да, это теперь моя среда, мой предел. Пивной павильон на Бутырском валу светился теплом, и это было приманчивое, уютное тепло полного падения. Удивительно, что много было женщин, баб, и что были среди них молодые, но такие синие, мятые, истасканные, что стыдно было смотреть, хотелось тут же отвести глаза. Он никогда не зашел бы в такое место в институтские времена, но теперь-то конечно. Он взял пива, ему дали место, инстинктивно отстранившись: даже тут он был чужой, ненужный, он все теперь оборачивал против себя, хотя если б эта публика с ним заговорила — разве было бы лучше? Пиво было отвратительное, с привкусом рыбьего жира; отвратителен был цвет серых каменных столов и бурые огрызки от воблы. Вот такие люди, наверное, «сидят»; Миша ужасно боялся сесть. Ему казалось, что армия была бы лучше.

В этот момент ему захотелось пойти в армию. Он все же ограниченно годен, хотя и в военное время; может быть, к лету обстановка еще более напряжется, и его призовут. Он допил пиво, и мужичонка в треухе попросил у него на кружечку; Миша дал — «хоть одному творенью»... Никакой радости от опьянения не было, скорее гордое сознание отверженности: нет, не они меня отвергли, я их отверг. А все эти мальчики и девочки пусть плавают в своем аквариуме, где на стенках нарисованы античность и барокко. Когда-нибудь Валя Крапивина, павшая окончательно, будет тут, среди синих баб, глядящих на мужчин с жалкой надеждой и тайной ненавистью. А одним из этих мужчин буду я, понял он внезапно; мы встретимся на дне, на дне встречаются все... Ночью у него страшно болела голова, болела так, что в ней не осталось ни одной мысли.

А Валя Крапивина, напротив, до известного момента проводила ночь очень весело. Георгий Степаныч был мужчина конкретный, без разговоров и всяких развлечений вроде ресторанов. Он один раз сводил ее в кино, и после этого кино, в котором он вел себя совершенно прилично, она даже не сомневалась ни минутки, что теперь уже кина больше не будет. Ей надо было теперь отрабатывать. И она с большим облегчением, с радостью, без сомнений пошла в руки своей судьбе, потому что теперь ей не надо было изображать вдову. Здесь она была не вдовой, а секретаршей, и круг ее обязанностей был понятен.

Георгий Степаныч, по фамилии Ганцев, привез ее в квартиру, имевшую все следы холостяцких
свиданий. Нельзя было определить эти следы, что-
то в воздухе, но понятно было, что тут не жили,
а встречались. Тут не наводили уюта, потому что
встречаться в принципе дело неуютное, и во всем,
особенно в голой лампочке в кухне, была тревога:
встретились, и он поехал в ночном поезде на восток, а она — в другую сторону на Гражданскую
войну. И там, в поезде или на Гражданской
войне, им явно было обоим уютней, чем в этой
квартире.

Но несмотря на тревогу, понятно было, что тут
происходило дело сладкое. На стене была прикноплена фотография пухлого ребенка, явно от прежних хозяев, но ее всё забывали снять, ненужную,
потому что приходили не обустраиваться, а встречаться. Сразу бросались раздеваться, потом кушать, потом назад в постельку. А пухлый ребенок
все так и висел. Он как бы воплощал нежелательное последствие. Валя не бывала прежде в таких
квартирах, но все понимала, потому что и как же
было не понять. Георгий Степаныч прихватил
по дороге салаки копченой, булку, сала с жилкой,
всякого мармеладу, вообще еды, которую не надо
разогревать. Еще две бутылки взял он минеральной
воды, азербайджанской, очень неприятного запаха. Валя даже спросила — фу-у, что за вода, — и он
пояснил, что прекрасно для здоровья, в особенности для желудка. Проблем с желудком он, судя по
виду, не имел, но водой запасся.

— Ты сама понимаешь, Валентина, — сказал он ей серьезно, без церемоний, и ей нравилось, что он не притворяется, — сама понимаешь, что вот так вот.

Квартира с минимумом обстановки тоже была без церемоний. Валя смотрела на желтый стол без клеенки, весь в порезах, на белый кафель. Сюда возили не тех девушек, перед которыми притворяются. Которые посерьезней, покраше, тех возили, наверное, в ресторан, а наслаждаться — куда-нибудь за город, в санаторий или мало ли. Конечно, Георгий Степаныч был не совсем шишка, но машина с водителем ему полагалась. И Валя была его уровень, уровень повседневных удовольствий.

— Ты сама понимаешь, — продолжал он, — семья у меня и все такое. Но ты меня держись, не пожалеешь. Будет у тебя и рост, и в отпуск поедешь в Минеральные Воды, и вообще я если кому помогаю, то помогаю.

Валя представила, как он сейчас ей будет помогать, и чуть не прыснула.

— Да ты ешь, ешь, — подбодрил он, — что ты глаза-то в стол упираешь? Нам с тобой, Валентина, стесняться нечего. У меня глаз на это самое. Я сразу вижу, какая девушка по мне, какая не по мне. Тебе смущаться к чему, ты человек рабочий. Мы вместе работаем, вместе будем отдыхать. А что жена, то надо тебе знать, я не люблю жену, она боевой товарищ. Но мне больно было бы ей сделать нехорошо.

— Ну что, — спросила Валя с неожиданной решимостью, — я в постельку?

— Да ты ешь, — повторил Ганцев, — ешь, не обляпайся!

И засмеялся непонятно чему. Видимо, проявлять инициативу не надо было. Надо было подождать, пока он сам станет раздеваться. И он стал раздеваться. Отстегнул подтяжки, снял потом кальсоны, вообще раздевался с большим достоинством, как человек, которому нечего стесняться. С большим достоинством, повторила про себя Валя и опять едва не прыснула. Она стояла посреди комнаты не шевелясь и почему-то не могла раздеться.

— Ну что ты стесняешься, — сказал Ганцев уже из-под серого одеяла. — Ведь я знаю, у меня глаз на это самое. Я знаю, ты любишь это дело.

И не сказать, чтобы Ганцев был ужасен, противен и тому подобное. Ганцев был человек нормальный, много лучше прочих, и, если вы хотите знать, если только вы действительно хотите знать, — Валя несколько раз повторила это про себя, — первый вообще был у нее в пятнадцать лет, при обстоятельствах, которые мы вспоминать не будем. Да у тетки в деревне, что такое. И она еще задержалась по меркам этой деревни, там баловаться начинали рано. Конечно, из всех, что у нее были, а было их к нынешнему дню уже почти десяток, один Гвирцман был на что-то похож, он ей с самого начала нравился, у него хоть тело было похоже на тело, а не на доску занозистую и не на куль. И она умела, и даже, пожалуй, Георгий Степаныч угадал, что ей это скорее нравилось; во всяком случае, нравилось больше, чем все остальное.

Но это же было все-таки особенное, непростое дело, и просто так заниматься этим в чужой комнате, куда Георгий Степаныч и его товарищи явно часто ездили, причем даже, очень вероятно, не меняли белья, — ей не слишком хотелось. Хотя Валя и понимала, что ей положено.

Он хохотнул, и она поняла, что надо раздеваться. Она потянулась было к выключателю, но Георгий Степаныч вдруг резко сказал: это не надо — и ей, значит, предстояло все снимать при свете, а он будет любоваться. Он и вправду любовался и при этом себя под одеялом мял, сначала тихо, потом все решительнее. Но трусы и бюстгальтер она все-таки оставила и нырнула под одеяло в таком как бы пляжном виде. Нет, потребовал он, все снимай, ему, видимо, была в этом особая сласть. Сами снимите, попросила она. Он с неохотой, как ей показалось, оторвал руку от себя, стал возиться с застежкой, чертыхнулся, расстегнул, дальше сунул ей сначала руку в трусы, она отдернулась. Да что ты, сказал он уже с раздражением. У него, видимо, не совсем получалось. Хотя он и понимал, что она та самая, ему в масть, и любит это дело, и все как он говорил, — но в ней не было готовности, не было встречного желания. В другое время, может, это бы его раззадорило, но в ней и протеста не было, такого, от которого он заводился. Какая-то она совсем была снежная баба. Фу-ты ну-ты, сказал он, вскочил, скрылся в ванной, пустил там с силой воду — что он там делал, Валя догадаться не могла. Коля говорил, правда, как-то

в перерыве между ласками, что хорошо помогает
в таких случаях поссать, облегчиться, говорил он,
желая быть культурным, но все равно потом
со смехом пояснил: поссать.

Валя лежала, ждала, потом, все еще в трусах,
подошла к окну, за которым была пустая, темная
улица — район, кстати, недалеко от института, вот
куда все пути сходятся. Голый Ганцев вернулся,
отчего-то стыдливо прикрывая ладошкой достоинство. Ну, сама понимаешь, Крапивина, сказал
он, дело такое, что раз на раз не приходится. Ты
ложись, поговорим, ты мне, может, про детство
расскажешь. Таких аттракционов Вале еще не
приходилось исполнять, и она не сдержалась —
вырвался у нее металлический, скрежещущий
смешок, очень, должно быть, неприятный. Можно я все-таки выключу свет, попросила она. Ну
выключь, сказал Ганцев равнодушно. Валя легла
рядом. Детство было какое же, обычное, сказала
она, я очень в детстве не любила гусей, дралась
с ними... Да что ты мне гусей своих, сказал он
почему-то шепотом, со страшной злостью. Ты давай, трогай. Она стала трогать, но без особенного
результата. Да что ты делаешь, сказал он, ты не
умеешь, что ли? В руках не держала? Он был из
той породы людей, которые нежность почитают за
порок, за бабство. «По кунде ладошкой гладишь»,
говаривали у него на родине в Сибири. Валя подумала с ужасом, что сейчас ей придется, как называлось это во французской книге тринадцатого
года, которую принесли однажды в общежитие

и передавали тайно, ласкать ртом, к чему она не имела ни склонности, ни желания. Ганцев о желаниях не спрашивал, он стал придвигать, пригибать ее голову к тому подлому изменнику, от которого никогда еще не видел неповиновения, но возраст, товарищ возраст берет свое. И нервы, конечно. В последнее время столько было нервов. Валя сопротивлялась, смущало ее и это насилие, и эти запахи. И подумалось ей, что Миша ее поцеловал только, и то даже не поцеловал — коснулся, и она на него за это донесла, а теперь начальник творил с ней вот такое, и насколько же хуже она сделала себе! Ганцев, однако, не настаивал, человек был все-таки порядочный. Ну, не хочешь, чего ж, сказал он. Утро вечера мудренее. Давай, однако, спать, я на всю ночь ведь отпросился. Мне это легко, теперь ночные совещания, почитай, каждую неделю. И, немного помацав ее для порядку, отвернулся к стене — Валя почувствовала его мохнатую спину и шершавую почему-то задницу — и захрапел очень быстро и очень густо.

Сколько уж она лежала без сна, вставала то воду пить, то смотреть на пустую улицу, по которой вдруг пробежал зигзагами человек без шапки, похоже, пьяный, — этого она потом и вспомнить не могла; ей казалось, что очень долго. Невыносимо тикали большие стенные часы, а стрелок она не видела. Ведь он меня выгонит теперь, выгонит, думала она с невыносимой тоской; возьмет такую, с которой все у него получится... Наконец она озябла, легла под одеяло и почти сразу усну-

ла, а ранним утром, когда едва светлело, Ганцев
вдруг разбудил ее. То ли что-то ему приснилось, то
ли случился утренний стояк, который, оказывается, вовсе не является приметой молодости; он немного и деловито потерся об ее бедро, добиваясь
полной твердости, и Валя, толком еще не проснув-
шись, сообразила, что надо согнуть ноги в коленях
и развести. Ну ведь хочешь, сопел Ганцев, чую же,
что хочешь; его, видимо, как-то это возбуждало —
то ли эта мысль, то ли эти слова. И он некоторое
время щупал сначала, потом засадил, завозился,
но сделал все довольно быстро, успев, разумеется,
уйти в решительный момент. Ну вот, прошептал
он, теперь вот, теперь как надо, — и ненадолго
заснул опять, но в семь вскочил.

— Ты знаешь что, — сказал, отводя глаза, —
меня в восемь машина заберет, я договорился,
Вася подъедет. А ты можешь сегодня к обеду. Ну,
пойдешь, отоспишься, там, а к обеду приходи. Вый-
дешь, там, после меня, через минут десять, полча-
сика. Дверь захлопнешь.

Он немного смущался, но вид у него был довольный. Все получилось в конце концов, хотя и
без той роскоши, которая ему рисовалась. Он думал, что будет именно роскошь, которую можно
долго длить.

Вале было странно, что он не оставил ее в этой
квартире: не все ли равно, где ей спать? Но, вероятно, у них с друзьями так было оговорено, что
кто-нибудь заявится днем, тоже с подругой. Она
переждала десять минут под невыносимое стенное

тиканье и вышла, «был сильный мороз». И подниматься действительно пришлось медленно в гору: трамвайная остановка была выше, и, оскальзываясь, она два раза чуть не упала. Ей казалось, что в общежитии она мгновенно заснет, но за тот час, что добиралась, она спать расхотела окончательно. И тогда ей пришла в голову такая непонятная мысль, что и обдумывать ее толком не стоило — надо было делать, и быстро.

Она и сделала.

*   *   *

15

—Вот это да, — сказал Миша. Он совершенно ее не ждал и не успел спрятать идиотскую радость.

—А вот так. Взяла да приехала.

Губа у нее зажила совершенно; вообще на женщинах этой породы все заживает как на собаке. Собака, в сущности, и есть.

—А почему вдруг?

—А заскучала. Но ты, Гвирцман, много об себе не понимай, я по тебе не сильно скучаю. Как приехала, так уехала. Ты давай мне что-нибудь покажи интересное.

—А с чего мне тебе показывать интересное?

Она вызвала его через приемный покой ко второму корпусу, самому близкому к воротам. Тут у вас работает такой Гвирцман, медбрат? Имеется. Санитар в приемном покое посмотрел на нее с игривостью, на нее все теперь так смотрели. Будто запах, что ли, от нее шел. Ну давайте, позовите мне вашего Гвирцмана, у меня дело до него. Какое

это у вас дело до него в рабочее время? Такое, что
я беременная от него. Гинекология в шестом корпусе, сказал с гадкой ухмылкой санитар. А что мне
гинекология, у меня течение нормальное, я просто хочу его обрадовать. Санитар пожал плечами,
нажал какие-то кнопки, и скоро Гвирцман, запы-
хавшись, прибежал из соседнего корпуса. Хорошо
у них тут было поставлено.

— Интересного у нас тут много. Хочешь, Крапивина, видеть настоящую любовь? Ведь ты ж, небось, и не знаешь, как она бывает.

— Это как же ты мне покажешь, с собой?

— С собой я уж показал тебе. Я хочу тебе настоящую.

Они говорили немного не своей речью, с по-
правкой на то, что оба теперь деклассированный
элемент и надо снижать, вульгаризировать; так,
по крайней мере, делал он.

— Только ты халат надень. У нас тут без халата
ничего не делается.

Он сделал ей полную экскурсию — по всем
тем местам, которые поначалу так впечатлили его;
идея была — показать весь ад, в который он из-
за нее ввергнут. Белый халат был ей чрезвычайно
к лицу, к золотистым волосам, к серым глазам.
Он повел ее посмотреть мотоциклиста Севостьяно-
ва, теперь одноногого, который все писал и писал
письма своей девушке, а девушка уже месяц его
не навещала; показал Белова с вдавленным черепом,
избитого неизвестно кем, но остаток соображения
у него остался, и он держал за руку мать, тоже лю-

бовь, а мать смотрела в пустоту, и лицо у нее было каменное; Белов же, напротив, улыбался блаженной улыбкой, не зря блаженными называли именно безумцев. И разумеется, Соколовы, куда же без Соколовых: она по-прежнему лежала неподвижно, а он по-прежнему сидел рядом и смотрел. Что он там собирался высмотреть?

Миша ждал любой реакции, какой угодно. Но Валя Крапивина смотрела на все не отводя глаз, словно уже насмотрелась. А на самом деле ей все это даже, пожалуй, нравилось. После той совершенной бесчеловечности, которая была ночью и потом в трамвае, где сидели сплошь ужасные серые люди, ехавшие с каких-то ужасных ночных работ, — это было даже хорошо, совсем почти нормально. И когда Миша вывел ее на воздух и закурил — он курил мало, но теперь обязательно надо было, — она вдруг сказала ему:

— Гвирцман, Гвирцман, бедный.

— С чего ж это бедный?

— Ни с чего, просто.

И вдруг обняла его за шею, прижала его голову к своей груди — они были одного роста, она даже чуть повыше, — и принялась гладить затылок. Надо признать, Мише очень это понравилось: не из тщеславия, а просто приятно. Он долго мог так стоять. И прекрасен был ее запах после сплошной карболки, здоровый запах среди болезни.

— Ты бы мне настоящую любовь показал, а это что ж за любовь. Они больные. У больных жалость, это не любовь, гораздо хуже.

— Ну и мы с тобой больные, — прошептал
Миша ей в шею. — Прокаженные, можно сказать.

— Нет, ты этого не говори. Это все ерунда.
Накликаешь еще.

И тогда он потащил ее туда, куда ходила сани-
тарка Таня с врачом Левиным, куда, наверное, много
кто ходил, — вся местная любовь делалась в таких
странных, служебных, часто зловонных местах. И
эта зловонность странным образом придавала любви
особую остроту, то ли по контрасту, то ли наоборот,
потому что сама любовь — дело грубое, всячески
земное. Как объяснял друг отца, уролог Земский, —
дело такое земское, нечего там рассусоливать: если
простата — всё, то никакая любовь ничего не сделает, и напротив, если с простатой хорошо, то будет
прекрасно без всякой любви. Врачи бывают часто
и религиозны, и материалистичны, как Базаров:
одни говорят, что все есть химия и взаимодействие
трущихся частей, а другие — что вся эта химия так
отвратительна и трущиеся части так ничтожны,
что должно быть что-нибудь кроме, а то насмо-
тришься на вскрытия — думаешь: и вот это все?

И вот, значит, на этих тюках, в этой кастелянской. Он знал, где ключ. Ему Левин это сказал
с усмешечкой еще на третий день работы. И так это
все было медленно, так осторожно, так волшебно.
Если бы она не была такой дурой, подумали оба
одновременно, все это могло бы у них быть уже
давно, еще в сентябре могло быть! И конечно, это
было совсем не то, что светящееся тело Лии, но ведь
и Лия была совсем не то. А эта девочка, сейчас

именно девочка, со следами резинок от рейтуз, была
его жизнью, просто жизнью, ничем кроме. Не лучше и не хуже, чем его жизнь. Она ему помогала,
и в этом не было ничего унизительного. Жизнь
и должна быть опытнее, старше. Удивительно долго,
медленно, плавно все это происходило. И странно,
что в голове у него была в это время мелодия совсем
не медленная и не плавная. Бывает, что в голове
играет музыка, сам себе ее играешь, и никак она не
соотносится с тем, что в это время делаешь: просто
так, чтобы не думать, или, наоборот, это и есть
самая главная мысль. Эта музыка была — увертюра
из «Детей капитана Гранта». Фильм был глупый, как
все фильмы о полярных путешествиях или скитаниях в дебрях Амазонки; этого делали сейчас много,
и все это было ужасным, фальшивым детством. Но
музыка, как часто бывает, получилась подлинная,
магическая, зовущая к тому, чего не бывает. Валя
лежала с закрытыми глазами. Валя лежала теперь
как бревно. Не надо было ей ничего делать, никак
помогать, все это было бы ложью. Теперь, когда все
уже началось и пройден был стремительный, беглый
стыд начала, он делал все сам. Такая слаженность,
прилаженность могла быть только при изначаль-
ной предназначенности. Запах белья не мешал,
запах того самого белья, на котором вчера-сегодня
кто-то умирал. Мы тут сейчас тоже умираем, уско-
ряем смерть неизвестным науке способом. И Валя
была такая страшно близкая, такая с самого начала
своя! Почему они ждали так долго? По глупости
своей она все поломала, но теперь они сращивали,

заглаживали. Он ускорялся и замедлялся, когда хотел, он был хозяином положения. Он при этом мог гладить ее где угодно. И вдруг она сжала его там, и он возгордился — у нее это случилось раньше! — но это было не то, что он подумал; нет, она не могла бы кончить, все было слишком хорошо, чтобы кончить, хотелось еще это длить. Она сжала его, думая, что так будет легче ему, а он расценил это самым лестным для себя образом и решил, что теперь можно и ему, и в два-три движения все действительно кончилось, но, разумеется, все было под контролем, под контролем. В краях, где аборты запрещены, все про это хорошо помнят.

Некоторое время они еще лежали молча, потом Валя стала выправляться, шевелиться, выскальзывать из-под него.

— Но ты это, ты успел? — спросила она.

— Не беспокойся, все чисто.

— А то я сказала им внизу, что беременная от тебя.

Сначала Мишу это резануло, но потом он успокоился: иначе бы не позвали.

— Ну прогресс, что ж, — сказал он. — Сперва совратил, теперь беременную бросил.

Он потянулся и улыбнулся, и это была его ошибка. Ее разозлило, что он лежит такой довольный. Вчера человек, который ей помогал, который взял ее на работу, — привез ее в квартиру, отдельную, с постелью, купил еды, и ничего не было, то есть почти. А сегодня наглый этот еврей притащил ее на тюк грязного белья и поимел, как шлюху, без ухаживаний, без ничего; и поимел небрежно, не позаботившись, чтобы и она что-то чувствовала. Небрежно хватая. И он чувствовал себя теперь победителем, чувствовал, как бог знает кто. Запахи стали ощущаться острей и были отвратительны. Она к нему поехала за утешением, а он сначала показал всякой мерзости, а потом попользовался... Валя расковыривала, расчесывала эту мысль. Главное было не подать виду, как она зла, и нанести удар внезапно, когда он раскроется.

— А я ведь ходил к тебе вчера, — сказал он, расчувствовавшись. Подпер головенку рукой, что твой юный Пушкин на гравюре. — На работу ходил.

— И для чего же? — спросила она лениво, почти томно.

И Мишу что-то насторожило, но он уже устал настораживаться. Хотелось верить.

— Скучал тоже, повидать хотел.

— Что ж не повидал?

— Почему, повидал. Видел, как ты в машину садилась с начальником.

И он улыбнулся, потому что все это ведь не имело теперь никакого значения. Садилась с начальником, а пришла к нему.

— Что ж начальник, начальник — хороший человек, — сказала Валя все так же лениво. — Я с ним давно живу.

— Давно? — переспросил Миша. — Как давно?

Он еще не понял, как реагировать.

— Да тебе-то что, — сказала Валя. — Ты, Гвирцман, не ревнуй. Ты мальчик, а он мужик. Я за ним как за стеной, а с тобой я где? В кастелянской, на простынях ссаных.

— И чего пришла? — спросил Миша, уже подобравшись. — Свежатинки захотелось?

— Да нет, — сказала она все так же томно. — Захотелось поглядеть, в какой ты яме. Ну, поглядела. Все хорошо, ты в яме. Самое тебе место.

Этого не могло быть, она говорила нарочно, ведь только что она гладила его шею, прижимала голову к груди.

—Ты все врешь, Крапивина, — так и сказал он, и это снова была ошибка, на этот раз посерьезней. — Ты все врешь, потому что ты боишься любить. Ты этого не умеешь.

— Ты больно умеешь, — ответила она и начала одеваться. — Вот как эти ты умеешь, как параличные твои. Самое тебе место.

Она сама не понимала, зачем говорит ему эти гадкие слова, но почему-то именно они лезли ей на язык. Может, это болезнь какая, мелькнуло у нее в голове. Всякий раз, как с ним, у меня на языке грязь, мерзость. Почему я хочу сейчас это говорить? Ведь пока он это делал, мне было хорошо, — неужели это я так стыжусь?

— Но чего ж ты пришла, от красавца своего? — спросил Миша, едва удерживаясь от того, чтобы ударить ее уже по-настоящему, а не так, как тогда, в предновогодье.

—А посмотреть, как ты тут. Мне с ним теперь слаще будет, как про ссань твою вспомню.

Что я говорю, подумала она, что говорю! Но поделом ему. Попользовался, барчук.

— Выход найдешь? — спросил он.

И странно: чем дольше, чем наглее смотрела она на него, тем слаще ей было, еще немного — и будет то самое, до чего они так и не дошли на тюках.

— Что ж, и не проводишь? Кавалер тоже, говорю — не умеешь ничего.

— Иди, Крапивина. Иди быстро. А то, знаешь...

— Чего — знаешь?

Она как-то особенно гнусно подбоченилась, как базарная баба перед дракой.

— То и знаешь. Иди, Крапивина. Иди к начальнику своему, полижи ему.

Это было так глупо, так жалко! Потом Миша выдумал столько замечательных, остроумных ругательств, столько настоящих слов! Но тогда, красный и беспомощный, он ничего не смог ей сказать. И тут вспомнил, что уже час отсутствует на месте, и сейчас его начнут костерить, и хорошо, если не выкинут, а куда он тогда денется?

— Иди, Крапивина. Делу время, потехе час, мне работать надо.

— А иди, работай. Как раз там кто-нибудь обосрался без тебя.

Он не узнавал ее. Такими голосами ругались синие бабы в пивном павильоне. Она даже сказала «без тибе».

Он почти вытолкал ее из кастелянской и запер дверь.

— Беги, беги. Смотри сам не обосрись.

— Иди, Крапивина. Не приходи больше.

Он подтолкнул ее, и она заорала:

— Руки не распускай, людей позову!

— Позвала уже, — буркнул Миша и пошел, почти побежал в другую сторону, к черной лестнице. За то, что провел постороннюю, ничего ему не будет, все проводили посторонних, на это смотрели сквозь пальцы. А вот что на месте он отсутствовал уже час, это дурно. Через больничный парк пробегая в свой корпус, он несколько успокоился: холод был целебен. А Валя медленно, заглядывая в окна, пошла к выходу, и отчего-то на душе у нее было прекрасно. Он был ее, в любой момент ее, собственный, никуда теперь не денется, и она могла прийти к нему всегда, и взять, и сделать с ним что угодно.

Прочти она про такое в книжке — сама бы не поверила, но в книжках про такое не писали. «Мадам Бовари», всякая «Принцесса Клевская», глупый курс зарубежной литературы... А они жили в небывалое время, в небывалом месте, и случки у них случались небывалые.

И еще она подумала: хорошо б меня Георгий Степаныч сегодня опять туда повез! Чтобы три раза за один день — с утра с одним, теперь с другим, да еще вечером опять с одним, — этого она даже от Фоминой не слышала, мечтать не могла. Но это уж вряд ли. И она поехала в общежитие сладко спать.

* * *

16

Миша дважды пропустил репетиции «Города ветров» — истинной причиной была не работа, а страх перед Лией, которую он и хотел видеть и боялся встретить, словно осквернился. Когда он пришел на очередную среду, пьеса ушла далеко вперед. Лии не было, и он вздохнул было с облегчением. Но тут Горецкий сообщил, что на сегодня намечен визит целой плеяды молодых гениев — обещали прийти люди как раз ифлийские, так что Миша, как истинный поэт, подгадал. «Поражаюсь этому ясновидению влюбленных», — сказал Миша кисло. Он не общался ни с кем из своего круга уже около трех месяцев и хотя скучал временами, но предательства не прощал. Конечно, они должны были прийти в деканат и заявить протест, или хоть явиться к Мише для дружеского разговора, или просто поинтересоваться, где он и жив ли, но интересовались как раз те, кого он близко не знал, а друзья, видать, слишком сочувствовали — так жалели, что ай не могу. Надо,

надо было возненавидеть все прежнее, чтобы теперь терпеть настоящее.

И вот, значит, они пришли с мороза, раскрасневшиеся. По тому, как с преувеличенным шумом вваливались, отряхивая снег, как гимназистки румяные (он хохотнул, вообразив черноусого Лугина гимназисткой), по тому, как галдели, дохохатывая над чьей-то шуткой, пошученной еще на улице, по тому, как приглаживали волосы перед огромным зеркалом, перед которым проходили танцевальные репетиции, — видно было, что изображалось вторжение молодых вихрастых гениев, детски непосредственных, моцартиански легких. При взгляде на Мишу все делали такие же вогнутые лица, как Валя в предновогоднюю ночь.

— Похудел, брат, потоньшал, — искусственно окая, сказал Лугин. Борис тут же принялся хлопать Мишу по плечу. Миша поморщился. Один Павел ничего не изображал, не кокетничал, смотрел серьезно.

— Хорошо выглядишь, — сказал он, и хоть этот комплимент был Мише приятен, но никакого тепла к бывшим однокашникам он не почувствовал.

— Ты где теперь? — спросила Лена.

— В Боткинской больнице медбратом.

— У отца, значит, — утвердительно сказала Лена.

— Отец в Склифе, вообще-то. Но, как ты понимаешь, для этой должности протекция не нужна.

— Очень трудно? — она резко сменила тон.

— Ничего, справляемся.

— А здесь ты как?

— А здесь я в студии.

Тут, несколько запоздав, вплыла Лия под руку с новым человеком, которого Миша не знал, — длинным костистым парнем, нескладным, но не замечавшим этой нескладности; как это у него получалось — Миша не понял, но видно было, что этот человек не испытывал ни малейшего смущения и что вся эта компания ему побоку, он пришел с Лией и ради Лии. Это его кольнуло. Лия, впрочем, сразу оставила кавалера и подбежала к Мише:

— Где ты пропадал? Я волнуюсь.

— Волновалась бы — зашла, — буркнул он.

— Я думала, ты не хочешь меня видеть.

— Я хочу, пришел вот, — сказал Миша абсолютно честно, сразу попав в тот прямой тон, который был у них принят.

— Это отлично, и мы всё с тобой сделали очень правильно. Еще много всего будет. Я тебе очень рада и вообще скучала. Не будь таким, — и она оттопырила нижнюю губу. Впрочем, она и с оттопыренной губой была очень хороша. Дурак я дурак, подумал Миша.

— Я порядком помучился в этот месяц, потом расскажу.

— Обязательно расскажешь, — и прежде чем он успел что-нибудь спросить или сказать колкость по поводу нового спутника, Лия к этому спутнику вернулась. На него она смотрела заботливо, как на Мишу не смотрела никогда, и это было плохо.

Предполагалось показать гостям готовые сцены и привлечь их к сочинению песен для новых. Студийцы сочинили и отрепетировали две, которых он не видел, — одинаково отвратительных. Он с радостью понял, что и раньше, до паузы, во время которой столько всего переменилось, — он бы, скорее всего, отнесся к ним так же. Мише всегда было свойственно недооценивать себя раннего, думать, что он только в последние дни начал что-то понимать, — обычная черта человека, ценящего новый опыт и презирающего собственное прошлое, как записал он год назад в набросках для будущего эпического романа (по его наблюдениям, все, особенно поэты, готовились тогда к эпическому роману, который ужо объяснит все необъяснимое, вберет в себя жизнь русской провинции, Гражданскую войну и всемирное коммунистическое движение; но главным в нем будет, конечно, небывалый герой, порождение первых лет революции, комиссарский сын, антропологическое чудо, которому предстоит победить старый мир в неизбежной, да, когда-нибудь, войне).

И эти сцены действительно были плохи: первая — разговор вечно таинственной комсомолки Шуры с отцом, приехавшим инспектировать строительство. Все рассказывали о себе, обычно песнями, только Шура стыдливо отмалчивалась, и все уж решили было, что она кулацкая дочь, — но тут интрига раскрылась, лопата выстрелила (Шура трудилась лопатой). Ее отец был крупным начальником и не отпускал дочь строить новый город, так что она сбежала, отправив с дороги покаянное письмо. Теперь отец явился вовсе не для инспекции, а в безумной надежде вернуть блудное дитя. Он готовился зарезать для нее даже теля, то есть автомобиль. Он обещал, что у нее будет свой автомобиль! Понятно, Шура росла без матери (мать где-то отвалилась по ходу студийных обсуждений, и участь ее не уточнялась; торчали странные намеки на то, что она предпочла другого, непартийца, потому что партиец вечно пропадал на совещаниях, — и вот, бросив дочь, она закружилась в вихрях враждебных). Суровый, немногословный партийный отец (болтливый, вертлявый Глеб Сухих, впихнутый на эту роль за недостатком мужского контингента) заваливал дочь игрушками и сластями, компенсируя недостаток уделяемого ей времени. Шура, напротив, почему-то стихами умоляла его отказаться уже и от той машины, что была в его распоряжении, и пешком, видимо, посещать стройки подмосковных заводов, на которых он бесперечь пропадал. Миша заметил, что в стихах любая чушь выглядела уже не так чушисто; вероятно, диалог отца с дочерью в прозе звучал бы вовсе позорно. Естественно, папа дочку не поколебал и убыл с обещанием ужо навести тут порядок, а то распоясались и никакой производственной дисциплины; Шура после его отъезда рыдала на плече соседки по бараку, такой Ирмы Шульц, немки (немка была, понятное дело, данью курса на сближуху — ну вот, нашлась идейная инженерша, поехала строить город ветров; от каких радостей она сбежала, уже не уточнялось). На словах «Ведь все ж он папка мне!» Павел с Борисом нехорошо переглянулись, а Лена угодливо прыснула — она всегда узнавала свое мнение из этих переглядок. Вообще, она была правильная комиссарская жена, дело которой — обхватывать комиссарскую голову и провожать на войну, откуда голова могла и не вернуться.

Вторая сцена оказалась серьезнее, чувствовалась лапа Орехова. Там Горецкий, явный троцкист, комиссар строительства, который кормил добровольцев все больше лозунгами, а настоящего питания обеспечить не мог, убеждал их, что они соль земли, новая раса, что Европа вот не выдержала испытания новым веком, а они его самое порожденье и есть, — но красивые эти слова среди беспрерывных дождей не убеждали ветровцев. Он заговорил было о правительстве, которое пристально за нами, товарищи, следит, и о врагах, которые, товарищи, не дремлют, — но тут маленький Семка кричал: баста! Хватит демагогии, товарищ, где обед! Забавно было, что маргиналу Горецкому противостоял маргинал Семка, и вот только в этом была какая-никакая, протащенная под полой художественная правда. Еще бы не хватало противопоставлять несуществующему эстету еще менее существующего человека из гущи.

Просмотрев, — собственно, прослушав, поскольку сценического решения пока никакого не было, гости опять переглядывались, мялись, изображали недовольство, после чего, чтобы тем сильнее обрадовать, Паша сказал: вы знаете, по-моему,

вы только извините, конечно, и не обижайтесь,
и не примите нас за снобов и все такое, но, по-моему... по-моему, ребятцы, это очень здорово! И все
тут же разулыбались, помягчели, даже Орехов
вздохнул с облегчением — не то чтобы он пережи-
вал за действо, цену которому знал наверняка, но
авторитет-то был ему дорог, а тут пришли как-
никак люди из лучшего вуза Москвы. Да, ребятцы,
сказал Паша, очень здорово, и поэтому надо переписывать... он сделал паузу... переписывать... и еще
раз, наверное, придется переписать, и тогда будет
ничего себе. Вообще же это, знаете, о чем всегда
мечталось. О том, чтобы текст рождался не у поэта в отдельной голове, а в общей артели, потому
что литературное дело у нас последнее оставалось
необобществленным. А вот теперь — это же первая
вещь, созданная некустарно! Или кустарно от слова
«куст», подхватил Глеб, и все мальчики подхватили его восклицание. (Миша не любил этого автора, ненавидел эту цитату.) И знаете, уже серьезно
продолжал Паша (этот переход к серьезности был
отлично у него поставлен), я ловил себя даже на
том иногда, что не мог угадать реплику. Обычно
угадываю. У Погодина вот всегда угадываю. А у вас
я смотрел — и иногда не знал... Понимаете, какие
великие дела можно теперь делать, и не только
в театре?

Миша слушал и прикидывал: какой, собственно, был им резон хвалить явно бледную вещь, которая при обсуждении на любом литсеминаре была
бы растерта, распатронена, выпотрошена? Во-пер-

вых, Паша был комиссар настоящий, не Борису
чета, и понимал, что надо расширяться. Тут в их
разговоре маячила новая площадка, весьма пер-
спективная; тут они могли стать законодателями,
поучаствовать в пьесе, о которой наверняка будут
говорить, тут они могли читать, и девушки тут
были прелестные, не последнее дело, — в общем,
начинать с разносов было глупо. Потом, вгрызаясь,
вползая, можно было начать рушить, выедать их
изнутри, — но это еще когда. Во-вторых, чем черт
не шутит, вдруг ему действительно нравилось! Кто
сказал, что у Паши был вкус? Писать в тридцать
девятом году роман в стихах — это как? Но Миша
еще помнил, с каким обожанием смотрел год назад на этого комиссара, до того как Колычев его
разнес, — и, будучи мальчиком честным, понимал,
что Колычев-то, между нами говоря, уж никак не
человек будущего.

После пили чай, долго по обыкновению кхе-
кали и мялись, прежде чем извлечь сухач, к которому прилагалась теперь принесенная непьющим
Борисом поллитра, и после этого затеяли наконец
обещанные чтения: сначала читал Сергей — начал
он с военного стихотворения о холерном бараке,
очень хорошего, которого Миша никогда не слышал; видимо, что-то должно было в нем оттаять,
прежде чем появились стихи. Потом Витя — совсем
никакие, но чрезвычайно мастеровитые, под Кирса-
нова, стихи о рубке дров и последующей обработке
древесины, в которой автор, чувствовалось, сроду не принимал участия, потому что ассоциации,

являвшиеся ему, — золотые кудри стружки, откуда-то взятые, гул земли, на которую падает дерево,
и вздох веток, и вот так же и ты падала, я помню
(ясно было, что не помнил и не падала), — были
ассоциации человека праздного, недостаточно утом-
ленного. Борис читал два стихотворения о футболе,
которые он написал, потому что не пошел на фут-
бол. Пока все смотрели, он описывал. Миша подумал, что и вся Борисова жизнь так пройдет: все
будут жить, а он — описывать. И мельком заметил,
что и сам для себя мечтал именно о такой тактике.
Жить не стоит, от жизни остается только то, что
напишут — может быть, он, а может быть, и Борис.

Последним читал Павел — одно совсем новое,
и Миша отметил это с болью (кому-то писалось,
а ему — все что-то странное, смутное, насильственно из себя добытое; он привык, что вещь все-таки
приходит, а тут ее приходилось, требовалось добыть). Но и у Паши, заметил он уже с радостью,
не получалось легко: это было непохоже на прежнее, тоже смутно, две только строчки были по-
нятные и живые, совпадавшие, по крайней мере,
с Пашиным опытом: а дальше я пока не прожил и,
может быть, не проживу. Но потом он читал знако-
мое, и Миша снова попал под его обаяние, потому
что пусть одна крупица морской соли и синевы, но
все-таки в этих стихах была — и, бесконечно раз-
веденная, все-таки их подсаливала, подкрашива-
ла. Снова месяц висит ятаганом, на ветру догорает
лист, утром рано из Зурбагана корабли отплывают
в Лисс... Кипарисами машет берег. Шкипер, веря-

щий всем богам, совершенно серьезно верит, что
на свете есть Зурбаган... Это было, в общем, никак,
но в эти слова каким-то чудом, не иначе, прокрал-
ся осенний Севастополь: они однажды поехали
туда поздно, потому что отца некем было подме-
нить, и на ветру догоравший лист — платан, сухой
и жесткий, про который мать вдруг сказала, что
это и есть чинара, — был тот самый. И тогдашние
синие вечера в уже строгом, осеннем, полупустом
городе, в Балаклаве, где не было больше отдыхающих, откуда съехали даже «дикари», приехавшие
смотреть Херсонес, — и начинавшийся холод, не-
грозный, южный, и переход всего во всё, всеобщая
переходность — море в берег, лето в осень, Миша
в отрочество, — эта сладкая тревога была в стихах,
ничего не поделаешь. И это одновременно обрадовало и уязвило: институт сколько угодно мог
представляться аквариумом, на стенах которого
нарисована ненастоящая жизнь, но в этом аквариуме получались стихи более настоящие, чем жизнь.
Да и вся разница была в том, что раньше Миша
плавал в аквариуме, на стенах которого были нарисованы Лаокоон, Диккенс и Франс, а теперь —
глупые девки и гнойные тряпки. Эта мысль была
совершенно невыносима, и, однако, ее следовало
запомнить. Формула могла пригодиться.

Миша знал, что после завершения официаль-
ной части ему придется разговаривать, хотя ни им,
ни ему это не было в радость.

— Ну ты как? — спросил Борис, который всегда брал на себя самое трудное. Комиссары бывают

двух видов: одни первыми поднимаются в бой, другие выслушивают донесения. Хорош или плох был Борис, но он поднимался первым.

— Да так как-то все, — ответил Миша, желая показать, что манера его не изменилась. Раньше еврей на вопрос отвечал вопросом, теперь цитатой.

— Работаешь?

— Проверяешь? — ответил Миша, уже как еврей.

— Имей в виду, — сказал Борис, выходя на тему в лоб, — я за исключение не голосовал, а Паша вообще не комсомолец.

— Я никого не виню.

— Пишешь?

У них в разговорах один на один принято было это мужественное немногословие, и Миша тогда любил эту манеру.

— Мало. Медбратом работаю.

— На войне пригодится.

Эти постоянные упоминания о войне начинали уже утомлять.

— Слушай, — сказал Миша, — сколько можно? Еще не началась, а уже всё списывает.

— Началась.

— Где-нибудь она идет всегда, — зло сказал Миша. — А списывает всегда у нас.

— Сам посмотришь.

Тут подошел Паша.

— А ты тоже в этой студии? — спросил он, будто не виделись со вчерашнего дня. Паша был курсом старше, они и в ИФЛИ пересекались редко,

и всякое его обращение к младшим они расценива-
ли как праздник — по крайней мере, так было принято. Люди из Поселка — так называлась улица на
окраине, где стояла новая институтская общага, —
были на особом счету и держались вместе, у них
были свои шутки и пароли, малопонятные прочим,
в особенности коренным москвичам.

— Я не играю, так, захаживаю.

— Кем устроился?

— Медбратом.

— К отцу?

Удивительна была эта их манера все оборачи-
вать против того, перед кем они подспудно виноваты: Борис подозревал его в желании устроиться на
войне, а Паша — в использовании отцовской крыши.

— Туда протекция не нужна, — снова вытянул
Миша полюбившееся объяснение.

— Ты приходи весной, — сказал Паша, станов-
вясь вдруг сочувственным и почти заговорщицким.
Это тоже была комиссарская манера — внезапно,
сразу после несостоявшегося расстрела, предложить чаю и посвятить в тайные планы.

— Зачем?

— Мне кажется, восстановят. Они и сейчас уже
остыли. В конце концов, что ты такого сделал?

— А Валя тоже ушла, — сказал вдруг Борис. —
Еще в ноябре.

— Я в курсе.

— Откуда?

— Виделись тут, — сказал Миша, предвкушая
сенсацию, и сенсация произошла.

— Не убил? — поинтересовался Сергей, который подошел и слушал молча.

— Если б убил, меня бы уж точно исключили из комсомола. И ты бы об этом знал.

Сергей хохотнул — вообще был смешлив.

— А ты чего не приходишь-то? — спросил Павел.

— В жизнь окунаюсь, — пояснил Миша. — В жизнь. Нельзя же одновременно окунаться и собираться на берегу.

— Понимам и одобрям, — сказал Паша. — Я бы тоже не рвался в прежнюю обстановку. А там люди нормальные, в больнице?

— Больные в основном.

— Ну и правильно, — кивнул Борис. — Со здоровыми неинтересно. Я сам когда-нибудь, товарищи, лягу в больницу на старости лет. Жизнь изучать.

— Да, — согласился Миша, — оттуда открывается интересный вид.

— Ну а Валя-то? Крапивина-то? — не отставал Сергей, которому бы все про баб.

— Работает в Метрострое, тоже окунается. Мне кажется, когда мы оба окунемся, то значительно сблизимся. Наша проблема, Сережа, была в том, что мы оба были неокунутые.

— Молодец, — сказал Паша. — Нет, ребятцы, мне нравится, как он держится. Ты приходи все-таки. И в институт приходи, и к нам. Мы в пятницу у Нинки будем, да, Лен?

— Я еще немного окунусь и приду, — сказал Миша. — Уже с Крапивиной.

Все посмеялись, и он отошел к соседнему кружку, где блистала Лия. Но Миша не знал, о чем с ней говорить. Впрочем, она-то всегда знала. Она сразу взяла его за руку и отвела в сторону. Удивительно: у любой другой девчонки это выглядело бы фальшиво, но Лия всегда действовала как власть имеющая.

— Ты из-за меня не приходишь, да? — спросила она прямо.

— Нет, были обстоятельства.

— А я, между прочим, знала.

— Что знала?

— Что у тебя будут обстоятельства. Я тоже отсюда уйду скоро.

— Когда?

— Не знаю пока. Но что-то они уже точно не туда свернули.

После Вали Миша себя чувствовал настолько оскверненным, что и не надеялся на продолжение тех встреч и провожаний. Но Лия ничего не знала, хотя что-то чувствовала.

— Я скучаю вообще-то.

— Я тоже.

— Миш, скажи честно. Ты что, не можешь со мной теперь разговаривать?

— Почему, все могу.

— Ты пойми. Ведь я не отказывала тебе. Я просто сказала, что лучше потом. Мне будет больно, если ты от меня совсем оторвешься.

— Лия, — сказал он неожиданно для себя. — Так неправильно. Вот им тоже хочется, чтобы

я был с ними, а при этом чтобы меня исключить.
И тебе хочется, чтобы спать с кем-то, а разговаривать со мной. Всем хочется, чтобы я как бы не был
и при этом разговаривал, ведь я так весело это делаю. Да?

— Господи, Мишка, какое счастье, — сказала
она.

— Что именно?

— Так разговаривать. Я уже очень, очень давно, кажется, ни с кем не говорила, а всего-то три
недели. Мишка. Я не хочу ни с кем спать. Со мной
никто сейчас не спит. Я не хочу тебя ни с кем
совмещать, ты ничего не понял, дурак.

— Ну объясни, умная.

— Мишка. Я объясню, но давай пойдем, да?
Я хочу идти и разговаривать. Хотя нет. Холодно.
У тебя пальто на рыбьем меху.

— Да я выдержу.

— Но я не выдержу. Нет. Я все скажу тебе
здесь. Мишка. — Она помолчала, но не отводила
глаз. — Я хочу, чтобы ты понимал. В тебе есть еще
какое-то зло, кусок зла, он просто из тебя торчит.
Может быть, это остаток детства, я не знаю. Но
тебе надо изжить этот кусок, я чувствую. Просто
пережить его и стать тем, кто ты есть. И тогда,
Мишка, если ты не раздумаешь, я дам тебе все, что
вообще могу дать. И нам ничто не будет мешать
тогда. И я знаю, что сейчас ты из себя выталки-
ваешь этот ужасный чужой кусок, но сделать это
можешь только ты сам, понятно? Пожалуйста,
не злись. Ради бога. Ты должен понимать. А я буду

ждать сколько нужно. Не сколько угодно, почув-
ствуй, а сколько нужно.

Миша криво усмехнулся, ему нечего было
возразить, как и три недели назад. Но ему было
досадно, и особенно досадно оттого, что она видит в нем плохое и позволяет себе решать, когда
им сблизиться. Он не должен, а она позволяет.
И еще его точили эти Пашины стихи про Зурбаган,
Миша никогда прежде не испытывал от них такой
тоски. Счастливого человека они так не задевали.
Теперь он был даже более несчастлив, чем когда
его выгнали, — потому что его оскорбила грошо-
вая девка и временно — разумеется, временно,
и даже со всем уважением, — отвергла настоящая
девушка. И он услышал ангельский, хоть и сквозь
эфирные помехи, голос оттуда, куда ему больше
хода не было. Что-то подобное как раз и чувствовал демон — изгнанник рая, — и нет тут ничего
провинциально-демонического, а просто без всякой
вины, по чистой прихоти выгнали оттуда, где было
хорошо. Нельзя было тут оставаться, но и домой
идти нельзя, и он отправился к Колычеву.

Это было плохо. Миша потом только понял,
что шел к нему в надежде поделиться собственным несчастьем, перевалить его на Колычева и по
возможности оттоптаться на том, кому было еще
хуже. Но изначально надеялся — так он потом себя
уговаривал, тогда все себя уговаривали, — что Колычев развеет магию зурбаганских стихов, капнет
на них, по обыкновению, своей ядовитой желчью —
и очарование рассеется. И Колычев не обманул

ожиданий. Он был ужасно рад Мише, потому что
сидел один и плохо себя чувствовал — даже у него,
оказывается, бывали плохие минуты. По случаю
холода он плохо дышал, а Миша все-таки живая
душа, хоть и птенец.

— Давно не был, — приветствовал он Мишу. —
Есть даже чай.

— Я не умею и не должен писать, — сказал
Миша решительно. — У меня все в лучшем случае
от головы, а в худшем — сам понимаешь. У тебя
есть выпить?

— Может быть, но немного. Можно достать.
Да что с тобой?

— Я слушал сегодня Пашу. Опять. Паша может
быть кто угодно, но все-таки он поэт.

— Поэт, поэт, конечно. Не беспокойся. Никто
тебя не тронет.

Колычев сходил к соседу и принес водки
в круглом стакане.

— Отхлебни, но не до дна.

Водка была отвратительна.

— Только продукт переводишь, — сказал Колычев укоризненно, видя, как Миша сморщился.

— Пить надо, пока противно.

— Вкус водки чувствуют не все. Ее вкус — боже-
ственный, ни на что не похожий, но большинству
она невыносима, как истинное искусство. Господь
поставил барьер. Ну, чему ты там обзавидовался?

Миша прочел про Зурбаган.

— Вот это действительно невыносимо, — за-
хихикал Колычев. — Еще раз, пожалуйста: и ти-

хонько выпьем за Лисс? Человека, употребляющего
в поэзии слово «тихонько», следует до конца дней
разжаловать в детские поэты и обязать писать про
зайку. Не говори мне, санитар, что тебе по-настоящему это нравится. Если ты будешь завидовать
такой лирике, ты никогда не дорастешь до фельд-
шера.

— А что тебе не нравится, собственно?

— Мне? Мне не нравится, что это пошлость
первостатейная, а ты, человек с десятиклассным
образованием, от этого пищишь.

— Пошлость, да?

— Эталонная. Химически чистая. Медный
купорос.

— Ну а что не пошлость?

— Не пошлость? — переспросил Колычев. —
То есть тебя интересуют хорошие стихи?

— Да, представь себе, интересуют.

— Ну вот, допустим...

Колычев присел к столу и закинул голову.

— Вот придет война большая, — сказал он мечтательно и после паузы добавил: — Заберемся мы
в подвал...

Миша впервые слышал, как он читает, — очень
просто, по-детски.

Тишину с душой мешая,
Ляжем на пол, наповал.
Мне, безрукому, остаться
С пацанами суждено,
И под бомбами шататься

Мне на хронику в кино.
Как чаинки, вьются годы,
Смерть поднимется со дна,
Ты, как я, — дитя природы
И прекрасен, как она.
Рослый тополь в чистом поле,
Что ты знаешь о войне?
Нашей общей кровью полит,
Я порубан на земле.
И меня во чистом поле
Поцелует пуля в лоб,
Ветер грех ее замолит,
Отпоет воздушный поп.
Сева, Сева, милый Сева,
Сиволапая свинья...
Трупы справа, трупы слева
Сверху ворон, сбоку — я*.

— Это твое?

— Не мое, но какая разница. Хорошая вещь не имеет авторства.

— Знаешь, — неожиданно для себя сказал Миша, — а по-моему, вот это и есть пошлость.

Колычев уставился на него в изумлении.

— Вот это?

— Именно. Настоящая пошлость, только другого рода. Знаешь притчу про нищего? Идет франт, ну весь расфранченный. Нищий смотрит и говорит: вот чванство! Франт смотрит на него и говорит:

----
*   Стихи Алика Ривина.

нет, а вот ты — чванство. И это худшее чванство, нищее. Потому что от Паши, от его стихов хоть морем пахнет. А здесь вообще ничего, и у тебя ничего. Потому что самая большая пошлость — это говорить про все: пошлость. Живое все пошлость, ты не находишь?

Миша не на шутку раздухарился.

— Все живое, все уязвимое. А неуязвимо только мертвое, и вот то, что ты читаешь, — это мертвое. И сам ты мертвый. Подумайте, какая лирика: тишину с душой мешая! Мякина, а не стихи. Выдача гуся за порося. И говорить, что это и есть настоящее... Это, знаешь, как войти в загаженную комнату, долго примериваться и строго по центру бросить еще более грязный носовой платок. И сказать: вот теперь прекрасно!

Колычев помолчал.

— Ну что же, — сказал он наконец. — Я всегда знал, что на дне ты случайный человек. Наверное, тебе не надо больше приходить сюда.

— Да уж наверное, не надо, — сказал Миша. — Среди трупов я действительно еще какой-то пока слишком живой.

И он ушел, хоть и чувствовал себя виноватым. Дома его довольно быстро развезло, и проснулся он в шесть утра с чувством горького стыда и ужасной неправильности. Неправильно все было сделано, и обидел он несчастного человека — обидел единственно из желания доказать себе, что может еще кого-то обидеть; что есть люди беззащитней, уязвимей, чем он. Это было дурно, он сам себе это мог сказать, не все же говорить гадости прочим. И потом, так он останется совсем один. Ему вспомнился прошлогодний анекдот: инженер возвращается из командировки, с женой — его ближайший друг. Он бросается на него с ножом, протыкает... Жена, испуганно: Коля, так ты вовсе без друзей останешься!

И он твердо решил сегодня же после работы пойти к Колычеву и, если тот впустит, — а человек он гордый, как все, у кого одна только гордость и осталась, — загладить как-то, Боже мой, смягчить, не извиняться, конечно, но объясниться... Но в почтовом ящике ждало его нечто, совершенно вытеснившее Колычева из его ума.

Это была повестка из военного комиссариата с требованием явиться послезавтра по вопросу призыва.

* * *

17

Армии Миша боялся.

Боялся не тягот, не голода и даже не портянок. Все в конце концов обучаются наматывать портянки. Боялся он армейского духа, той смеси бодрости, вранья и ласкового садизма, которая мерещилась ему. Иногда он слушал по радио песни военных ансамблей, причем солировали всегда уютный басок и трепетный тенор, два как бы лика этой мирной, добродушной армии, любезной к чужим (ибо все они были классово близкие, заблуждающиеся пролетарии), неумолимой к своим (ибо все они знай отлынивали от службы, хотели поваляться, понежиться). Этот диалог происходил на глазах сурового хора, певшего, как пел бы под бурей еловый лес. Миша был недостаточно дерево, чтобы вливаться в этот хор. Он был бы готов противостоять сколь угодно опасным чужим, но снисходительность и злорадство своих были ему заранее омерзительны.

Он надеялся, что до очередного призыва успеет восстановиться: хорош или плох был институт, но пренебрегать его немногочисленными достоинствами не следовало. Но и в больнице, вспомнил он, ходили неясные слухи о досрочном призыве; в воздухе, невзирая на дежурные успокоения и небывалое сближение с немцами, что-то такое сгущалось. Теперь все стало понятно, и надо было спокойно и просто готовиться к переходу в другую жизнь — нет, нет, не так радикально, обратился он к невидимой публике, но к другой форме существования. И пора уже наконец проверить, чего ты стоишь: если ты так уверенно внушаешь себе, что стал другим и расплевался с прошлым, — вот попробуй действительно стать и расплеваться, а я посмотрю. Кто я? Да тот я, который всегда смотрит; инопланетный пришелец из книжки, придуманной в детстве. Его тогда мучила мысль о своем я: ведь это я, и сейчас это я, и вот сейчас это я... Не в книжке про себя читаю, не со стороны на себя смотрю, но я — действительно я, все зависит от меня, за все расплачиваюсь я. Он будил тогда мать в слезах: мама, какой ужас, я не могу больше ощущать себя собой! Она не понимала, она вообще плохо соображала со сна, над чем сама же шутила; но утром, когда все было уже не страшно и надо было в школу, такую успокоительную, она сказала: представь, что ты прилетел с другой планеты и наблюдаешь со стороны. Так решен был мучительный вопрос с душой, основа всякого детского кризиса. Был Миша Гвирцман, который так-то и так-то действовал, и был инопланетянин, которому ничего не делалось, когда Мишу Гвирцмана поколачивали или ис-

ключали из института. Вероятно, исключение было
еще не так страшно, как армия, потому что сейчас
инопланетянин включился, а тогда молчал. Теперь
он спокойно поглядывал вокруг глазами Миши
Гвирцмана и думал: как интересно, вот и я узнаю,
как у них тут служат в армии. Вообще же раздвое-
ние на инопланетянина и Мишу было так же забавно и притом неприятно, как в детстве шатающийся
зуб: расшатывалось нечто, чему надлежало быть
твердым. (Интересно, что сочинял тоже Миша,
а инопланетянин читал. Инопланетянин наверняка умел сочинять лучше, потому что был старше,
повидал больше, — но если бы он начал сочинять,
получилось бы что-то холодное, тягучее; возможно,
когда Миша возьмется за роман, инопланетянин
поможет. Миша, кстати, не знал, как выглядела
его планета. Он знал только, что планета была
холодная.)

    ...Говорить матери он не стал — что такое,
справится сам. Являться надлежало завтра, хорошо, что ждать недолго. Можно было придумать,
конечно, отъезд или болезнь — мало ли, уехал
в Ленинград, там подруга, встретились в Крыму
прошлым летом; только отсрочки ничего не решали. Он взял паспорт, приписное свидетельство
и пошел. Почему-то хотелось за ужином попрощаться с родителями, но не призовут же его сразу, да и нет сейчас призыва, до него два месяца.
Впрочем, сейчас все могло быть. В том-то и беда,
что давно уже могло быть все, и никто бы особенно не удивился. Вот Баландин выжил, а свободно

мог не выжить; но и прежним не остался — чего-то испугался. Вероятно, ему в бессознании сказали — он сам так рассказывал, что под наркозом был в бессознании и что-то видел, — дескать, будет ему после смерти нехорошо, а как же ты думал, ты будешь все одобрять, а тебе будет хорошо? Не так, мой милый. И он задумывался, иногда застывал на кухне, подняв руку или просто глядя в пустоту, и с него, казалось, спадают штаны (он похудел очень). Могло быть все: забрать, не забрать... Художественной логики во всем этом сюжете давно не было, как не было и у них с Валей, и потому с Валей могло быть счастье, а могло больше ничего никогда не быть. Он об этом подумал уже на ночь, когда ему вдруг с особенной силой захотелось. Но мысль об армии погасила вспышку; а могла бы и обострить, тоже никакой логики. Бывают времена, когда нет логики, и без войны ее уже не выстроишь.

Военкомат помещался в военно-зеленом зданьице, почти уютном на вид, и чувствовать себя здесь надлежало уютно, потому что все уже случилось и дальше все пойдет без твоей воли. Миша подошел с повесткой к жабообразной бабе в плексигласовом окошечке. Почему не обычное стекло? — Ну как же, оборонные нужды. Его направили в кабинет номер два, ничего не объясняя, и у кабинета номер два уже сидела небольшая очередь, явные ФЗУшники. И — как давно уже, вне всякой логики, — Миша увидел тут того, кого менее всего желал увидеть: своего палача Никитина, того самого, с липким голосом и липкими пальцами; того, что переломил тогда ход собрания и повернул дело к исключению. Миша ему машинально кивнул и думал потом, что это было сделано правильно: еще бы не хватало в очереди к дежурному по военкомату выяснять старые отношения. Все равно как в камере перед расстрелом в каком-нибудь двадцатом году: вы недопонимали! — а вы недооценили... Никитин ему, казалось, обрадовался, робко улыбнулся. Миша воздержался от общения и раскрыл Франса. Франс для таких мест самое оно.

А военкомат был довольно скучное место. На стене висели таблицы новых знаков различия — Миша знал их, конечно, хотя изучал исключительно для тренировки памяти, но чувствовал, что пригодится. Подробно описывалось, как пришивать петлицы («подгибом»; почему подгибом? Почему столько было ужасных слов — подшив, подгиб, опрятность?). Изображался в полный рост бригадный комиссар со всеми знаками различия и отличия. Судя по знакам, он был еще бравый бегун и непременно стрелок. Еще он бороду не брил, а был уже стрелок, и самый дюжий бородач тягаться с ним не мог. Миша стрелял хорошо, но то в тире, а как оно будет из настоящей винтовки? Совсем другой вес, другие обстоятельства. Забавно, если б на воинских стрельбах тоже, как в парке Горького, выдавали поощрения в виде бутылки лимонада. Еще забавней было бы оформлять повестку в виде праздничной открытки: зайка, встав на задние лапки, вручает призывнику трехлинейку,

лисонька — пилотку, кисонька — гранату... Ничего
не умеют, все у них скучно. Еще было бы весело затеять народную игру в перетягивание призывника:
родня тянет к себе, военкомат — к себе; кто перетя-
нет, с тем он и останется.

Скучное, унылое место был военкомат, и не
менее скучное — армия, и, хотя войной пахло последние три года, война не делала армию веселей.
Это плохо, подумал Миша, воевать надо весело,
как при осаде Ла-Рошели. Его слегка подташнива-
ло. Особенно противной была мысль, что сейчас
их, как два года назад во время приписки, погонят
на медицинскую комиссию, притом голыми, а раздеваться при Никитине ему отчего-то особенно не
хотелось. Миша был невелик ростом, но гармонично, почти идеально сложен, и стыдиться ему было
нечего, а Никитин, сутулый и вялый, был, должно
быть, мерзок без одежды — но раздеваться перед
ним было все равно что перед палачом: слишком
интимная и оттого отвратительная связь.

К счастью, Никитин вошел первым и вышел
почти сразу: он передал в военкомат некую справку, по которой, вероятно, числился белобилетни-
ком, — и обновлять эту справку требовалось еже-
годно. Миша видел, как Никитин бережно внес эту
бесценную справку на зеленом бланке, а вышел без
нее, с выражением гордо-отрешенным: вот, я явился, но мне отказано в исполнении гражданского
долга, ибо я неизлечим. Он ушел, а Мише и прочим
приказано было войти. Лейтенант, которому идеально подошла бы фамилия Фердыщенко или даже

Пердыщенко, являя собою твердыщенко обороны, заговорил сначала именно с Мишей. Глаза у лейтенанта были белесые, волосы — бледно-рыжие, все остальное — красное, не считая формы: красные щеки, красные руки, очень красные губы.

— Гвирцман, так? — спросил он. — Что не явились сразу?

— Я по повестке явился, — ответил Миша растерянно.

— Я вас не спрашиваю, что по повестке. Вы по повестке обязаны явиться, иначе уклонение. Я спрашиваю, что вы сразу не явились, как были отчислены.

— Я встал на учет, — пролепетал Миша, хотя ему и хотелось бы говорить твердо.

— Я не спрашиваю вас про учет. — Лейтенанту сразу надо было дать понять Мише, что он виноват и это непоправимо. — Если б вы не встали на учет, то это преступление. А я спрашиваю, почему вы сразу не явились по отчислении.

— Я не знал, что это нужно.

— Что вы подлежите призыву, вы тоже не знали?

— Я знал, но призыв весной...

— Призыв сейчас, такое положение, что во всякое время, — сказал лейтенант неопределенно. — Вас отчислили, вы должны явиться. Нам вас приходится отдельно вызывать, что такое. Вы пройдете комиссию сейчас, послезавтра вам явиться с вещами, помытым, иметь кружку, котелок. И вы на призыв.

Миша похолодел: подтверждалось худшее; но взял себя в руки, ибо был теперь падший ангел и жизнь ему была не дорога. И хорошо, что так сразу. Чувствуется серьезная организация.

— Я восстановлюсь в институте, — сказал он вдруг тонким голосом; мерзость, какая мерзость!

— Да конечно, восстановитесь! — сказал лейтенант с горячим дружелюбием. Он был ненамного старше Миши, а может, и вовсе ровесник. Теперь Миша был уже усвоен и почти переварен, и с ним можно было держаться подружелюбнее. — Отслужите и восстановитесь. Уже другой человек будете. На медкомиссию кругом арш.

Миша вместе с другими голыми людьми, эти были помладше, прямо вчерашние школьники, прошел комиссию. У него был, конечно, шум в сердце, о чем он сразу заявил, и последствия многих детских ангин, и терапевт кивал вполне сочувственно. Но согласно новых обстоятельств и вы сами понимаете...

Миша подлежал призыву немедленно, в рамках директивы, номер которой ему зачем-то назвали, но он не запомнил. Это все из-за нее, из-за Вали, думал почему-то Миша. Если бы она не пробила так ужасно мое защитное поле, меня бы, может быть, и теперь не заметили. Но между нами случилась вспышка, северное сияние, магнитное возмущение, и я обнаружил себя. А так меня никто не видел, и не призывали, и работал бы я медбратом еще сколько угодно, до лета, до осени, до окончания института...

Он получил справку с резолюцией «Годен» и после двух часов скитаний по кабинетам в голом виде снова предстал перед лейтенантом.

— Одевайтесь и всё, — сказал лейтенант. — И увольняйтесь, а завтра являйтесь. Ну, попрощайтесь там, это все такое. Но много не перепивайте, я вам советую. Потом голова болит и все такое. Кругом арш.

Он был ужасно доволен. Какая-то бодрость исходила от него, свиноватое довольство.

Миша вышел из военкомата — пошел мягкий снег, он порхал вокруг совершенно по-школьному, и так мило было все, в самом деле, совсем как в детстве, когда всё решали за тебя; как любой человек, получивший по голове обухом, Миша испытывал легкое удовлетворение, спокойствие, временное примирение с участью. И такой милый среди этого милого снега сидел на лавке у военкомата Никитин, сунув руки в карманы. Он Мишу зачем-то поджидал.

— Гвирцман, — сказал он и встал, намереваясь, видимо, сказать речь, но тут же осекся. — Я вас жду, — произнес он вдруг, хотя это было как раз самоочевидно и не нуждалось в артикулировании. И странно, что они были на «вы». Они вообще сроду не переговаривались, но теперь были на «вы», прямо этикет.

— Вижу, — сказал Миша сурово.

— Гвирцман, вы меня ненавидите, наверное, но это ошибка, — бледным голосом сказал Никитин.

— Я не очень помню про вас, если честно, — соврал Миша.

— Это напрасно, меня вам лучше бы запомнить. Пройдемтесь.

— Почему я должен куда-то прохаживаться? — Миша никак не мог найти верный тон, потому что слишком на Никитина злиться значило бы действительно его помнить, а Миша рассчитывал изображать безграничное безразличие.

— Вы ничего не должны, но лучше нам пройтись, — сказал Никитин почти весело. — Пойдемте чаю выпьем, я замерз.

И они, как лучшие друзья, направились в сторону бубличной. Весь этот абсурд, от повестки в разгар зимы до внезапного явления Никитина, который, видимо, просто жил тут неподалеку и был приписан к тому же военкомату, длился и ширился, и ничего уже не было удивительного в том, что Миша шел рядом со своим недругом пить чай с бубликами.

— Я угощаю, — поспешно сказал Никитин для довершения чуда.

Миша пожал плечами.

— Гвирцман, я, собственно, давно должен был с вами встретиться, — заговорил Никитин после паузы, во время которой оба прихлебывали горячий, но слабоватый чай с пресноватыми бубликами. Вообще все в бубличной было вяло, как Никитин, и столы так же липки. — Я должен был вам объяснить, но надеялся, что вы поймете.

— Я ни в каких ваших объяснениях не нуждаюсь, — сказал Миша. — Красивее ваши действия не станут, не трудитесь.

— Это как сказать, но я же не ради красоты. — Никитин улыбнулся с непонятным самодовольством. — Меня интересует не моя красота, а ваша.

И он засмеялся каким-то безумным смехом.

— Я подумал, что было бы неправильно вам, человеку способному, оставаться в этом институте. Даже одаренному, — добавил Никитин, отхлебнув чаю. — И цыпленочку, — непонятно добавил он, отхлебнув еще.

— А вам — правильно? — спросил Миша, не подумавши.

— Мне что, я человек конченый, как говорил тут один. Мне надо где-нибудь находиться, я и нахожусь где попало. Но вы еще можете быть человеком, и я решил, что нечего вам торчать в этом паллиативе.

— С чего вы взяли, что у вас есть право что-то за меня решать? — очень спокойно, не повышая голоса, спросил Миша. Он думал при этом, что очень бы хорошо плеснуть липкой гадине кипятком в рожу.

— Ни с чего не взял, но человек должен иногда принимать решение. Сам я таких ситуаций создавать не могу, я человек больной, и у меня мало возможностей. Но если она сама создается, как вот вам устроила Крапивина, — неужели я должен был вам дать выйти сухим и дальше жить этой как бы жизнью? Я художник жизни, Гвирцман, это сле-

дующая стадия за литературщиной. Литературой
сейчас все равно нельзя заниматься — так вот,
я занимаюсь жизнью. Это единственный жанр, который тут у нас не возбраняется. Если хотите донести — донесите. Я могу громко все это сказать, мне
ничего не будет. Знаете, что вы сейчас скажете?
Что вы не доносчик, в отличие от меня. Ну и очень
напрасно. Прекрасный, новый жанр, слабо разрабо-
танный пока в русской литературе. Чехов говорил:
пишу все, кроме стихов и доносов. А между тем
жанр налицо, и у него есть будущее. Когда нормальных жанров не станет, расцветут маргинальные. Если бы вы написали на меня донос, это могла бы быть литература. А не стишки.

— Я вам, Никитин, и даже тебе, Никитин,
благодарен за совет, — сказал Миша, решительно
заменяя пустое «вы» сердечным «ты», потому что
хватит уже разыгрывать весь этот дуэльный балет; и странно: этим тыканьем он сразу снял налет
пафоса с идиотской, в общем, сцены. — Но я сам
как-нибудь... определюсь с жанрами. А тебе от
меня, сам понимаешь, глубокая благодарность,
но не потому, что ты мне якобы выдумал судьбу.
А потому, что я хорошо увидел, чего стоишь ты
и все ваше эстетство.

— Вот вы и увидели, и прекрасно, — широко
и плоско улыбаясь, сказал Никитин. — И вы много еще чего увидите. И все это благодаря тому,
что я вас вовремя высадил из состава, идущего
в тупик. Другой ваш состав идет, может быть, в
довольно сумрачные места, но это все-таки не ту-

пик. И согласитесь, что человеком вы стали с того
момента, как уволились из этой резервации. Там
самое место для меня и для таких, как я, какие
нигде больше не нужны, но мы больные люди,
и нам там самое прибежище. А вы человек с будущим, и вам совершенно незачем эти игры в лицей.
Я от вас многого ожидаю.

Он приступил ко второму бублику и понес со-
вершеннейшую чушь, в которой Миша, даже если
б и захотел, ничего не мог понять: ему было не
до того, он был уже, в сущности, в армии, он стоял с Никитиным в низкопотолочной бубличной,
а между тем являлся послезавтра помытым, имея
при себе котелок, и ему не хотелось все это слушать. Никитин говорил про то, что народились
новые люди, что Миша — один из них и что ему не
следует прятаться от жизни, а надо прямо глубоко
в нее погружаться, прямо въедаться... Он говорил
про то, что искусство кончилось, что заниматься
им больше не надо, а надо писать вещи, которые
как сны, — но чтобы увидеть сон, согласитесь,
Гвирцман, днем надо жить; и вот Миша должен
жить, а он, Никитин, отсиживаться, потому что
старый мир окончился в четырнадцатом году...
Почему в четырнадцатом?! Почему не в семнадца-
том? Но Никитин все нес этот свой западный бред,
даром тут никому не нужный, нес только потому,
что надо же ему как-то оправдывать свою мерзость;
и вот он придумал себе миф, что не просто спасал
свою личную липкую жизнь, а творил чужую. Все
это было гадко, и Мише было не до того.

— Хорошо, Никитин, — сказал он, прервав его, когда тот в очередной раз откусил от бублика. — Сказал и душу облегчил. Мне тут завтра, — он нарочно приблизил, чтоб драматичнее, — в армию, и мне не до этих самоутешений. Будешь в институте — передавай привет.

— Но согласитесь, Гвирцман, — не смутился Никитин, — что добровольцем год назад было бы гораздо, гораздо лучше...

— И тебе было бы лучше не родиться, чем жить таким болезненным, — не удержался Миша. Он вообще теперь не умел сдерживаться, когда видел человека хуже себя: раз со мной так, почему же я должен иначе?

— Конечно, конечно, — заторопился Никитин, — мы с вами на брудершафт не пили, но разумеется! Просто исправлять это, понимаете, такой дурной тон...

Но Миша его не слушал, он вышел.

Домой не хотелось. А хотелось — вот странное дело — к Вале Крапивиной. Теперь ему предстояло как минимум два года, если не убьют в мирное время, а это случается запросто, обходиться без женской ласки. А женской ласки ему вдруг захотелось, и не такой снисходительной, какую могла бы ему подарить Лия, — а вот именно такой, подневольной, когда хочешь и нельзя, той, какую подарила бы Валя. И он подумал, что домой сейчас невыносимо, а вот к ней выносимо; и все было уже таким абсурдом с самого утра, что он решился.

Он проехал по Ленинградке на красно-рыжем трамвае и дошел до депо, когда уже темнело. Как во сне, свободно прошел в двухэтажный домик — хотя кому там было его останавливать? — и так же спокойно поднялся на второй этаж, и в приемной сидела, разумеется, Валя, совсем ему не удивившаяся.

— Чего приперся? — спросила она грубо.

— Завтра в армию забирают, попрощаться зашел, — так же грубо ответил он. — Уж ты жди, пожалуйста.

— Дело хорошее, — хохотнул мужичок, ожидавший приема; их много тут сидело, но Миша, как во сне, никого не замечал.

— Погоди, я щас, — сказала Валя и скрылась в начальственном кабинете. Через минуту легко выпорхнула оттуда — ей, видимо, многое теперь позволялось.

— Ну идем, — и она, стремительно накинув все ту же облезлую черную шубу, поманила его к лестнице.

— Куда это?

— Иди, не спрашивай, — сказала она и потащила вниз, в бездну.

* * *

18

Общежитие Метростроя, куда Валя стремительно вела его за руку, словно на буксире, стояло неподалеку все от того же «Сокола» и пленяло
чистотой. Тут, кажется, еще пахло стройкой — его
совсем недавно закончили и толком не обжили.
Строители дивных подземных дворцов жили в цар-
ских условиях, по четверо. Женский корпус — жел-
то-розовый, кирпичный, четырехэтажный, — был
увенчан даже чем-то вроде мансарды, но кто там
жил, куда вело круглое чердачное окошко? Миша
всегда мечтал жить за таким окошком.

Валя явно пользовалась тут особыми правами.
Она кивнула вахтерше — и их с Мишей пропустили
без звука; о черт. Как же далеко зашло у нее с этим
начальничком, почему он все еще не переселит ее
к себе? В действительности у них с начальничком
ничего не сдвинулось; Валя уже и была бы готова,
Миша сильно ее раззадорил, но Ганцев, памятуя
о былой полуудаче, больше не рисковал. Бытовало
в их компании пользователей квартиры близ ули-

цы Радио такое словцо — «антитело»; и Валя, похоже, при всей своей лакомой стати была для Ганцева то самое антитело, чувствовался барьер. Так что в ресторан он с ней один раз съездил, дабы не нарушать отношений, а в ту квартиру больше ни-ни. Но слухом земля полнится, и отношение к Вале сразу установилось особое; да еще она поколотила одну девушку, которая назвала ее сучкой, а этого Валя отнюдь не любила. Она ей врезала по-нашему, по-тамбовски. Кто умеет за себя постоять, к тому и вахтеры с пониманием. Да и время было детское, и тетя Нюра только сказала: смотри, Крапивина, в девять чтобы духу его не было. Да и в восемь не будет, усмехнулась Крапивина и потащила его по бетонной лестнице на третий этаж.

Здание было похоже на школьное, повеяло чем-то новогодним, спортзальным, вот-вот танцы; уже было совсем темно, из фонаря за окном сыпался снег, как из душа.

Но в Валиной комнате их ожидало разочарование — там были две девушки, им было сегодня в ночную смену; одна спала, другая завивалась. При появлении Миши та, что завивалась, взвизгнула и прикрылась, — однако Мише успела понравиться, и визжала она, кажется, для проформы, — а спящая проснулась, подскочила и сделала круглые глаза.

— Ты что, Крапивина, кого водишь, Крапивина! — все взвизгивала завивальщица.

— Вот земляк приехал, в школе учились.

— Так стучать надо!

— Вот еще, к себе в комнату стучать. Повидал он всякого, не пугай.

Заводить ссору с Валей было, видимо, себе дороже. Хорошо она их отстроила, а в институте — кто бы мог подумать. Но в институте поощрялись другие свойства характера, а подлаживаться она умела безупречно.

Валя вышла из комнаты, Миша за ней — за этот день столько всего случилось, что новая ситуация его только забавляла; между тем ничего забавного не было, до призыва оставалось все меньше времени, и тратил он его не слишком продуктивно.

Валя постояла с полминуты, соображая.

— Ну пошли.

Они поднялись еще выше — неужели туда, за чердачное оконце? — но оконце, как все таинственные оконца, вело в никуда, только обещало, а за ним ничего не было. Однако выше четвертого этажа была дверь с решеткой, а решетка была на замке, но замок таинственным образом открылся. Ключа у Вали не было, она исхитрилась открыть его то ли шпилькой, то ли отмычкой — Миша в темноте не разглядел. Что они там прячут — мужчин на время обхода? Водку?

— Давай наверх.

Наверху была еще одна дверь, уже без замка, обитая жестью и запертая накрепко; ее Валя открывать не стала, да и не могла. И здесь, на темной лестнице, между решеткой и дверью, в почти полной сказочной темноте, в запахе штукатурки, она

опустилась перед Мишей на колени, расстегнула
его брюки и начала делать то, что было слишком
даже для сегодняшнего дня.

— Валя, — урезонивал он ее, — ну не надо,
Валя, так не надо...

Она путалась в штанинах, он путался в словах,
как-то все выходило совершенно не так, как должно быть при прощании, возможно, навеки.

— Ну Валя!

— Тебе что, стыдно? — В темноте странен и даже зловещ был ее тихий блядский смех. — Тебе
стыдно так?

— Я не за этим... ну как тебе сказать? Я ухожу,
мы, может, не увидимся больше...

— Так я и стараюсь для тебя поэтому, дурак. —
Валя села на ступеньку и привалилась к стене.
Миша стал застегиваться. — Ну что ты дурак такой,
что ты такой телок! Хорошо, ты вот весь
такой уходишь. А чего бы ты хотел, что мы долж-
ны сделать? Мы песню, может, должны спеть?
Давай хором споем, да, Миш? Дан приказ ему на
Запад, ей — в другую сторону!

— Да тише ты.

— А чего тише, тут слушать некому. Ты идиот,
Гвирцман, кретин ты.

— Кретин, — согласился он беззлобно. — Но
я так не хочу.

— А как ты хочешь? С песнями, да, с песнями?

Но тут он и сам уже засмеялся, поднял Валю
на ноги и стал целовать в щеки и глаза — в губы
как-то не решался, брезговал, что ли, после этого.

И сразу, как только она стала покорно, обмякнув
в его руках, все позволять, а потом и сама его быстро поцеловала, и он почувствовал, что вот она
уже и плачет, — тут же он ощутил силу и готовность и даже сунул ее руку в собственные штаны.

— Ну а как тут? — зашептала она. — Как тут
можно? Как ты хочешь?

— А не знаю, — отвечал он беспечно, — мы
как-нибудь...

И как-то действительно приладился — повернул ее спиной к себе, она ухватилась руками за
решетку, юбку задрала, трусы спустила, быстро пе-
реступая ногами, — даже как-то стоптала их вместе
с рейтузами, — и он неожиданно легко, словно даже
привычно, вошел. Странным образом в голове у него
опять вертелись повторяемые машинально чужие
слова, и он подивился, насколько они подходят к
ситуации: ведь описан в самом деле любовный акт!
Вся последовательность: сначала к устам приник,
потом грудь, — но главное: водвинул! Он в этом
ямбическом ритме и повторял: и угль, пылающий
огнем... ха-ха! Водвинул. И это было так отлично,
так в этот раз чудесно, что он, казалось, мог длить
и длить, пока она не сказала совершенно спокойным
голосом: «Кончай скорей, больно, сколько можно».

Это его несколько обидело, но мысль о том,
что ей больно, странным образом оказалась приятна, причем с чего бы ей больно? — наверняка
притворство, а просто она не получает настоящего
удовольствия, не испортив удовольствия ему. Так
он и подумал, и с особенной силой несколько раз

ударил, чтобы ей было побольней, и услышал стон,
явно говоривший не о боли, но об удивлении и удо-
вольствии; по крайней мере он так понял, хотя ей
и в самом деле было больно, потому, вероятно, что
близились красные дни календаря, ждала со дня
на день, но нельзя было отказать мальчику, который из-за нее уходил в армию. Ужасно благородно
она себя вела, теперь уж окончательно все искупи-
ла. Так она думала, но мысли эти не возбуждали,
от них не удавалось даже чуть-чуть обрадоваться.
И все как-то у них выходило по углам, то на сса-
ном белье, то на грязной лестнице. Сюда курить бе-
гали. Пока он, радуясь своей мужской победитель-
ности, колотился об нее сзади, решетка противно
брякала, но он, конечно, не слышал, все они глуха-
ри. Ей показалось, что он не успел выскочить сразу, как-то нехорошо дернулся в ней, и хотя время
было вроде незалетное, а все-таки рисковать было
нельзя. И когда он вырвался наконец, она еще некоторое время стояла к нему спиной — тошно ей
было, даже в темноте, к нему поворачиваться.

— Ну все, — сказала она ему, — все теперь. Иди
теперь, в армию иди.

— Да погоди ты так сразу, — сказал он. — Это
еще только завтра.

Он помнил свою ложь, не попался.

— Иди давай, — повторила она, — иди быстро.

— Что, и не поцелуешь? — спросил он уже без
давешнего самодовольства, робко и даже просительно,
пожалуй. Это уже было лучше.

— Ну, на тебе, — Валя чмокнула его в подбородок.

— Какой ты неотвязчивый, на, вот он, — процитировал Миша.

— Давай, давай. Письмо мне напишешь.

— Адрес-то скажи.

— На депо напиши. Я отсюда, может, съеду,
с дурами этими жить-то...

Он представил, к кому она съедет, и почувствовал внезапно прежнюю злобу, но теперь сдержался.
Все-таки она его проводила, хоть и вот так; все-таки ему кинули предсмертный подарок.

— Ну съезжай, — сказал Миша. — Бывай.

Он прошел мимо нее, спустился и подумал:
действительно успели до восьми.

Родителям надо было все сообщить в упро-
щенном, щадящем виде: щ-щ-щ... Параны, сказал
он бодро за ужином, меня, возможно, призовут
в армию, я был в военкомате, объявлен дополни-
тельный набор. Но это еще не точно. Мать застыла,
отец принялся ходить — сильное волнение всегда
у него так выражалось. Но это не точно, повторил
Миша. Послушай, сказал отец, но у тебя негодность
в мирное время. Что же, бодро сказал Миша, видимо, оно уже не мирное. Отец захрустел пальцами.
Так, сказал он, я это выясню.

— Ради бога, ничего не выясняй, — попросил
Миша. — Сделаешь хуже.

— Но это поперек всякого закона...

— Им видней. Я же тебе говорю, ничего еще не понятно.

— Когда будет понятно, действовать поздно.

— Как ты хочешь действовать, папа? Идти к военкому? Они тогда еще и тебя призовут.

— Это мы посмотрим.

— Я тебя очень прошу, если ты не хочешь создать мне действительно невыносимую ситуацию, не гони волну.

Отец промолчал, но явно не смирился. Надо бы его нейтрализовать, подумал Миша, но с другой стороны — вряд ли он наломает дров за один день.

Следующий день прошел в хлопотах: нужно было уволиться, подписать обходной, не зря называемый бегунком, попрощаться с персоналом и с избранными больными. Миша, впрочем, подивился, как мало его души осталось на этой работе, как он ни к кому не привязался: действительно, кажется, черта новых поколений — эмоциональная скудость. Предписано бояться, а он не боится — видимо, слишком оглушен; предписано грустить, прощаясь, — а он забавляется. Надо было, наверное, сходить в конуру Колычева — вряд ли они еще увидятся. Колычев наверняка помрет, пока Миша будет служить; а может, наоборот, — такие вечно умирающие особенно живучи; но тогда помрет Миша, как-то им трудно будет в наступающих временах уцелеть одновременно. Вывезет либо одна, либо другая стратегия: либо прыгать в поток — в который его, вместе со всеми, сейчас тащило, — либо отсидеться в конуре, на полях, в маргиналиях, и далеко не факт, что с белым билетом будет проще. И прощаться, ввиду этой несовместимости, Мише показалось чересчур пафосным, неприлично литературным делом. Вот в студию он сходил бы, но был не вторник, а четверг. Страшно подумать, только позавчера там читал Борис и бормотал Павел. Словно за время их с Валей лестничного соития прошла неделя, а то и месяц: сильно растягивалось время в эти секунды, почему бы? Или просто это каждый раз было слишком серьезным барьером, и все, что до него, отсекалось? Ах, в каком странном мире он оказывался, когда был с ней; жалко, что он мало успел понять, рассмотреть, и в ней опять ничего не рассмотрел, а было бы что вспомнить. Но почему-то он знал, что последнее напутствие надо получать не от Вали, а от Лии. Или даже так: Валя должна дать толчок, как перед прыжком с парашютной вышки. Туда весь их класс водили года три назад, не все смогли, но он смог — включалось что-то такое в минуты роковые. А улыбнуться вслед должна не Валя, улыбка у Вали нехорошая, такой улыбкой хорошо улыбаться, когда тебя берут: оскал, чтоб ты не загордился. Валя выталкивать должна, а провожать Лия. Как я прекрасно устроился, подумал Миша — и позвонил.

— Лия, я ухожу завтра в армию, — сказал он, презирая себя отчасти за то, что придает столько значения этому внешнему, в общем, обстоятельству.

Она тихо ахнула. И это лучшее, что она могла сделать. Расспрашивать — только растравливать, а сочувствовать... Миша вдруг понял, что это совсем не принято в их кругу. Когда у Сергея умер отец, никто не соболезновал, и сам он гусарил, бодрился. Павел был взрослей и потому высылку семьи — что-то там было такое, Миша не вдавался — воспринял совсем ровно, даже без гусарства; и когда все выяснилось и полгода спустя выправилось, то есть разрешили переехать в город получше, — тоже не радовался. Неприлично было страдать, неприлично жалеть, иначе чего все они стоили?

— Ты можешь прийти?

— Да, — сказал Миша.

— Или тебе надо с родителями побыть? Я пойму.

— Нет, зачем? Сейчас, в общем, уже все равно.

Он не видел ее лица, но представлял его с ужасной точностью — а вот лица Вали Крапивиной никогда представить не мог, всегда его забывал и удивлялся заново. Он видел, как Лия сейчас кивает, как заправляет прядь за ухо.

— Я тебя хочу проводить. Приходи на каток.

И он подумал, как это прекрасно — что Валя провожала его на лестнице, а Лия проводит на катке. Прямо как ангел и демон.

Наверное, имело бы смысл провести время с родителями. Но о чем говорить, что делать? Что могут они посоветовать? Наверняка ведь будут просить, чтобы он не простужался. Миша совершенно сейчас не думал о том, что ему предстоит делать в армии. Наибольшие трудности, слышал он, были связаны с наматыванием портянок. В последний

вечер перед призывом учиться наматывать портянки — это да, это то самое. Котелок он купил еще по
дороге домой и припрятал пока в коридоре, чтобы
не попался на глаза родителям. Котелок — в этом
была окончательность, приговор. Как в той зеленой
повестке, что Мише выдали.

В зиме уже чувствовалось истончение, изды-
хание. Да и во всем оно было. Как в той книге,
которая то ли снилась ему, то ли кто-то расказы-
вал во время институтского перекура — где герой
уезжает из города, и город за ним схлопывается,
и квартира зарастает — не камнем, а чем-то вроде
камня, серой каменной ватой, вроде той, которой
они затыкали окна в ноябре. И все было завалено
той серой ватой, и даже воздух казался насыщен-
ным влагой до ватной, слежалой плотности. Все
теснило Мишу отсюда, а по большому счету теснило и раньше, и исключение только добавило отчет-
ливости этому вытеснению. Зима заканчивалась,
а вместе с ней и его московская жизнь, и начиналось то, о чем он особенно и не задумывался, потому что изменить все равно ничего не мог.

И на катке было как-то пустынно, хотя, казалось бы, канун выходных, — так выглядели самые
безнадежные в палатах его больницы, когда ясно,
что сделать уже ничего нельзя, и их торжественно
оставляли в покое. Он понимал, что надежда в таких случаях только унижает — надежда вообще
унизительна. Ему давали попрощаться, на это время убрали всех, только одинокая старушка, с виду
совершенная девушка, в синей шерстяной курточ-

ке неместного пошива каталась по кругу довольно
резво, желая убежать от старости. Лучше всех убегал от старости он — у него теперь, похоже, вовсе
ее не будет.

Лия пришла через десять минут после него
и была молчалива.

— Я совсем не знаю, что тебе сказать.

— И не говори ничего. Просто так покатаемся.

И, стоило ей появиться — каток начал запол-
няться людьми, словно это они их приманили; но
это не мешало, а, наоборот, придавало всему особую торжественность, ведь вдове не мешают при-
шедшие проститься — они только подчеркивают ее
особость. Взявшись за руки, они проехали несколько кругов, и она вдруг сказала:

— Когда я уеду, будешь провожать?

— А куда ты собралась?

— Никуда, в том-то и дело. Но я вижу очень
четко, что я уезжаю, а тебя нет. Непорядок.

— Я отпрошусь из армии.

— Насчет армии, наверное, все действительно
очень плохо, — сказала она. — Иначе не брали бы.

— Да, странно как-то. В газетах ни слова о призыве. Секретность.

— Я в этом ничего не понимаю, но как-то дико,
да. Напиши мне сразу же.

— Потом издадим. Новая Элоиза.

— Мишка, мне теперь ужасно стыдно, — сказала она вдруг. — Мы так мало видимся, а это все
я виновата. Наверное, я все придумала, и придумала ерунду. Ты думал, что я взрослая, а я не

взрослая. Но если бы ты меня ломал и настаивал, было бы хуже. Я тебе клянусь, что дождусь.

— Нет, Шуйский, не клянись, — сказал Миша.

— Ну, уж это мое дело, да?

Горели фонари, отчего-то не белые, как обычно, а желтые — от влаги, может быть, от сырости, — и играл необычный вальс, очень русский и в то же время явно новый; вальс этот был про то, что так уж тут все устроено. Миша не взялся бы объяснить, но чувствовал в словах и музыке стыдливость, как бы палач покраснел и раскланялся. Да, вот у нас так, зато у нас прекрасные реки, горы, глухая тайга.

— Хорошо бы служить где-нибудь далеко. На восточной границе, — сказал он.

—Нет, не надо. Письма долго идут, и я не смогу к тебе приехать. Мишка, я хочу, чтобы ты знал: я очень буду тебя ждать.

Если бы она сказала, что любит, в этом тоже была бы ужасная фальшь. Но она все говорила правильно.

Поцелуй, за этим последовавший, скорее огорчил Мишу, чем окрылил: зачем люди, собственно, целуются? Это способ разузнать побольше, и то, что он разузнал, его не обрадовало. Лия стала целоваться чуть по-другому. Не знаю, как там в любви, а в поцелуях у Миши был большой опыт с девятого класса, и он даже думал иногда в десятом, что лучше бы и не переходить к дальнейшему — так упоительно было целоваться, и так мало для этого требовалось. И он почувствовал, что раньше Лия

хотела зайти с ним дальше, а сейчас не хочет; что
чуть изменился сам ее запах, хотя духи были те же
самые; у нее, наверное, кто-то был, и даже наверняка был, а Миша ей был теперь нужен как отло-
женный, запасной вариант. Прекрасно иметь такой
вариант, особенно хорошо писать о нем стихи. И он
подумал с тоской, что до Лии все-таки не дотянул,
не дотянулся, и она выбрала другого — конечно,
человека попроще, но и понадежней. А его потолок — Валя Крапивина, и она дала ему это понять.
Что-то такое, видимо, мелькнуло у него в глазах,
потому что Лия вдруг схватила его руку и сжала
сильно, больно.

— Мишка!

— Что?

— Ничего. Глупости. Подумала. Но я тебе потом скажу.

— Года через два, — сказал Миша.

— Нет, гораздо раньше. Я знаю. Иди.

И он пошел, думая о том, что, в сущности,
и сам вел себя с Лией не слишком красиво. Тоже
отложенная, а точней, идеальная возлюбленная:
с одной — совокупляться, и то при условии призыва, а с другой — кататься, вот так мечтательно, как старшеклассники в плохих стихах. А кого
он любит? Он никого не любит, себя тоже. Ничего,
в армии его научат быть проще, вышибут эту лиш-
нюю сложность, и будет он любить суп, только суп.
Непременно гороховый. Зато страстно. И он усмехнулся, хотя было ему совершенно не до смеха:
очень второсортна, если посмотреть трезво, была

его жизнь. Второсортная любовь, второсортный сюжет, и уходит он не героически, как Тузеев, не на войну, а в мирное время, даже вне призыва, как-то совсем мимо рубрик. Надо будет писать очень хорошие стихи, чтобы оправдать такую жизнь.

Он шел медленно, но почему-то задыхался, и, когда вошел во двор, увидел соседа, доброго Леню. Леня стоял во дворе непонятно почему: прогуливать дочку поздно, а друзей, которые иногда к нему заглядывали и выходили курить, — некурящий Леня топтался с ними за компанию, — в этот раз рядом не было. Он словно вышел Мише навстречу, как тихий ангел-хранитель, чтобы сказать утешительное слово. Должен же и у плохого человека, вроде Миши, быть ангел-хранитель. Миша все время чувствовал — сквозь все мысли, всю тоску и всю любовь — нарастающую нервную тошноту. Ему все-таки очень не хотелось в армию. Да и почему, собственно, он уж такой плохой человек? С кем сравнивать? Ему очень нужно было, чтобы сейчас кто-то посочувствовал, именно пожалел — так, как не принято было в их, смешно сказать, кругу.

— Чего смурной, Миш? — спросил Леня.

Он был слегка навеселе, как и надлежит ангелу.

— В армию завтра, Леня.

— Ладно, Миш, образуется, — сказал Леня и улыбнулся.

— Да все образовалось уже. Завтра с котелком.

Миша вдруг представил на призыве себя с тросточкой и в котелке и против воли усмехнулся. Леня приписал это своему утешению.

— Ну вот видишь, — сказал он. — Нормально все. Образуется, Миш.

И почему-то Миша поверил, что образуется, и матери сказал то же самое. Ночью он не спал до трех, а в семь вскочил бодрый, с ясной головой. Начинался новый этап жизни, никаких рефлексий. Отец держался строго, мать хлюпала носом, но, в общем, крепилась — молодцы параны. И погода неожиданно разгулялась, по рассвету было видно, что день предполагается ясный. Баландин сидел в кухне, держась за голову. Он просыпался теперь очень рано и много думал, пытаясь, видимо, вызвать видения, которых насмотрелся под наркозом.

Мать собрала Мише в рюкзак всю наличую теплую одежду, включая отцовские ватные штаны для рыбалки, — и сколько Миша ни утверждал, что все отберут, только молча совала ему рюкзак, и чтобы ей не стоять с этой тяжестью, он вынужден был его взять. Впрочем, с рюкзаком идти легче. Он дисциплинирует.

Миша дошагал до военкомата быстро — на службу как на праздник. Он ожидал увидеть толпу таких же, как он, но у кабинета знакомого лейтенанта сидело всего человек пять совершенных сосунков, школьников, явившихся на приписку. Миша постучался и вошел без очереди. Лейтенант поднял на него блеклые глаза.

— Чего приперся, Гвирцман? — спросил он.

— На призыв, вы же вызвали.

Это, вероятно, была такая инициация — показать, что ему совсем тут не рады, чтобы не воображал, будто Родина очень уж сильно в нем нуждается.

— Кругом арш, — сказал лейтенант. — Отменяется.

— То есть? — не понял Миша.

— То есть отменяется твой призыв, можешь быть свободен до особого вызова.

— Когда? — спросил Миша, не веря своему счастью и желая немедленно добиться определенности. Он уже знал, что в делах с государством надо доскребать до дна, до полной ясности, ибо любые туманности обернутся против него.

— Когда надо будет. Сейчас свободен. Явишься по вызову сразу. Кругом.

И Миша, так ничего и не понимая, с идиотским своим рюкзаком вышел на крыльцо.

И сразу разревелся без всякого повода. То есть слезы просто хлынули из него потоком. Этому не было никакого объяснения, разве что одно, самое стыдное — его внезапно помиловали, и груз, которого он сам не сознавал, рухнул с его плеч. Если бы не рюкзак, за который он был теперь матери до слез благодарен, — он бы улетел, ей-богу. Взлетел бы в небо, почти уже весеннее. И ему было стыдно, и он не понимал: неужели так боялся, неужели отмененный призыв во вполне мирную армию довел его до детских, девчоночьих, стыдных слез? Но ничего слаще этих слез он не мог вспомнить за всю свою жизнь, потому что к нему вернулось нечто уже отнятое, и он не знал, как это нечто назвать: свобода? Это надо было отметить, этим надо было немедленно поделиться, и он тут же пошел, почти побежал к Колычеву, но вспомнил, что надо дать знать родителям о дарованном чуде, — Миша так и не узнал никогда, что это было, по чьему внезапному капризу был объявлен и тут же отменен февральский призыв, и во всех это было военкоматах или только ему так повезло.

Позвонить было неоткуда, он увидел аптеку, налетел на старую провизоршу с мольбой: разрешите позвонить! — и был жестоко отшит; только это его немного отрезвило. Он понял, что жизнь продолжается, что она идет по прежним лекалам, что не настало никакого поликратова счастья — потому что если бы эта провизорша на Кировской широко улыбнулась бы ему и сказала: пожалуйста! — это значило бы, что он безнадежно превысил лимит милостей и платить за них придется ужасно, сверх всякой меры. Он благодарно кивнул и побежал домой.

Мать смотрела на него как на привидение. Он сбросил рюкзак, вспомнил, что теперь ведь ему заново трудоустраиваться, — мать позвонила отцу, отец позвонил по цепочке, и Миша помчался в больницу, казавшуюся теперь совершенно родной. И лишь к середине дня он заметил, что в больнице все смотрят на него со смутным разочарованием. Всё почти уже было так хорошо, ему уже всё простили, как мертвому, и он был теперь герой, внезапно призванный служить, — но тут оказалось, что никуда он не призван, что вот он, прежний Миша; и даже сам он ощутил легкое недовольство, потому что у Байрона, у лорда, не бывает внезапных помилований и сладких слёз по этому поводу. Никто не может его призвать — только он сам себя, — и никто не может отпустить. В общем, после эйфории наступила разрядка, откат, который после шока неизбежен: страшно перебрав по части счастья, Миша опускался теперь на дно и вяло влёкся по нему. Но память о счастье была ещё свежа, и он боялся, что за ним теперь явятся в непредвиденный момент — на службу, домой среди ночи, в студию... И чтобы не явились, надо было искупить вину: пойти к Колычеву. Миша к нему и отправился после рабочего дня, после той нелюбимой рабочей субботы, на которую в этот раз пришлось его дежурство: отпустили, почему бы не заступить?

И, отработав этот счастливый, хоть и томительный день, он доехал до Арбата и постучался к Колычеву, но фанерная дверь была заперта, Колычев, видно, ушёл куда-то. Нельзя было допустить, что он умер. Тогда вина осталась бы неискуплена. И Миша подождал на всякий случай, но Колычева не было. Обрушив на него тогда свою тоску, он не мог теперь свалить к его ногам обретённое счастье; и Миша по Бульварному кольцу побрёл к себе, удивляясь, какая настала оттепель. Всё капало, хлюпало и шуршало. И опять ангел-хранитель входил в подъезд вместе с ним, только на этот раз Леня возвращался с работы. И правильно, нельзя же, чтобы ангелы каждый вечер без дела топтались во дворах.

— А правда обошлось, Леня, — сказал Миша, несколько даже лебезя. Но Леня не помнил, что именно обошлось. Он все-таки был вчера под хмельком. Он глянул на Мишу с легким удивлением, но выяснять подробности не стал.

— Ну и ладно, — сказал он весело, и только в этот миг Миша понял: действительно обошлось.

Дома он вспомнил, что надо бы позвонить Лие. Ему немного жаль было это делать. Романтический образ рушился. Но врать ей он не умел и ближе к одиннадцати позвонил. Незнакомый, холодный женский голос — отец, что ли, женился? — ответствовал, что она будет нескоро, может быть, и не придет сегодня. И это тоже было хорошо; не нужно, чтобы становилось слишком хорошо. Оставалось посвятить во все это Валю. Но уж с Валей точно не надо было торопиться. И он прождал довольно долго — до ужасного дня в середине марта, когда откладывать стало нельзя.

* * *

19

Во вторник он отправился в студию — с тайной надеждой увидеть Лию или, пожалуй, не увидеть; и ее там действительно не было. Вот всё так — поманит и разочарует: мы боимся, чтобы важное не свершилось, и оно в самом деле не свершается. Миша чувствовал себя странно — словно не сгодился в жертву. Это было чувство сложное. Он пытался написать стихи, но выходило кокетливо, не было для них ритма; он записал эти ощущения для будущей прозы. Выходило так, что его должны были перемолоть, но пощадили; и теперь он чувствовал стыдное счастье, но и легкое — тяжелевшее, впрочем, со временем, — разочарование: не сгодился. Даже на это не сгодился. И хотя умом убеждал себя, что нужней в нынешнем своем качестве, что маршировать ему менее свойственно, чем писать и думать, да и нет никакой доблести в маршировке, — он все же чувствовал, что жизнь пойдет теперь мимо главного, стыдным путем самосохранения; даже в трамваях, казалось, глядели на него укоризненно. Он подумал, что почти уже ждет повестки, что встретит ее с облегчением — и краем сознания еще, как бы глазами того самого инопланетянина, увидел, до какой же дикости его довели: ни одной здоровой реакции, сплошь патология. Хорошо, если он такой один, но если все теперь с радостью будут встречать неизбежное? Увольнение, которого так долго ждали и боялись? Или что похуже увольнения? Пожалуй, подумал он, и войну, которую так ждали и которая не случилась, продолжают держать в уме; все-таки ее неизбежность многое списывала, и была своя сладость в том, чтобы жить в ожидании конца концов, отменяющего все нынешние счеты. А если войны не будет, придется как-то существовать опять и отвечать за все, — как приходится сейчас ему. Он подумал вдруг, сколько народу будет разочаровано, если войны не будет. Павел уж точно. Борис — тот, верно, встроится и даже станет пацифистом, и устроит такую борьбу за мир, что мало кто выживет. А сам Миша, пожалуй, станет идеальным хронистом этого как бы времени, времени без лица: ведь он сроду никуда не вписывался, жил под колпаком тайной недоброжелательности. И когда тайная недоброжелательность охватит всех, он будет на месте.

Снова пожаловали ифлийцы, на сей раз без Павла; Миша подивился, как много времени прошло, сколь многое и необъяснимое теперь их разделило. Показывали сцену комсомольского собрания, довольно дикую. Сему, то есть его героя,

прорабатывали за то, что он рисковал собой, не со-
блюдал техники безопасности, вообще подставил
всю бригаду, неправильно, зато эффективно валя
лес или что-то вроде. Проступок его не был про-
писан тщательно, все силы студии ушли на собрание, на котором разгорелся принципиальный спор:
нужна ли трудовая безоглядность или разумная
осторожность? Конфликт этот показался Мише настолько высосанным из пальца, что вся пьеса стала
напоминать жестокую пародию, но он до поры по-
малкивал. Студия, кажется, наслаждалась процес-
сом, сцену играли с огнем — но в блестящих глазах
студийцев Мише виделась порой злая насмешка;
не могли же они все это всерьез! Сема героически
оправдывался, говорил, что это не по-русски — рас-
считывать силы, и в исполнении маленького Семы
это было вдвойне гомерично. Ифлийцы слушали
смирно, Борис был неожиданно развязен, загляды-
вался на красневшую под его взглядами чернявую
Наденьку и сказал, что нужна песня, что он эту
песню им сочинит, что после этой патетики нужно
немного лирики. Замечаний по тексту никто не делал. Тогда не выдержал Миша. После отмененного
призыва он чувствовал не только легкое разочарование, но и дополнительную, как бы сказать, ле-
гитимность: он был на законных основаниях по-
милован и мог уже не всегда скрывать простейшие
мысли. Он любил, конечно, студию и эти забавные
вечера, и по вторникам было куда себя деть, но
сейчас это заворачивало настолько не туда, что
можно было и вмешаться.

— Братцы, — сказал он, — а можно мне на правах пролетария? По-моему, это какой-то ужас.

Он знал, что чем решительней и резче выразится, тем больше шансов, что его слова примут за шутку, и обойдется без скандала.

— Что именно ужас? — спокойно спросил Орехов.

— Всё ужас. — Миша радовался, словно прыгнул с вышки. Они все, конечно, понимали, что он за последнее время отошел от студии, но сейчас интерес к нему и весомость его слов возвращались на глазах. Так он думал.

— Ну, значит, все в порядке, — сказал Орехов. — Гегель учит, что важно не качество, а цельность.

Кто-то робко засмеялся, остальные слушали настороженно.

— Есть более конструктивные замечания? — обратился Орехов к прочим, желая заглушить в зародыше неприятный разговор.

— Есть! — крикнул Миша. — Я не понимаю, почему вы сами хотите погубить собственный замысел. Ведь тут было кое-что приличное.

— Миша, — устало сказал Орехов, а может, профессионально имитировал усталость. — Мы собираемся для профессионального разговора. Вас не было. Вы не видите, как меняется стиль. Мы всё дальше отходим от реализма, идем в условность. Новый зритель следит не за тем, как действует Гамлет, а за тем, как актер Н. играет Гамлета. Это просто не ваша эстетика, ну что ж поделаешь. Нам всем придется это пережить.

Тут засмеялись уже без стеснения.

— Отказ от реализма не означает отказа от логики вещей, — сказал Миша и густо покраснел. Он так давно не занимался теоретическими дискуссиями, что совершенно забыл, как это делается. — Люди строят город, их подвиг достоин всяческого уважения. Мы, по-моему, оскорбляем их, заставляя спорить о глупостях.

Это был мощный перехват риторики — Миша выступал в защиту героев, а не против них.

— Они не спорят о глупостях, — еще более устало и вяло, словно сам стыдясь очевидных вещей, о которых приходилось говорить, ответил Орехов. — Я допускаю, что, когда наломаешься в тайге, не до рассуждений, только поспать бы. Я это допускаю, а вам, конечно, видней. Вы тут работаете больше всех. — Миша не стал отвечать на эту безобразную шпильку. — Это вообще спектакль не о строителях города. Это актеры размышляют вслух на волнующие их темы, и вопрос о том, что такое героизм, занимает их всерьез. Имеет ли право человек нерасчетливо тратить общее достояние — свою силу и здоровье? Можем ли мы назвать героем того, кто задумывается, а не только того, кто безоглядно жертвует собой? А от жизнеподобия искусство избавилось давно, и логика, о которой вы говорите, — логика у него другая, и поэтому я предлагаю говорить по делу...

— Вы предлагаете говорить о частностях, — не унимался Миша. — А я вижу фальшь и экзальтацию, и никакими частными поправками этого не убрать...

— Очень хорошо, — сказал Орехов. — Вы высказались. Вы видите фальшь и экзальтацию. Кто-нибудь видит еще что-то, или нам имеет смысл прекратить работу над пьесой?

На этот раз смеялись дружнее. Хорошо они тут спелись. Миша не привык к таким афронтам, но заговорил Борис.

— Я думал, ребята, сначала промолчать, — признался он не без аффектации. — Но тут высказал недовольство мой товарищ, и я его понимаю. Понимаю в том смысле, что у него-то как раз есть логика. Так сложились обстоятельства, — вы, может быть, не знаете, — что его исключили. Исключили не очень справедливо. Наш кружок, к которому он принадлежал, — кружок чисто поэтический, собираемся и читаем, — никогда его не отторгал, но он решил, что ему лучше теперь жить и работать одному. Я это тоже могу понять. И я понимаю, что если этой позицией увлечься, в ней можно найти источник вдохновения. Это плохой источник, это источник тухлый. Гордыня отвратительна в богаче и смешна в нищем. Короче, напрасно ты это, Миша.

— Что напрасно?! — Миша искренне перестал что-либо понимать. — Тебе нравится вот это... обсуждение чрезмерного энтузиазма?

— Мне нравятся эти люди, — с нажимом сказал Борис. — У них не все получается. Но если у них что-то не получается, я никогда не скажу, что это ужас.

— Ради бога, скажи, что это прелесть.

— Это не ужас и не прелесть, это работа. — В интонации Бориса слышалось, что он из раввинов и даже, пожалуй, из талмудистов. — А тебе теперь всегда хочется быть одному против всех, потому что других источников энергии у тебя нет. Я только и говорю, что это тухлый источник.

События принимали нехороший оборот и, казалось, воспроизводили то самое собрание.

— А тебе нравится быть со всеми против одного, — парировал Миша, которого все это, как ни странно, не пугало, а все больше заводило. — Тебе нравится теплое чувство чужого локтя. Мы это много раз видели, сейчас во всей Европе очень много таких солидарных ребят...

Это было слишком, но палка так долго перегибалась в другую сторону, что пора было ее сломать.

— Миша, — сказал Сергей, — ты себя в руках-то держи.

— А по существу ты можешь что-нибудь сказать?

— По существу, Миш, ты исключен из института, и исключен решением большинства. И ты теперь, знаешь, такой герой, как будто тебя убили на зимней войне.

— Хуже, — сказал Миша. — Меня убили на Гражданской.

— Почему хуже? — спросил Борис.

— Потому что Гражданская хуже зимней, — пояснил Миша. — Но я вот так выбрал. Был шанс пойти на зимнюю, но я решил, что можно вообще без войны. А тут выбора никакого. Кого не убили на зимней, те попали на Гражданскую.

— Миша, — буркнул Игорь. — Ты себя очень-то героем не считай, ясно? Ты распустил руки, ничего героического не сделал. Тебя выгнали, не совсем справедливо, но это тебя не делает лучше, понимаешь? Это не дает тебе права... — и он осекся, не в силах сформулировать, какое право присвоил себе недостаточно восторженный Миша. Миша мог бы воспользоваться этой щелью в его обороне — точней говоря, в его атаке, — но был уже достаточно опытен, чтобы молчать и ждать, пока оппонент накажет сам себя.

— Вообще-то, — по обыкновению лениво сказал Петр, — это как раз дает ему право. Он ничем не лучше, ради бога, но, если кого-то ссадили с поезда, он по крайней мере свободен от общего маршрута. Это же не он сошел, так? Это вы его ссадили. По крайней мере, у него по сравнению с вами на один опыт больше.

— Резонно, — сказал Орехов. — Давайте пить чай.

— А обсуждать не будем? — спросил Миша, не желая позволить Орехову затоптать спор, становившийся действительно интересным. В последнее время серьезных споров не было, каждый думал о том, как воспримут его слова, и никто не высказывался по сути.

— Обсуждать не будем, — кивнул Орехов. — Сцена получилась слишком хорошо, так хорошо, что завела всех и заставила проводить собрание по вопросу о героизме. А у нас не собрание, у нас обсуждение. Миша, если вы чаще будете появляться, у вас будет меньше вопросов. Прошу, товарищи, неформальное общение объявляется открытым.

Это было примирение, но Миша не хотел его принимать. Он подошел к Петру.

— Спасибо, брат, — сказал он. — Я тебя недооценивал.

— Да а что ж, — сказал Петр, ничуть не смущаясь. — Развели тут цензуру, слова сказать нельзя.

И Миша некоторое время посидел со всеми, проверяя, не обиделись ли студийцы: нет, не обиделись, его эскапада прошла по разряду безвредного чудачества.

— А представь, — вполголоса спросил он Петра, — если бы исключили Борьку. Он бы это принял как приговор эпохи или бился бы об стену, чтобы взяли назад?

— Он бы сошел с ума, — сказал Петр. — И это лучшее, что можно сделать. Кстати, советую.

И Миша посмеялся, и еще две недели все было нормально. Он дозвонился до Лии, сухо сказал, что призыв отменили, и услышал, что она очень рада. Встретиться она не предложила, а ему не хотелось. У него вдруг вообще пропали все желания, и он стал быстро уставать, и работа выматывала его, а стихи совершенно не шли. Ему даже показалось, что он иссяк и вообще больше ничего не напишет. Две недели прошли в вялом оцепенении, весна запаздывала, сказывались зимняя усталость и тоска. А на второй неделе марта Миша вдруг заметил на себе некую сыпь, которая показалась ему подозрительной, странную сыпь на груди и спине, и его первая мысль, увы, была вполне предсказуема, а вторая — еще предсказуемей. Он просмотрел отцовский медицинский справочник и убедился, что все именно так и есть. В груди у него запрыгало, дыханье прервалось. Он почувствовал, что проваливается в ледяную трясину и зацепиться ему не за что.

Можно было, конечно, поговорить с отцом. Но он скорее решился бы выговориться перед первым встречным. Теперь, когда история с призывом обнаружила хрупкость их семейного мира, родители оберегали Мишу, точно он был хрустальный, и сообщить отцу, что любимый сын подцепил сифилис, было равносильно убийству, что там — хуже! Миша знал, а в подтверждение еще и прочел, что начинается всегда с первичной язвы. Всмотревшись, он обнаружил и первичную язву, точней, покраснение, точней, как показалось ему, уплотнение. Прошло ровно столько, сколько было обещано в справочнике, — две недели. Тут же выстроились в послушную логическую цепочку все симптомы: и слабость, и вялость, и практическая безболезненность уплотнения (нервные клетки в месте поражения разрушаются первыми), и главное — чересчур узнаваема была логика судьбы. Эта женщина должна была его погубить, она не сумела сделать это с первой попытки, потому что он выжил, — ну ничего, теперь у нее все получится.

Лечиться? — Но это, кажется, не лечится, а главное, из диспансера немедленно сообщают на работу. Даже если он вылечится, клеймо будет на всю жизнь. Была чудовищная несправедливость в том, что первая женщина заразила его страшнейшей из болезней. И все потому, что он не распознал в ней свою погибель: ведь она дважды уже портила ему жизнь — и справилась с третьего наскока! Конечно, она могла заразить его еще на Новый год, но он почему-то думал, что все произошло тогда, на лестнице. Впрочем, инкубационный период бывает долго. Больше подцепить не от кого, оставалась бытовая версия, но для этого нужно было пользоваться чужим полотенцем, а где ему было взять чужое полотенце, у Баландиных?! Он знал теперь одно: он ославит ее на весь мир, хотя бы и погибнет из-за этого сам. Но прежде чем начать действовать, мстить за все, он решил задать ей последний вопрос.

Он отправился к Вале. Хорошо запомнил число, шестнадцатого марта.

Это был первый солнечный, лазурный, капельный день за весь март. Миша решил подкараулить ее в общежитии. Он все теперь о ней знал, все точки. И в самом деле, он ясно это запомнил, она такой потом и стояла в его памяти — Валя приближалась в обществе двух подруг, громко смеясь. Она была из них самая красивая, самая раскованная и самая наглая. У нее завелась красивая сумка, сумочка, явный подарок начальства. Что ей носить в такой сумочке? Она и косметикой мало пользовалась, почти не мазалась. Но она этой сумочкой болтала, и вид у нее был вызывающий — шла триумфаторша, победительница. Миша отделился от стены, и она увидела его, но словно и не удивилась.

— Кавалер к тебе, Валенсия! — закричала та из подруг, что потолще, поуродливей. И это «Валенсия» тоже было отвратительно.

— Да уж, кавалер, — ответила Валя неопределенно. — Поговорю тут с ним, догоню.

Первые секунд двадцать они молчали.

— Ну и где твоя армия? — спросила Валя нагло. Вообще она себя вела так, словно что-то про него знала, что-то, о чем он сам пока не догадывался.

— Отпустили, — сказал Миша еще наглее. — Говорят, без тебя обойдутся.

— А, — сказала Валя. — Ну и правильно. А я так думаю, что и не было никакой армии. Ты просто, Гвирцман, захотел, а никто тебе не дает, правильно?

— Конечно, — сказал Миша, быстро зверея. — Меня другие не устраивают, мне бы с сифачком.

Этого она не ожидала и даже отшатнулась.

— Чего?!

— Того, — шепотом закричал Миша. — Ты заразила меня. Я не знаю, сука, от кого ты набралась, но у меня сыпь по всему телу такая, какую не спутаешь. И остальное все что положено.

— Это не от меня, — сказала она тихо. Он мгновенно почувствовал этот переход к обороне.

— Не от тебя? Я не ты, у меня так не бывает, чтобы с десятью!

— У меня ничего нет, я не знаю, где ты взял...

— У меня негде было взять! — Миша не стал, конечно, признаваться, что у него никого не было раньше. — У меня после тебя вообще никого...

— Ах ты дрянь! — Валя замахнулась на него, но он перехватил ее руку. — Да ты знаешь что... да ты... я беременна!

Теперь отступил он.

— Как беременна?

— Так! Две недели задержка!

Она ведь тогда уже ждала, но вот они не пришли, красные-то дни, и соседка по комнате сказала ей, что время перед месячными — самое опасное. А он тогда дернулся в ней, она почувствовала, и теперь надо было срочно решать, где чиститься. Это уже четыре года как было делом преступным и крайне опасным, и правильно, стране нужны люди, сама виновата, но о том, чтобы оставлять ребенка, да еще и от Гвирцмана, не могло быть речи. Если бы Ганцев — еще туда-сюда, и даже о ребенке от Коли она бы еще подумала, но этот никуда не годился, тем более в мужья. А где найти, к кому обратиться? Валя как была в этом городе чужая, так и оставалась. Думала она и о том, чтобы удавиться, тем более Ганцев был теперь с ней холоден, а Миша — в армии, и она даже плакала ночью. Ужасно холодная была ночь и холодная в окне звезда. Но утром она решила, что назло им всем будет жить и работать и даже, может быть, снова начнет писать, но тут заявилась эта сволочь, живехонький, без всякой армии, наверняка отмазал папаша, и предъявляет ей претензии, и какие! И пока он осмысливал новость, она подскочила и смазала его по физиономии раз и два.

Миша не стал реагировать, потому что хватать за руки беременную женщину — вообще последнее дело. И, как любой мужчина — это уж совершенно неистребимо, хоть и неясно почему, — он в первый момент почувствовал прилив гордости: от него забеременели, надо же, как удивительно! Радостно было удостовериться, что он на это способен. Только второй волной накатил ужас: положим, он мог бы ей устроить через отца... но если она такое подняла из-за несостоявшегося поцелуя, можно представить, что будет сейчас!

— Я теперь тебя на чистую воду выведу, всю семью твою выведу, и что отец тебя от армии отмазал! — словно прочитала Валя его мысли.

И тут случилось невозможное, непростительное. Миша подскочил к ней и толкнул в грудь, а потом, когда она поскользнулась, но не упала, залепил ей хорошую пощечину. Валя этого никак не ожидала и хотела уже вцепиться ему ногтями в лицо, но тут поняла, что, если она это сделает — он, пожалуй, и посильней ее ударит. Они стояли друг против друга и скалились, загнанно дыша, и не решались ничего сделать.

— Вешайся теперь, — сказала она. — Конец тебе, Гвирцман, крышка.

— Посмотрим еще.

— И смотреть нечего. Крышка. Я тебя тогда пожалела, а теперь добавлю.

— Я тебя посажу.

— Мразь ты.

— Сука.

Некоторое время они так постояли, а потом Миша сунул руки в карманы и независимо пошел прочь. Вот теперь она точно заявит. Телесных повреждений нет, но она заявит. Пускай заявляет. Он тоже заявит.

Он направился к Колычеву, потому что если кто и мог дать ему консультацию насчет венерической болезни, то наверняка он. Колычев, представитель хтонического мира, имел связи во всем московском подполье и уж конечно разбирался в темных, особенно уродливых болезнях. Миша был словно под наркозом, и хотя на него обрушились три по-настоящему тяжелые новости — у него сифилис, от него беременна злобная ведьма, сама его судьба, тайная недоброжелательность, и он только что ударил женщину, — преобладала над всеми чувствами странная гордость: случилось столько всего, что бояться уже нечего.

Колычев был дома и удивился Мише.

— Слушай, это... — сказал Миша с непривычной развязностью. — Ну ты прости. Я тогда погорячился.

— Ты не погорячился, а показал лицо, — сказал Колычев, то ли издеваясь, то ли всерьез. — За это извиняться нечего, оно у тебя такое и не поменяется, даже если тебя еще раз выгнать из института.

— Ну прости, — повторил Миша. — Я, в конце концов, не сказал ничего ужасного.

— То-то и оно. Если б ты сказал что-нибудь ужасное, было бы о чем говорить. А так — неинтересно.

— Зато, — заговорщическим полушепотом сказал Миша, — я скажу тебе ужасное сейчас. У меня сифилис.

— Поздравляю, — не меняя интонации, сказал Колычев.

Он за эти три недели как будто еще сжался, и если прежде на нем лежала тень смерти, то теперь это была смерть унизительная, нелепая. То есть он был несчастен, а стал жалок — не совсем то же самое.

— Я думал, ты дашь совет.

Наркоз начал отходить, Миша чувствовал злобу и беспомощность.

— Ртутная мазь крест-накрест, — не глядя на него, сказал Колычев. — По четным дням левая рука и правая нога, по нечетным наоборот.

— Но это же вчерашний день. И вообще я без специалиста не решаюсь.

— Я не специалист. Впрочем, иди-ка сюда.

Миша подошел к столу и увидел таблицу с вычислениями и странной схемой, но Колычев быстро захлопнул тетрадь.

— Задирай рубашку.

Миша покраснел, отвернулся и послушно исполнил требование неспециалиста.

— Крапивница, — брезгливо сказал Колычев.

— Кра... что?

— Нервная сыпь. Ты перенервничал, чего-то испугался или съел лишнее.

— О черт, — сказал оторопевший Миша. — Это, вероятно, из-за армии.

— Японской?

— О черт. Нет, конечно. Нашей. Меня призвали, я хотел тебе сказать, но тебя не было.

— Меня действительно не было, — сказал Колычев многозначительно, но Мише было не до того.

— И я, наверное, несколько...

— Ты идиот и трус, — ровным голосом сказал Колычев, но обижаться на него теперь было нельзя.

— Ты знаешь, я ведь и первичную язву, мне кажется, нашел...

— Первичную язву ты нашел бы прежде всего. Это такая вещь, которую не перепутаешь. Твердый шанкр величиной с медный пятак.

— Я бы показал, но...

— Нет уж, увольте.

Колычев хрюкнул.

— Я должен был увидеть твой конец, — произнес он с пафосом, — иль дать тебе своим полюбоваться.

Миша расхохотался.

— Нет, нет, конечно... Это все, ты понимаешь, нервы.

Он сел на шаткий табурет. Выдержать еще одно внезапное спасение было выше его сил. Судьба катала его по слишком крутой синусоиде.

— А в армию почему тебя не взяли? Из-за сифилиса?

— А разве с сифилисом не берут?

— Нет, конечно. Ты перезаразил бы всю казарму.

Мишу начал разбирать нервный смех, неостановимый, как от щекотки.

— Слушай, — пытался выговорить он, — слушай, какое счастье! Ведь это... это взаимоисключающие вещи! Если бы сифилис, то никакой армии, а если бы не армия — никакого сифилиса...

— Ну ладно, — сказал вдруг Колычев. — Избытки своего облегчения ты будешь изливать где-нибудь в другом месте.

Миша такого не ожидал. Ему казалось, страхами последних недель он искупил всю свою тогдашнюю грубость, да не такую уж и грубость.

— Костя, хватит, в конце концов, я извинился...

— Ты извинился, но тебя не извинили. Давай, счастливец молодой, я занят делом.

— Но я потом приду...

— Потом ты не придешь. Тебя здесь больше не надо.

Миша пожал плечами.

— Если что, ты знаешь, где меня искать.

— Вот только искать тебя мне и не хватало.

Миша не принял этого слишком всерьез, у Колычева и прежде бывали припадки мизантропии, но сейчас он что-то был очень уж суров. Миша вышел из полуподвала с некоторым облегчением. Да

ладно, подумал он, сейчас время разрывов, и мне
надо, видимо, порвать со всем прежним кругом —
и с бывшими друзьями, и с женщинами, и с позд-
нейшими спутниками. Я выхожу на какой-то
новый виток или падаю в последнюю бездну,
но разрывы суть предвестия новизны и, кажется,
роста. Чтобы прыгнуть — вверх или вниз, — надо
освободиться. Чувство судьбы, то есть неслучайно-
сти, никогда не изменяло ему.

Дома, вечером, он небрежно сказал отцу:

— Мон пер, у меня, кажется, крапивница.

— Покажись, — потребовал отец. — Да, действительно крапивница. Жрешь черт-те что, вот
и сыпь.

— И что делать?

— Ничего. Тяжелые болезни неизлечимы,
а легкие проходят сами, — повторил он любимый
афоризм, который приписывал Чехову.

— Ты уверен, что не сифилис? — спросил
Миша, широко улыбаясь.

— Чего? — переспросил отец, вытаращив глаза.

— Шучу, мон пер.

— Сифилис! — сказал отец и поднял палец. —
Сифилис заслужить надо! Бодлер, Ницше, теперь
ты. При сифилисе, скажу тебе на будущее, сыпь
имеет вид звездного неба, и она не красная,
а белая.

А на следующий день, во время дежурства,
Мишу ждал очередной зигзаг. Его вызвали в приемный покой. Он замер. Перед входом, покуривая,
прохаживался Драганов.

Она донесла, понял Миша, донесла в институт, потому что куда же еще, и теперь они разберут мое дело уже всерьез... хотя как, зачем? Ведь я уже не в их юрисдикции. Но, видимо, она обратилась к единственному знакомому комсомольскому начальнику. Это не может быть ничем, только новой ее жалобой...

Но он опять ошибся, потому что не научился еще предугадывать прихотливые узоры своего будущего.

— Здравствуй, Гвирцман! — пропел Драганов. — Ну что, я вижу, ты окунаешься в жизнь?

— Не без этого, — осторожно согласился Миша.

— Прекрасно, я рад за тебя и за жизнь. В общем, Гвирцман, я полагаю, что ты можешь получить положительную характеристику и к началу апреля возвращаться в альма-матер. Есть признаки, что ты будешь восстановлен, если, конечно, не был тут замечен в прогулах и алкоголизме.

— Никак нет, — Миша позволил себе пошутить, но ситуации не понял. — А как вы нашли меня здесь?

— Но ведь я знаю, где ты, — Драганов поднял брови. — И все у нас знают.

— Но до первого апреля далеко, — сказал Миша, — это розыгрыш? Странно как-то.

— Какой же розыгрыш? Не могут милости быть рано никогда, — процитировал Драганов по обыкновению. — Я же тебе и тогда говорил...

— Но что-то изменилось?

— Изменилось, — пропел Драганов. — Что-то изменилось. С Сотином, что за вздор, Аколаст примирился. Скажу тебе кон-фи-ден-циально, — произнес он полушепотом, хотя слушать их здесь было некому, — что товарищ Гольцов оказался несколько не так чист, как полагалось бы при его темпераменте. Он уличен в сокрытии отца-священнослужителя, проще говоря, попа. На собрании ему припомнили многое, и в том числе личный выпад против вас, товарищ Гвирцман. Скажу честно, этот вопрос поднял не я. Когда восстановишься, непременно скажи спасибо Круглову. Он приличный человек, я всегда догадывался.

— Но я ведь действительно... — Мише хотелось снять последнюю неясность, снова доскрести до дна. — Я ведь, собственно... Понимаете, получается как-то... Я буду очень рад, конечно. Я признателен, что вы пришли. Но есть некоторая неясность. Ведь от того, что Гольцов скрыл попа, я не перестал как бы приставать к Крапивиной, хотя я и не приставал к ней. Но ведь моя ситуация от этого...

— Гвирцман, — прервал его Драганов. — Я понимаю твои чувства. Но дают — бери, а бьют — беги, и боже тебя упаси перепутать. Ты неправильно себя вел, ты это искупил, теперь ты вернешься под сень наук и будешь вести себя правильно. Второго апреля я тебя жду, потому что первого — это будет смешно. Постарайся там за это время подчитать программную литературу, ну и восемнадцатый век, это я у тебя проверю лично.

Он широко и фальшиво улыбнулся.

— И по-о-омни, — пропел вовсе уж издевательским фальцетом, — что лучше отделаться дешево, а гордыня — большой грех, адью, адью!

Что за наглядность, подумал Миша. Поистине Крапивина — моя судьба: не успел я начистить ей рыло, как она перестала преследовать меня!

Родителям он сказал о восстановлении только через три дня, когда сам освоился с этой мыслью. Мать ахала, отец молчал и только сопел от счастья. Стыд какой, думал счастливый Миша, стыд, стыд.

* * *

20

Почему-то он ясно понимал — ах, откуда истинные поэты всегда все понимают? — что идет в студию в последний раз, потому что с окончанием больного, странного, а все же значительного периода его жизни должна закончиться и студия. Может, когда-нибудь он туда придет уже как ифлиец. Но вряд ли ему суждено ходить по прежним местам с прежней компанией.

На этот раз была оттепель и даже весна — потому что в подкладке воздуха впервые чувствовалось тепло. Обычно весь март проходит еще под знаком холода, всегда готового вернуться: тепло искушает, отрезвление иссушает. Но потом в один день теплеет уже явственно, и по лужам бежит рябь настоящего южного ветра, того ветра, о котором пишутся романтические, фальшивые детские рассказы. Тогда в клочьях облаков горят уже крупные звезды, и кажется, что это клочья парусов несутся. Вот эта рябь на лужах, думал Миша, и есть то, что я вспомню, когда буду умирать. Ведь буду же я когда-нибудь умирать, и мне надо будет вспомнить, что хорошего я видел. И видел я это небо чернильного цвета, цвета синих чернил. Еще бывают такие глаза, но крайне редко. У Лии глаза были карие, цвета заварки, а бывают глаза цвета чернильной ночи, но достаются они иногда, пря-мо скажем, черт-те кому. И он шел среди летящих парусов, среди уже весенних луж, которые, мо-жет, в пару ночей будут еще подмерзать, но хрупко и ненадолго. А так-то всех уже простили, испугали и простили. Все по человеческой своей слабости уже подумали, что это навсегда, а оказалось — три месяца, ерунда какая-то.

И он пришел в студию вполне счастливый, и там была Лия, которая ему кивнула, ничуть не удивившись. Про восстановление в институте ей почему-то было уже известно.

— Ты откуда знаешь?

— Слухом земля полнится. Горецкий сказал, а Горецкому — кто-то из ваших. Я же говорю, Мо-ква сейчас ужасно тесная.

— Ну и что ты об этом думаешь?

— Если честно, я не очень много об этом ду-маю, — сказала Лия.

— Действительно честно.

— Я хочу сказать, глупый Мишка, что ты для меня не этим определяешься.

— А чем?

— Чем — я пока не поняла. Но в изгойском состоянии ты мне нравишься ничуть не больше,

успокойся. Правда, в не-изгойском я тебя пока
не видела.

Он не видел ее две недели, на ней было новое
платье, очень простое, черное, довольно короткое.
На ком угодно оно смотрелось бы скромно, а на
ней выглядело как парижское. Волосы были особенно медовые, и пахло от нее другими духами,
более горькими и свежими. И она, кажется, чуть
подкоротила волосы.

— Лия, а ты-то как?

— Я не очень хорошо. С отцом все плохо.

Миша вопросительно показал глазами на потолок и спросил:

— Гм?

— Нет, с сердцем. Но и там, наверное, тоже.
Я не спрашиваю.

— Слушай, а вот женский голос подходил, когда я звонил, — это...

— Это да. И, может быть, это самое плохое для
него.

— Она тебя не трогает?

— Попробовала бы тронуть. Но и не радует, как
ты понимаешь. Я думаю съехать.

— К кому?

— Я разберусь. К тебе пока рано.

И всегда она умудрялась понять раньше и сказать прямей.

Они сели рядом на низкие коричневые ска-
мейки, такие обычно стояли в школьных спортза-
лах. На этот раз показывалась сцена концерта, на
котором группа строителей исполняла сатириче-

ские частушки, а отрицательный комсомольский вожак негодовал и упрекал их в кощунстве. Начинался тем самым зажим критики. Вожак окончательно утрачивал связь с массами и обнажал свою гнилую сущность. Как бал в балете всегда повод для дивертисмента с французским, русским, африканским танцем — так концерт был не только поводом обострить коллизию (чувствовался уже финал, и действие шло крещендо), но и возможностью показать все музыкальные дарования. Были танцы, лирические песни и баллада о том, как мы поехали в глухую Сибирь, до свиданья, мама, не грусти, строить город сына отпусти. Чувствовалась профессиональная рука Горецкого с его задором на грани дозволенного.

Солировал Сева. Его роль окончательно определилась — он был теперь, ясно по всему, Хороший из народа. Роль Хорошего из народа, по Мишиным прикидкам, долженствовала стать главной во всех современных пьесах. Орехов, видимо, набрел на нее интуитивно и собирался писать теперь об этом персонаже до конца дней — своих или его. Хороший из народа, сутулый, негромкий, выносливый, обязан был терпеть вопреки всему ради светлого дела. Он был не из этих неженок, которым всегда хорошо и которые всегда недовольны. Ему доставалось солоней всех, но он как бы просил: еще, еще! Он был становой хребет, плечо, на котором все держалось. Он вынес и эту дорогу железную. Он никогда ничего не требовал, и его ни о чем не спрашивали, а если спрашивали — он делился негром-

кой, но емкой народной мудростью. Он был тихий.
И оказывалось, что именно в него влюблена самая
раскрасавица, и именно у него, при всей негромко-
сти, лучшие трудовые показатели, а когда на собрании его спрашивали — ну ты-то, Шишаков, что
молчишь? — он обязательно был Шишаков! — он
отвечал: да по-моему, все ясно, ребята, надо просто работать. Просто вот работать, и тогда все будет
как надо. И все говорили: боже мой, как это мы
раньше не понимали!

Этот типаж Мишу бесил, как бесил его и Сева
с его чистыми глазами, пухлыми губами и непо-
корными вихрами. Он весь был словно сделан для
того, чтобы с него списывали Хорошего из гущи,
и в самой его простоте, неброскости и свойско-
сти был самый ужасный, самый неисправимый
фальшак. И Миша чувствовал, что этот фальшак
добавляет к спектаклю уж что-то совсем неприлич-
ное, и не знал, сможет ли сказать об этом вслух.
И все-таки понимал, что скажет, потому что Бех-
терев писал где-то: наш мозг уже знает обо всех
принятых нами решениях, и пока душа колеблет-
ся, мозг медленно готовится. Сегодня Миша должен был сказать об этой главной фальши, но ударить по Севе — значило ударить по тому, на чем
держалась вся студия. Этим чем-то как раз и была
обаятельная, тщательно отработанная фальшь,
а Люся стояла на страже этой фальши, потому что
в свои семнадцать лет уже замечательно умела
заводить глаза и всем телом изображать глубокую
оскорбленность. Миша знал, что, пока он этого не

скажет — ему нельзя уходить, а как только скажет — нельзя будет оставаться.

И, дождавшись обсуждения, он пропустил первые две реплики, потому что первая всегда была
комплиментарная, вторая поддерживала ее — да
чего, ребята, что мы робеем, по-моему, все здорово! — и только третья должна быть сомневаю-
щейся, а то и кощунственной, иначе она попросту
не будет услышана. Все шло точно по этой схеме,
и Миша, дождавшись паузы, вкрадчиво сказал:

— Друзья мои, я наконец понял, для чего мы
тут всё это делаем.

Он говорил как право имеющий, и это почув-
ствовалось, хотя о восстановлении знали не все.
Просто был за ним какой-то новый опыт — может
быть, опыт мужчины, ударившего женщину.

— Это новый жанр, — продолжал он, всех за-
интриговав. — Он к жизни не имеет отношения,
и судить его надо по другим законам. И я был глубоко неправ в прошлый раз, простите меня все. Мы
делаем нашу советскую оперетту с ее опереточными
проблемами, музыкальную комЭдию, и непонятно
только, зачем было изначально придавать ей элемент героики. Поднимать проблемы и все вот это.
Надо больше, мне кажется, танцевальных номеров
на тему производительности труда, и пьесу эту
с руками оторвут все коллективы Урала и Сибири.
Для Москвы, может быть, она еще недостаточно
отшлифована, но вы отшлифуете, верно? — Он уже
твердо избегал всякого «мы». — Мне особенно нравится, Сева, как ты показал народного героя. Это

наша первая настоящая удача. Потому что в первых сценах был еще какой-то привкус жизни, а теперь мы видим химически чистое вещество. Нас
учили не по Гегелю, но у Гегеля сказано: прекрасное есть последовательность. Вот здесь уже такая
последовательность, что ножа не всунешь.

Он прекрасно понимал, что перешел грань:
придираться к Севе было не принято. У Севы умер
отец, сидела мать. Сева жил один, то есть с Люсей,
и кое-как перебивался с хлеба на квас, зарабаты-
вая в том числе разгрузкой вагонов. Чем-то ему
помогали родственники, но он всегда был голоден
и плохо одет. В жизни Миши уже был человек, которого принято было не трогать, и за время этого
подчеркнутого всеобщего почтения гражданская
вдова превратилась в гремучую змею. Так что он
не стал щадить Севу, и теперь на него были устрем-
лены негодующие взоры всей женской части студии; мужская глядела в пол.

— Это серьезное обвинение, — медленно сказал
Орехов, — и хотелось бы знать, чем оно подкрепле-
но. Такие слова естественно было бы слышать от
человека, лично построившего хоть одну стену...

— О, разумеется, — радостно подхватил
Миша, — и вообще, каждый критик, прежде чем
критиковать, должен доказать свою способность
что-либо сделать. Например, построить стену. Это
сказал кто-то из немецких мыслителей, наших
союзников. Но ведь то критики, а я — скромный
зритель. Уверяю вас, товарищи, что сегодня лично
я вот этими руками перетащил несколько тюков

грязного белья, одного оперируемого, упавшего
с каталки, и два трупа. Достаточно ли этого, чтобы
высказываться о вашей оперетте?

— Вообще он дело говорит, — сказал маленький Семен. — Дело в том смысле, что хватит бегать
за жизнеподобием, и вообще наш зритель вправе
посмотреть музыкальную комедию, я тут не вижу
ничего такого, почему надо смотреть только «Сказки Венского леса»? Мы имеем право осваивать новый, как это, материал...

— Я к этому и веду! — воскликнул Миша. —
Ровно ничего унизительного. И я даже думаю, что
сами строители таежных городов имеют право на
отдыхе посмотреть именно такой спектакль, потому что правду о своей работе они знают и сами.
Можно только спросить: а не унизителен ли для
них рассказ об этой работе, где не будет ни слова
правды вообще? И я отвечу: нет, не унизителен!
Много ли правды у Шекспира, переписавшего «Гамлета» с точностью до наоборот? В подлиннике Гамлет был сильная личность, мало колебался, всем
отомстил. Нам рассказывали. Иными словами,
Сева, твою работу я хочу отметить особенно и прежде всего оценить песню...

— Чем тебе не нравится песня? — спросил
Сева голосом, не предвещавшим ничего хорошего.
Вечным своим чутьем он угадал, что Мишу злит
не пьеса. Мы знаем, что противоречия бывают ан-
тагонистические и неантагонистические; так вот,
тут вылезло антагонистическое, за которое бьют
морду.

— Очень милая песенка, — быстро сказал
Миша, — очень свежая вещь. Я только не до конца
понимаю, как ты можешь петь эту песенку, когда
у тебя выслана мать.

— Н-не трогай мою м-мать, — заикаясь то ли
от волнения, то ли просто ради общей грозности,
сказал Всеволод. На притворство это было не похоже: он сжал кулаки, и на лбу у него обозначилась
ижица.

— Я твою мать не трогаю, — спокойно сказал
Миша, с некоторых пор постоянно готовый к дра-
ке. — Но согласись, странно играть пьесу про город
ветров, когда в этом самом городе ветров сидит
не чужой тебе человек...

— Слушайте! — заорала Нащокина. — Чего
ради этот вообще... этот неизвестно откуда... Тебя
выгнали уже из института, тебе мало? Ты что вообще здесь делаешь? Пришел тут... у человека беда!
И все-таки он дело делает, а не нюни распускает!
Ты кто вообще, ты, может быть, враг вообще...

— Надя, Надя! — крикнула Лия и тряхнула
головой, как всегда в минуту сильной злости. —
Ты не на сцене, слышишь?

— А мне все равно! — огрызнулась Нащокина. — Я и там, и там не вру!

— Севка, спокойно, — проговорил Сема, но
в голосе его слышалось скорей подспудное желание подлить масла в огонь. — Держи себя в руках,
Севка!

Это было актерское, грозное, братское,
с некоторой даже старательной дрожью в голосе.

Нет уз святее товарищества, и сейчас мы покажем товарищество. Миша мгновенно вспомнил, как товарищеский Сема на новогоднем балу тискал Севину Люсю. Изумительно, как слетались теперь на Мишу именно такие типы, он теперь для них излюбленная мишень.

— Да не волнуйся так, Сема, — бледным, бумажным голосом сказал Миша. — Меня теперь гнать не надо, я сам ухожу. За мотор вам кто угодно постучит, хоть Боря. Просто учтите вы все: сейчас такое время интересное... кто остался, очень быстро начинает завидовать тому, кто ушел. Проверенная вещь.

И ушел триумфально, по-актерски, — единственная его удача на сцене и единственная роль, для которой он был в действительности рожден. Двигаясь вниз по улице Герцена, он мог бы поклясться, что слышит рукоплескания. Ему рукоплескали шумные ангельские крыла. Ангельскими крылами был полон теплый вечер, переходящий в чернильную ночь. Дома он был необычно ласков с родителями. Ему было бы особенно приятно, если бы тихий ангел-хранитель дежурил внизу, это было бы окончательным подтверждением правоты, но Леня, видно, читал дочери сказку или, может, тихо выпивал в каком-нибудь приятном обществе. Мише нравилось представлять, что у ангела все хорошо.

Ближе к ночи вдруг позвонила Лия. Он бросился к телефону, словно чувствуя, что это не срочный вызов из отцовской больницы, а именно радостная весть для него. И он покраснел от счастья, услышав ее голос.

— Слушай, — сказала она без всякого приветствия. — Я вот думаю. А если бы тебя не восстановили, ты был бы сегодня такой храбрый?

— Не знаю, — честно сказал он, ведь у них принята была честность.

— Я просто думаю, — повторила она. — Иногда человек храбреет оттого, что ему возвратили платформу. Если так, то это нехорошо. Севка плохо играет и плохо пишет. Но он находится в слабой позиции. Если ты решил его ударить просто потому, что можно, то это совсем нехорошо.

— Лия, — сказал Миша, покраснев еще гуще, на этот раз от незаслуженной, хлесткой обиды. — Почему мы оба всегда думаем о людях худшее? Это что, вообще единственное, что у нас есть общего?

— Это не самое плохое качество. И пойми, я просто думаю...

— Ты можешь сейчас выйти на каток? — спросил он неожиданно для себя.

— Нет, не могу.

— Это... как бы это... по внутренним причинам или по внешним? — Миша улыбнулся и почувствовал, что губы плохо его слушаются.

— Я не очень готова сейчас тебя видеть, — сказала она. — Люся плакала, и хотя Люся — девочка глупая, но никакая пьеса не стоит слезы младенца.

— Пойми, не в пьесе дело. Черт, Лийка, неужели даже ты не понимаешь?! Ведь мы знаем этих охраняемых, оберегаемых, я тебе рассказывал,

и разве ты не понимаешь, что потом вырастет из
Люси?! Люся будет всегда бедная и всегда будет
есть людей...

— Что там вырастет из Люси, я не знаю
и это не мое дело. — Лия помолчала с полминуты,
и Миша уже начал думать, что разъединили, но не
решался ничего сказать, словно сама эта тишина
не открытым еще ультра-ультразвуком транслиро-
вала ему нечто главное. — Я просто думаю, что ты
присвоил себе право причинять людям боль и думаешь, что ты от этого будешь лучше.

— Что ж ты там молчала? — ударил он в ответ.

— Там ты был один против всех. И к тому же...
Вот понимаешь, Миша, какая ужасная вещь? Ничего нельзя сказать. Сказать, что ты прав, нельзя
никак, потому что ты не прав. Сказать про тебя
плохо — значит попасть в стаю. У меня чувство,
что скоро правды не останется совсем, и я не знаю,
что должно случиться, чтобы облетела вся эта ше-
луха и стало можно говорить. Понимаешь? Потому
что ты не прав, Севка не прав, я не права — никто
не прав, а так ведь немыслимо.

Лия снова замолчала, и он снова не знал, что
сказать, только слушал ее молчание, более насы-
щенное, чем всякая речь.

— Но я думала, что из тебя что-то уйдет,
а в тебе что-то наросло, — сказала она наконец. —
Мне кажется, что это я виновата. Но тогда я побоя-
лась, а теперь поздно.

— То есть сейчас и ты меня отталкиваешь? Это,
знаешь, хуже, чем вся студия...

— Я не отталкиваю. Но в тебе какая-то сила, и я не знаю, как быть с этой силой, она недобрая. Я не отталкиваю, но нам надо какое-то время ждать. И мне надо разобраться, и тебе. Мы теперь, наверное, долго не увидимся.

— Долго — сколько?

— Я не знаю. Может быть, до июня. Очень может быть, что я первая передумаю, но ты пока не появляйся. А потом мы оба что-то решим и тогда будем действовать. Пойми, я правда не отталкиваю. Я никогда тебя не оттолкну. Я за тебя, может, отвечаю.

— Лийка, — спросил он вдруг. — А как ты сейчас одета? Ну, в смысле, что на тебе?

— Все то же самое, — сказала она небрежно. — Я не переодевалась, все думаю. И вообще я пришла недавно, в этот раз поздно разошлись. Все утешали Люсю, Горецкий пел частушки. Этот ваш Борис даже заступался за тебя, говорил, что на семинарах вас приучали к беспощадности.

— Жалко, — сказал Миша.

— Чего? Что заступался?

— Нет, это тоже жалко, но более жалко, что на тебе все то же. Хотя тебе очень идет. Не хочешь ли узнать, что надето на мне?

— Нет. Да. Скорее нет, чем да. Но ты обидишься. — Голос у нее стал очень усталый, и это уж точно был наигрыш. — Ну хорошо, что на тебе?

— Да практически ничего, — сказал Миша. — Одни лишь только трусы. Прекрасное название было бы для романса. «Одни лишь только трусы».

Лия засмеялась коротким равнодушным смешком. Однажды Миша сделал опечатку, перебеляя стихи для «Литературной учебы» в прошлом году, — тогда ничего не взяли, — вышло прекрасное слово «рванодушный», вот это было сейчас как раз про него.

— Ну ладно, — сказала Лия и положила трубку. И Миша был в первые несколько минут почти спокоен, но потом с небывалой силой засомневался в себе. Он ведь действительно ощутил себя в своем праве, и нельзя, оскорбительно, возмутительно было думать, что самоуверенность и даже жестокость появилась после восстановления. Нельзя быть, быть нельзя, как писали в каких-то старых письмах! Он не был готов к такому знанию о себе. Он не мог, не смел так от этого зависеть. Он действительно озверел. Он вспомнил, как ударил женщину. Ему стало яснее ясного, что поехать к этой женщине надо немедленно, лучше бы прямо сейчас, на каком-то ночном трамвае, который ходит весенними ночами, но главное — не растерять решимости к утру. Он проворочался еще с полчаса, но потом воспользовался вернейшим снотворным — вообразил Лию, немного потрудился и, удовлетворившись паллиативом, заснул.

Наутро его решимость никуда не делась. Он впал в дикую непривязанную тревогу — ту самую, которая томила его после исключения, когда отошел наркоз и обрушился ужас случившегося. Хотя какой там ужас. Он успел привыкнуть к перепадам. Однако мысль о собственном поликратовом счастье тревожила Мишу, и по утрам — как в случаях действительно серьезного беспокойства — сильней, чем с вечера. Надо было немедленно ехать к Вале и умасливать судьбу, с которой он так безжалостно разобрался. Если она беременна, то черт его знает, от кого, но если от него и она сумеет это доказать — как-нибудь ведь это доказывается, рассчитывается, — плакало и восстановление, и работа, и всё. Жизнь сломана. Она могла, конечно, приврать, чтобы его напугать. Но могла и не врать, и страшно подумать, чего она там наворочала, пока он беспечно дразнил студию. О себе надо было думать, а не о студии. И он поехал к ней на работу, не заботясь даже о том, что придется, может быть, объясняться прилюдно. Он знал теперь, что все неприятности надо встречать лицом, грудью.

По дороге — стоял изумительно ясный день — он искал добрых примет и не находил. Купил газету. Газета сообщала о премьере «Валькирии». Ну и что же, и правильно. В самое русло. Внешние новости теперь преобладали над внутренними и были не то что интересны, а как-то малопонятны. В Югославии начались уличные волнения и готовился переворот. Это было как бы и хорошо, но как-то и неясно, потому что Югославия присоединилась к тройственному пакту и стала фашистской, но мы держали нейтралитет; теперь вместо Александра установился молодой Петр, посадивший всех, кто подписывал пакт, но это означало союз с Англией, а Англия была нам далеко не друг и даже не единомышленник. Вообще тон был такой, что Гитлер хоть и зло, но понятное и до известной степени близкое, вагнерианского склада, а Англия — совсем чужая и исторически кровно враждебная. Миша ненавидел всю эту логику, дружбу с фашистами полагал тактическим ухищрением, а англичан почитывал и, в общем, терпел, но втайне понимал, до какой степени они чужды советской власти. Миша любил советскую власть, понимая, что только при ней возможны его рост и самое существование, потому что в остальном мире такому, как он, просто неоткуда было бы взяться и уж подавно не выжить в нынешние времена. Советская власть была несовершенна, но где уж выбирать. Самым лучшим для советской власти было бы теперь наблюдать, пока Гитлер и Черчилль сожрут друг друга, а потом на руинах Европы подружиться с Америкой, — но что-то ничего из этого не выходило, все было вязко, как бы зависло, распухало и не прорывалось. До тридцать девятого года и даже во время Финской войны была какая-то ясность, но теперь Миша вовсе не понимал, чего мы хотим, а средиземноморский театр военных действий ничего не говорил его сердцу. Италия сунулась в Грецию и получила по морде. Теперь Германия собиралась вступить в войну с Грецией на стороне Италии, но греки получили английскую военную помощь. Как относиться к Греции, Миша не знал. Там все время кого-то казнили. Греки всегда казались ему примитивней римлян, он читал Гомера с неохотой, а «Энеиду» — с восторгом, и брюсовская корявость в переложени-

ях этой латыни, пропахшей козлиными шкурами
и военными шатрами, была ему приятна и тайно
родственна. Но теперь Италия настолько отдали-
лась от Рима, при всем усвоении его атрибутики,
а Греция так мало была похожа на Грецию мифов,
что странно было читать о сражениях в районе
Олимпа. Зевс, должно быть, готовился к эмиграции — хорошая могла бы получиться поэма, вроде «Энеиды» Котляревского, могучая пародия, все
хорошее в литературе растет из пародии, но жалко
тратить силы на вещь заведомо подпольную. Еще
странней было глухое умолчание обо всех внутренних делах. Раньше все время осуждали, разоблачали, проводили митинги с клеймениями и отречени-
ями, но Миша был мал и воспринимал это с детской
жестокостью, с абсолютным доверием школьника;
теперь ничего такого не было, и от этого, как ни
странно, казалось тревожней. Похоже, там зрело
что-то совсем ужасное; по еле-еле сквозящим обмолвкам он догадывался, что грядет большой переворот в эстетической политике, что от Европы резко
повернут к собственным корням — и что в марги-
нальных местах типа «Литературного критика»,
которого он, впрочем, не открывал с октября, идет
осторожная разведка: можно было предполагать,
что на самом верху тоже есть две партии, условно
германская и как бы британская, но от их борьбы,
шедшей за красными стенами, долетали вниз только самые глухие отголоски, и, в общем, гадать бессмысленно. Он прочел газету вдоль и поперек, но
не нашел внятного сигнала. Напротив рослый маль-

чик, старшеклассник-переросток, в чересчур коротких штанах с бахромой, читал ту же газету и бросал время от времени взгляды в Мишину сторону. Ему явно хотелось заговорить. Наконец он сказал:

— А молодцы англичане в Африке!

Миша видел, что этот мальчик еще более одинок и затравлен, чем он сам, что его раздирают страсти, что он постоянно хочет есть из-за своего роста, опережающего возраст, — и, как всегда, побоялся заразиться от чужого несчастья.

— Да-да, — сказал Миша якобы рассеянно и встал, как бы готовясь сходить. Мальчик проводил его цепким взглядом. А сходить и вправду было пора, но вот же вам удивительное свойство этих тревожных состояний: когда он сошел с трамвая, было два часа пополудни. И три часа с этого момента он стоял, ходил, ждал — искал знака, что ему непременно стоит идти к Вале. Знака ниоткуда не было. Он пробовал кидать монету, но монета всякий раз давала не тот ответ, которого он желал; он перекидывал, и опять все было не то. Он уже дважды дошел до депо, повернул вспять, его тошнило, а тревога разрасталась. Наконец он припомнил все хорошее, что случилось с ним в последнее время, постарался забыть о предательстве Лии — это было именно предательство, что же еще, — и решительно вошел в депо. Там что-то праздновали, день рождения кого-то из служащих или рождение первенца, он не понял, — так что лестница на второй этаж была украшена флажками. Валя сидела на обычном своем месте и сосредоточенно печатала.

— А, — сказала она, подняв глаза. — Пришел.

— Разговор, — сказал Миша, задыхаясь. — Поговорить.

— Ну пошли, — согласилась она неожиданно легко и, набросив серое пальто, новое, он его не видел, быстро сошла вниз.

— Валя, — сказал Миша сразу. — Прости меня.

— Прощаю, — сказала она. — Не ходи сюда больше.

Решила, значит, оставить ребенка и растить одна.

— А у меня нет ничего, — сказал Миша, по-идиотски улыбаясь. — Ни сифилиса, ничего. Все глупость была. Прости меня.

— И у меня нет ничего, — сказала Валя так же просто. — Ни беременности, ничего.

И сначала он вздохнул с ужасным облегчением, а потом — с тем странным разочарованием, какое всегда посещает мужчин при известии, что обошлось. Возможно, мальчик, выросший из бахромчатых штанов, был добрым знаком: считалось же когда-то хорошей приметой встретить похороны или нищего. Положим, он не подал нищему, но ведь и не оттолкнул его. И как-то все это было странно: война зависла, его не призвали, восстановили, сифилиса нет, беременность рассосалась. Правда, Лию он потерял, Валю наверняка тоже, и ангел больше не показывался — или, верней, вот такие теперь у него были ангелы, как этот страстно искавший диалога мальчик с цепким взглядом.

— Правда ничего? — переспросил Миша, улыбаясь еще глупее. И это скотское облегчение на
минуту испортило Вале всю радость от того, что
действительно обошлось, что ей прибавили денег,
что начальник шестого участка Вавилов поведет
ее сегодня смотреть «Музыкальную историю», и он
был первый человек за много месяцев, который ей
действительно нравился: была в нем надежность,
но не было быковатости.

— Правда ничего, — сказала она. А Миша был
такой красивый, очень красивый, как-то странно
похорошел за неделю, но теперь все это было поздно и ни к чему.

— Прости меня, — сказал он в третий раз.

— Да что ты, Гвирцман, ничего ж не было.

— Я больше не буду, — сказал он, перестав
улыбаться.

— Конечно, не будешь. Кто ж тебя подпустит.

И так они стояли в нежном мартовском закат-
ном свете, бледно-золотистом, среди окончательно
уже наставшего тепла, и рассматривали друг друга, не понимая: что же это такое было и для чего,
и почему кончилось как-то ничем. И может ли
быть, чтобы кончалось вовсе уж ничем. Он смотрел
и замечал, что она все-таки очень хороша, и было
досадно, а вместе с тем и легче.

И труднообъяснимое разочарование, а вместе
с тем и облегчение висело в воздухе, слышалось
в шорохе таянья, в капели, в далеком трамвайном
звоне. Так, наверное, расставались бы измучившие
друг друга анархист и кокаинистка, которые встре-

тились ненадолго в двадцать втором — бац, он уже
учитель в школе-коммуне, а она секретарша в ино-
странном отделе. И непонятно, было ли что-то,
и с ними ли было. А главное, непонятно, что же
такое случилось. Обещали вроде всемирный переворот, а тоже не вышло. Все то же самое, только
труба пониже, дым пожиже и евреев побольше.

И такое примирение было в этом разочарова-
нии, такая тихая, кроткая, несколько животная радость от того, что затевалось нечто великое и ужасное, а вот не случилось, — что Миша почувствовал
вдруг предательское щипание в носу. На острове
Ифалук есть порядка тридцати эмоций, которых
не знают обычные люди: например, фаго, смесь
нежности и жалости, или кхер — радость, смешан-
ная с яростью; и вот специфические, нигде больше
не бывающие эмоции есть, наверное, везде, — скажем, горькая американская радость, описанная
у Дос Пассоса и всех остальных, проистекающая
от того, что карьеру ты сделал, а душу потерял.
А российская весна, бледная, слабая, после ледяной бесчеловечности зимы, обещавшей всем полное
расчеловечивание, была ужасным, если вдуматься-
ся, сочетанием рабской радости, что опять выжи-
ли, и слезливого разочарования от того, что опять
ничего не получилось. Ведь даже война была бы
выходом из тупика, а теперь — обрушился опять
сладкий, родной тупик. Вот все и вернулись на
круги, и солнце грело, и Валя мило щурилась,
и только далеко, на окраине зрения, бессмысленно
убивали друг друга ненужные итальянцы и греки.

Так они постояли минут пять, ничего не говоря, а потом Валя протянула ему руку и сказала:

— Прощай, товарищ, не поминай лихом.

И Миша серьезно эту руку пожал и еще раз сказал:

— Прости меня.

И Валя повернулась и пошла в депо, а он посмотрел ей вслед и побрел на трамвай, так и этак поворачивая в уме только что выдуманную, неплохую, кажется, строчку. Надо было как можно скорей сочинить остальное, как можно больше выхватить из внезапно приоткрывшегося окна, которое вот-вот должно было затянуться снова, — тем более что и вечер начинал сгущаться, и было странное чувство, что кончается нечто огромное, много большее, чем роман с Валей. Может быть, кончалось и само это жалкое чувство весеннего воскрешения, равноденствия (ах да — он вспомнил! — равноденствие), и подступало нечто гораздо более грозное. Но всё это нервы, он просто слишком много и бессмысленно боялся в последнее время, и ничего страшного теперь быть не могло. Просто некоторое время еще будет болеть душа — замах был на рубль, удар вышел на копейку. Помучили друг друга, и хватит. Может, лучше начать с той девочки из его больницы, больной и странной девочки, чтобы больше никогда не попадаться на этот тип — душа не по телу, слишком глупая, чтобы быть роковой, и потому все время эти томления, эти запросы, эта истерика на половой почве. Он сел в трамвай, сладко думая о том, что свет был этим вечером совсем неземной, словно из параллельной вселенной, где вместо наших чувств другие. Уэллс писал про такую вселенную, которая была за дверью в стене. Но тут над ним навис контролер.

Миша показал билет.

— И что? — проревел тот. — И что ты мне кажешь?!

От него шел дикий запах перегара, он, видно, пил не первый день. И никто не осмеливался возражать ему, но Миша осмелился.

— Вы пьяны, — сказал он брезгливо.

— И что? — заревел контролер. — Ты думаешь, я пьян, так тебе тут... можно?!

В вагоне было человек двадцать, и все они ехали, видимо, с работы, и все молчали, погруженные в полусон. Никто из них не хотел неприятностей.

— И что?! — орал контролер. — Сесть! Встать! Ты кто такой?

— Я пассажир, — почти прошептал Миша.

— Не слышу!

— Пассажир, — решительно ответил он.

— Ах ты, мразь, — крикнул кондуктор и схватил Мишу за лацканы. Миша попытался его отпихнуть, но тот был явно сильнее. Кондуктор тряхнул Мишу и с силой впечатал его в стекло. Тут встал рослый широкоплечий мужик, с виду классический рабочий, деликатно отцепил кондуктора от Миши и заслонил Мишу квадратным телом.

— Сходи давай, — сказал он. — Нечего тебе тут.

— Но я по билету... — неуверенно сказал Миша.

— Сходи, — тупо повторил квадратный человек. — Нечего тебе тут. Ты видишь, горе у человека. А ты тут весь из себя. Нечего.

И Миша спрыгнул на остановке, так ничего и не поняв — наверное, этот кондуктор и весь трамвай тоже были из параллельного мира; бывает не только рай, но и ад. Одно было очевидно: тайная недоброжелательность никуда не делась, и Мише противопоказано было занимать место у окна в трамваях, где ездили кондукторы с нелегкой судьбой.

...Он решил не уходить с работы — в конце концов, обязательное посещение всех лекций и семинаров отошло в прошлое, да и не было ничего дурного в том, чтобы продолжать окунаться в жизнь. Драганов улыбнулся ему язвительно и одобрил. А после первой пары пятого апреля, когда Миша восстановился и встал на все учеты, к нему подошел Павел. Миша не ждал от разговора ничего хорошего — ему явно донесли о скандале в студии, — но Павел вдруг сказал ему тихо:

— Предлагаю все считать небывшим.

— В смысле? — насторожился Миша.

— В самом прямом. Такая была формула. Русский царь имел такую власть над реальностью, что если после суда вскрывались новые обстоятельства, он писал: суд считать яко небывшим. Такая же история была с одним офицером, который обманом залучил иностранку в церковь. Она хотела венчаться, а это был молебен. Она ничего не понимала в православии и родила ему шестерых детей. Потом оказалось, что он женат. Она бухнулась в ноги кому следует, дошло до царя, и царь начертал: считать молебен венчанием.

Миша по-прежнему ничего не понимал.

— Ты знаешь, — сказал Павел, — бывает опыт вредный, а бывает просто лишний. Я предлагаю тебе считать все происшедшее излишним. Помнить тебе никто не мешает, но я советую забыть.

Вот это было очень Пашино: не «советовал бы», а «советую». Когда на обсуждении мастер, добрый, показной грозности человек, прозванный Селявинским, сказал ему: «На вашем месте я этого не писал бы», — Паша ответил очень естественно, без картинной резкости: «Но ведь вы этого и не пишете».

— Очень хорошо, — сказал Миша.

— Как в монтаже, — пояснил Павел. — Этот кусок вырезается и идет в срезки. Приходи в Карманицкий в среду. Бориса я предупредил, и он, в общем, согласен.

И Миша почитал случившееся яко небывшим до самой середины июня.

*   *   *

21

За это время многое успело произойти, но это была уже новая, взрослая жизнь. У Миши начался тихий роман с девочкой-сердечницей, лечившейся у них в апреле; она была легкой добычей, одинокая, неизбалованная, но прелестная той прелестью, о которой сказано: чахоточная дева. При малейшем напряжении она задыхалась, но подлечили, рекомендовали даже спорт. Звали ее Соней. Училась она на радиоинженера.

Лия не звонила. В Карманицком долго обсуждалась премьера «Города ветров», прошедшая в начале мая с тремя аншлагами и подозрительно быстро изгнанная из клуба в Малом Каретном. Там что-то не понравилось. Борис был на премьере и дежурил в гардеробе — начало мая было холодное. Народищу, говорил Борис, было страсть. Появилась хвалебная рецензия в «Комсомолке» и осторожная статья в «Правде», где говорилось, что актеры, сами пишущие для себя роли, — это коллективный подряд и продолжение идей Горького, но конфликты нежизненны, а песни пахнут кабаре. На втором представлении потеплело, и Борис был уже не нужен; и в этот самый момент, объяснял он, что-то сломалось. Второй спектакль игрался уже без энтузиазма, а с третьего представления даже уходили. Никакого внешнего повода к такому перелому не было. Песню «Расставались под сосной» пели во многих компаниях. Театральный критик Левин, которому не нравилось никогда и ничего, сказал кому-то в кулуарах, что явилось небывалое поколение, и дай бог, чтобы его не выбило европейской войной, потому что к тому идет. Миша не пошел ни на премьеру, ни на следующие показы, хотя Павел и уверял, что Орехов и его команда не держат зла. Впрочем, добавил он, ты ничего не потеряешь. Может, добавил он, войны тоже не будет, потому что и некого особенно выбивать. Павел вообще стал тусклый, словно присыпанный пеплом.

Причину раскрыла Лена, когда однажды они с Мишей курили под тихим дождем на ступеньках института. Дождь шуршал в кленах, плескал в лужах, все было серое и бледно-зеленое. Случилась история, Паша присутствовал при составлении какой-то прокламации, ужасная глупость. Ничего не понимающие в реальности физики, люди, работавшие в закрытом институте, с теоретическими, далекими от жизни представлениями, приехали в командировку в Москву, навидались, как снабжаются люди в обычных магазинах, возмутились, написали меморандум, и Паша при этом был. Через неделю взяли всех, но его не тронули. Пошли

слухи, которые, скорей всего, распространял как
раз истинный доносчик, которого взяли и сразу
же отпустили; с Паши какой спрос, он никого не
знал в этой компании. Но слух пошел, и было уже
не отмыться. Он и не старался отмываться, таскал
кличку доносчика с той же гордостью, с какой
прежде носил корону первого из молодых поэтов
Москвы; к счастью, все быстро встало на места,
но он уже не мог быть прежним, потому что поверить в предательство любого оказалось так легко!
Выпьем, говорил он теперь в застольях, выпьем за
то, чтобы каждый из нас, услышав о другом самое
плохое, не поверил хотя бы в первые три минуты.
Миша считал, что разбирается в людях, а ведь ничего этого не знал, и о Паше ему никогда не пришло бы в голову такое, — как-то тот был не из тех,
о ком распускают вонючие слухи. Теперь Миша
стоял под мелким майским дождем и понимал,
что ничего не понимает, и еще по-скотски думал
о том, что он-то, Миша, еще дешево отделался.
Паша, говорила Лена, сказал ей однажды: как бы
хорошо теперь на войну, там бы я всем доказал,
а теперь ведь никому ничего не докажешь. Миша
подумал: что же это за время, когда для доказательства своей порядочности обязательно нужна
война, а в мирное время уже никто не верит никому. Но четырнадцатого июня опубликовали ноту
о том, что провокациям верить нельзя, а разговоры о войне — вражеская выдумка. И Миша опять
почувствовал странное разочарование, словно на-
рыв назрел и не лопался.

А восемнадцатого, сразу же после сессии, их на неделю отправили на Истру, в пионерский лагерь, куда в обязательном порядке ездили все ифлийцы, — своего рода педпрактика, и не зря поговаривали, что преподавать историю на периферии — лучший вариант карьеры для их выпускника. Мише не хотелось развлекать детей, да и Соня со странным упрямством просила остаться, но отказаться нельзя было. Восемнадцатого они уехали, а девятнадцатого к нему домой прибежала Лия.

— А вы Цецилия Александровна, — сказала она его матери. — Он про вас рассказывал, я сразу узнала. Миша дома?

— Миша уехал на практику, будет через неделю.

Цецилия Александровна, которая с самого восстановления сына в институте относилась к нему благоговейно, подумала теперь о нем с особенным уважением: вот ведь какая девушка за ним ходит!

— На неделю? — ахнула девушка. Она была уже совсем взрослая, но ахнула очень по-детски и сразу страшно покраснела. — Этого не может быть, этого нельзя!

— Но он поехал от института, — с гордостью сказала Цецилия Александровна.

— Боже мой, но как? Неужели он не может задержаться на день?

— Он скоро будет, — сказала Мишина мать, уже несколько насторожившись: из-за чего же так отчаиваться, неужели беременность? — У них там шефская работа, они вернутся.

— Ах, боже мой! Но ведь это значит, что мы никогда больше не увидимся! Мы не увидимся больше, Цецилия Александровна, вы это понимаете?!

— Но почему же, ведь он вернется...

— Да я-то не вернусь, как же вы не понимаете! — крикнула девушка. — Я уезжаю завтра утром с мужем, и мы никогда не увидимся больше!

Ах, с мужем, обидчиво подумала Цецилия Александровна. У тебя уже муж. Ну и катись тогда.

— До свидания, — сказала она вежливо. — Что ему передать?

— Передайте, что была Лия, но это уже неважно. Передайте, что я очень, очень хотела его видеть, что никто не виноват, но вот так. Боже мой. И я никогда, никогда не увижу его больше, разве что чудо, но чуда не будет. Прощайте, Цецилия Александровна, и пусть он меня простит.

Она убежала, и Мишина мать долго еще морщилась, вспоминая эту слишком роковую сцену. Ну в самом деле, что за экзальтация? А Миша узнал об этом визите тогда, когда уже ничего нельзя было изменить. Сам он в это время обживался в деревянном вожатском корпусе лагеря под Истрой и выслушивал рассказы хорошенькой вожатой Марины о том, что рядом тут дачная местность Снегири и знаменитый пляж, куда наезжают из самой Москвы. Еще там есть теннисные корты. «Я не играю», — сказал Миша. «Тогда волейбол», — сказала Марина, не терявшая надежды сыграть с ним в какую-нибудь командную игру.

- И Ю Н Ь. Часть первая -

Дети поражали Мишу необыкновенной тупостью, словно природа израсходовала все силы на Мишину блистательную генерацию, а следующим досталась баранья покорность, короткая память, нулевое воображение. Он долго пытался понять, откуда бы это. Допустим, у природы свои нужды, и тогда Мишино поколение растили для великого дела, а этих одинаковых, даже не озлобленных, а просто тупых детей — для жизни в том новом мире, который они построят. Как же ужасен будет этот новый мир, построенный нами, подумал он. И во всей природе, кроткой природе Истры, было нечто тупое, послушное, располагающее к дикости. Поражало только обилие запахов, какого никогда не бывало в городе. Дети тоже были довольно пахучие.

Вдобавок всеми овладело грибное помешательство: говорили, что никогда не было таких ранних и обильных грибов, не какие-то жалкие колосовики, а настоящие белые, и даже подосиновики, которых здесь отродясь не бывало; такое грибное изобилие, говорили в окрестных деревнях, бывает только перед большой бедой, и вожатая Марина с упоением пересказывала эти слухи. Грибов Миша не любил, и в самой их сыроватости и приплюснутости виделось ему что-то от деревенской жизни. Пока все ходили по грибы, он пытался сочинять или читал подшивки детских журналов. Детские журналы сплошь были как перед большой бедой — примета вернее всяких грибов. Да и все тут было как перед большой бедой, и самое обидное, что всегда обхо-

дилось, устраивалось, чтобы вернуться к этому же
состоянию вечной беременности.

Отрядные дела были необременительны,
и в ближайшую субботу — родительский день, когда воспитательные чтения не предусматривались
и ифлийский десант чувствовал себя откровенно
лишним, — Миша решил податься на знаменитый
пляж. С ним отправился молчаливый и неуклю-
жий Игнатьев. Прочие остались в лагере: кто-то
валялся на койке и сочинял, кто-то отправился по
грибы, а кто-то предавался флирту с младшим пед-
составом, как называли вожатых, большей частью
студенток областного пединститута. Среди них
были хорошенькие, но Миша еще не отошел от мар-
товского испуга и твердо решил избегать промиску-
итета, тем более что он разогревал нервы и сушил
душу.

— Тут санаторий рядом, — сказал Игнатьев. —
Мне сестра рассказывала. Там и пляж получше,
и девочки.

Попасть на санаторный пляж можно было
только с воды — на суше он был отделен решеткой,
хоть и чисто символической; в конце концов, кто
хочет, заплывет. И Миша с Игнатьевым заплыли на
окультуренный санаторный пляж: повалялись на
чистом песке, посидели в тени расписного грибка,
напросились в компанию преферансистов, где показали неплохие результаты, — и к двум часам дня
Миша почувствовал, что его разморило. Он отполз
под соседний грибок и задремал, краем уха продол-
жая слышать звон мяча и крики волейболистов.

Ему снилась игра, несравненно более сложная, чем волейбол, причем играли тяжелыми, словно каменными мячами: никак нельзя было дать им приземлиться. Он не особенно удивился, когда громкий женский голос над ним сказал: никуда не денешься. Открывая глаза, он знал уже, что увидит Валю Крапивину. Не зря с самого утра томился от странного сочетания веселья и досады.

Она стояла над ним и смотрела в упор, как солнце, серо-зелеными глазами. Сейчас они были скорей зелеными, чем серыми. Взгляд ее был удивительно спокоен. Он посмотрел на нее, как впервые, и заметил, что она очень хороша, лучше, чем он запомнил. Да он и старался не вспоминать, но все-таки в постели с Соней вспоминал и понимал, что Соня — паллиатив. Ему вспомнилась фраза из анекдота: они меня не любят, они мной дрочат.

— Ты откуда здесь? — спросил Миша.

— Я-то тут отдыхаю, а ты откуда?

Ее поощрили недельной путевкой. На более долгий срок Ганцев отпустить ее не желал, ибо она сделалась незаменима. Любви промеж них больше никакой не было. Зато за начальника участка Вавилова она собиралась замуж. Они и заявление уже подали, оставалось три недели. Зачем давали этот месяц отсрочки — они не понимали: ведь и так все хорошо было, неужто опасались в загсе, что передумают? Везде подстраховка, сказал Вавилов. Он был чем-то похож на Колю Тузеева, наверное, вот этим: в целом он очень преданный, очень наш, но над мелочами шутил. Понятно было, что со временем мелочи перевесят, и он со всей своей прямотой и преданностью станет не наш. И она поймет, останется с ним. Конечно, он был слишком прям и тяжел, и не было в нем никакого особенного таланта. Но сказать, чтобы было вовсе неинтересно, она не могла.

— А я в лагере тут, — ответил Миша. — Практика.

— Прямо как таскаешься ты за мной, — сказала Валя.

— Или ты за мной, — ответил Миша без злобы, скорей заинтересованно.

— А я замуж выхожу, — призналась Валя.

— Совет да любовь, — сказал Миша. — Лишь бы человек был хороший.

— Хороший, не беспокойся.

— Мне-то что волноваться.

— Слушай, — сказала она вдруг заговорщическим тоном, какого он и не помнил у нее. — Ты полежи тут еще минут пять, хорошо?

Приведет сейчас этого своего, лениво подумал Миша, еще поколотят, не дай бог, как все с ней понятно, просто ужас. Но уйти будет трусостью. Он закрыл глаза и изобразил на лице блаженство.

Через три минуты на него опять упала тень, он открыл глаза и снова увидел Валю — одну. Валя ходила договариваться с соседкой по комнате и договорилась.

— Пошли, — сказала она, наклонилась и взяла Мишу за руку. Он встал, голова после солнца кру-

жилась. Спрашивать, куда пошли, тоже было бы
трусостью.

Она жила на пятом этаже новенького корпуса. Корпус был выстроен с крымско-кавказской
курортной роскошью, странной среди кроткого
Подмосковья, но это был теперь такой стиль, по
понятным причинам заимствованный с Кавказа.
Роскошь была признаком силы, как у всех азиатов.
Мы теперь азиаты. Внутри было прохладно, стоял бильярд и огромные шашки, которыми как раз
сейчас двое атлетически сложенных отдыхающих
играли в «Чапаева». Игра возникла после филь-
ма и заключалась в том, чтобы выбивать нижнюю
шашку из столбца. Атлеты были мастерами своего
дела.

В номере на пятом этаже Миша обратил внимание, сколько флаконов и пилочек было настав-
лено на тумбе около кровати, но это оказалась не
Валина кровать. Валя стянула платье через голову,
и тут Миша вспомнил почти забытое за два месяца,
да что там, насильственно вытесняемое чувство.
Он вспомнил, как бывает, когда очень хочется,
как это невыносимо, как унизительно. Он зависел
от нее, как ни от кого в жизни, и вспоминать это
было попросту страшно. В ней все настолько было
на месте, настолько как надо. У нее была подлая
душа и жалкий ум, и все-таки все ее тело говорило
о другом, тело было умным и отважным, это было
не в том, как она двигалась, не в том, как принимала его, — а независимо от него, в каждой линии.
Это тело было ему предназначено, а что там было

с ее изуродованной душой и неразвитым умом — неважно.

Валя быстро забралась под одеяло и повелительно хлопнула рукой по простыне.

— Нет, погоди, — сказал Миша, — я хочу посмотреть.

— Мало ли что ты хочешь.

Она схватила его за руку и потянула к себе. Она была сильная. Вообще, тут как: примерно как в женской палате больницы, успел подумать он. Женщины красивее, чище, лучше, мужчины по большей части скоты, но женское разложение ужаснее, женщины хуже пахнут и в полураспаде меньше за собой следят. И в постели так же. Или это нормальное соитие без особенных чувств, здоровое такое бычье дело, или это самый страшный восторг и самая страшная грязь. Если любишь, то потом так же сильно и ненавидишь. Действительно, или ты в этом деле бог, или животное, совсем животное, вот как я сейчас, когда вылизываю здесь. Но когда я животное, я все-таки больше бог, чем когда я с любой другой, с обыкновенной, с никакой. За всю эту животную божественность я буду платить ужасно...

Им никогда еще не случалось заниматься этим делом в нормальной кровати, и потому у них не было времени на медленное, вдумчивое привыкание. Миша не закрывал глаз. Он понимал, что все надо запомнить.

— Вот знаешь, — заговорил он потом, — вот я смотрю на тебя сейчас — и думаю, как все в тебе хорошо. Вот смотрю — и думаю: слишком хорошо, чтобы это было мое. И никогда не будет мое, хотя вообще должно бы с самого начала. И если бы ты была моя, я бы не любил тебя так. И ревность ничего не портит. Серьезно. Есть только одна вещь, которая вообще все портит. Это страх. Я иногда тебя боялся и тогда ненавидел. Ты этого понять не сможешь, ты слишком здорова, а я всегда живу с чувством, что если начнется, то начнется с меня.

— Ты, Гвирцман, все про себя, — сказала Валя ласково. — Ты потому и не видишь ничего.

— Согласен, мне всю жизнь это говорят. Но я не скрываю хотя бы.

— А что ты про меня знаешь? Ничего ты про меня не знаешь. — Она перевернулась на живот. — Моя жизнь такая была, что посмотрела бы я на тебя. Меня в четырнадцать лет отчим растлил.

Она сама не знала, правду ли говорит. Правды, во-первых, нет, и что выдумаешь, то и будет, а во-вторых, что-то отчим безусловно с ней сделал, так что учитель физкультуры в десятом только продолжил давно начатое. То есть что-то было.

— А я знал, — сказал Миша и обнял ее. — Вот знал.

— Ничего ты не знал, — произнесла она, не высвобождаясь.

— Все знал. Это сейчас так у всех. Всех растлил отчим.

— Иди ты к черту. Тебе все бы зубоскалить.

— Слушай, нет! Клянусь, я серьезно. Но это со всеми сейчас. Я не могу объяснить. У всех или

отчим, или мачеха, потому что родные родители
так не сделают никогда. И всех они насилуют. Я не
буду тебе объяснять, ладно? Ты сама понимаешь.

— И учили меня плохо, — добавила она. —
Я всегда была среди вас как дура, и выручало меня
то крестьянское происхождение, то Коля. Понимаешь что-нибудь? Ничего ты не понимаешь.

— Молчи, молчи. — Это было совсем не нужно, как не нужен был иногда в терпком запахе ее
пота какой-то земляной, чуть не конский отголо-
сок, что-то неистребимо крестьянское. Крестьянство Миша ненавидел, и она не была крестьянкой,
а если и крестьянкой, то французской, из тех, которые у Мопассана отдавались бродягам или извоз-
чикам. Он не хотел, чтобы она сейчас говорила.

— А никто не придет? — спросил он, когда уже
темнело. Ночь была почти белая, нежно-зеленая,
из ее окна был виден дальний лес, над ним стояло
бледное тихое сияние.

Валя встала и открыла окно. Пахло водой,
свежескошенной травой, чем-то илисто-глинистым,
гнилостным, но сладостным. Миша подошел к ней,
и некоторое время они так стояли у окна, глядя
на острые верхушки елей и ломаную линию леса.
Потом небо стало лиловеть, хотя полная темнота
не наступала. Самая короткая ночь, подумал он,
а больше нам и не дано.

— Я сговорилась, Светка у своего дундука останется. А как он со своим сговорится, это уж его
дело. Все сговариваются как-то. Смешно, знаешь, —
приехали три дня назад, расселили всех, мальчик

к мальчику, девочка к девочке, а сейчас перемеша-
лись — я не могу.

— А кто этот, жених-то твой?

— А тебе что за дело?

— Интересно все-таки.

— Ничего уж не сделаешь, Миша, — сказала
Валя тихо. — Ничего уж не сделаешь.

— Ну, а потом, после... ты будешь со мной
видеться?

— Может, буду, а может, нет. Скорее нет. Чего
душу травить.

— Но ведь не плохо тебе... так? — спросил он,
не решившись сказать «со мной».

— А я не знаю, как мне плохо. Мне по-всякому
хорошо и по-всякому плохо.

Он ощутил вдруг нечеловеческую, невмести-
мую полноту этой ночи, запаха, тишины. Он посмотрел на ее крепкие белые ноги, плоский живот
с дорожкой волосков от пупка, — ее и это не пор-
тило, — удлиненные груди с как бы курносыми
сосками, как ужасно все это звучит, ничего нельзя
назвать, — и подумал: нет, это совсем не то, что
было с Лией, там все было святыня, а здесь такое
страшное родство. Но как бы я целовал эту грудь,
если бы поверил, что она вскормит моих детей.
А этого никогда не будет, и потому мне хочется
не целовать, а кусать ее. Все будет чужое, но сейчас, в эту ночь, все мое. Вот эта страшная полно-
та и зовется плерома. И это не может быть долго,
иначе никто бы не выдержал. Я смотрю на все, как
будто оно предназначено быть моим, а оно чужое:

и этот лес, и эта река, и эта чужая комната в санатории, и Валя Крапивина. На один миг все это мое, а больше — уже никогда.

— Пойдем спать, — сказал он. — Мне завтра к детям рано.

— Господи, — сказала Валя вдруг с такой звериной тоской, что Мише стало страшно. — Господи, Миша. Вот если бы... слушай... я говорю такое, что сама не знаю... но подумай только, как было бы хорошо, если бы ты просто ушел на войну, а я бы тебя просто ждала! Господи, как бы это было... без всего этого, знаешь, без всей этой дряни... Мы так все испортили теперь!

— Но это же не мы виноваты, — сказал он, как будто это имело значение.

— Мы, не мы... Но ты только представь: если бы ты просто ушел, а я тебя просто ждала... Мишка, ведь это было бы счастье, да?

— Да, — сказал он. — Да, наверное.

И что-то мигнуло в воздухе, он не понял, что.

* * *

~ ЧАСТЬ ВТОРАЯ ~

— 1 —

А вот Борису Гордону свободного времени почти не выпадало, потому что у него была ответственная журналистская работа, жена и любовница.

Если бы ему привелось описывать себя — терапия, к которой он иногда прибегал, а не писательское тщеславие, конечно, — он бы действовал в этой прозе под пятью разными фамилиями, или можно изысканней: Борис — Ильич — Гордон, Журналист, Команч. Раньше всех был Команч, еще с гомельских гимназических игр, — и, как всегда бывает, он и оказался самым живучим. Команчем он был с Гореловым. Для Муретты только Гордон, для Али — только Борис, Борька: похоже, она наслаждалась самим звучанием имени. Ильич — в ТАССе. Журналист — как положено, в журнале. И всё это были разные люди, и если раньше переключение не требовало усилий, то за три Алиных месяца между Борисом и Гордоном образовалась трещина.

Все пятеро оказались разного возраста. С Алей он был старшим — пожалуй, сорокалетним; с Муреттой так и остался двадцатипятилетним плюс-минус три года. Ильичу и Журналисту всегда было тридцать, Ильич чуть младше, еще цепенеющий от внезапной ответственности. Что до Команча... Кажется, у Галена — или у другого ученика Фройда, на них в двадцатые была недолгая мода, Борис в Академии как раз ее застал, — он читал, что при наличии множественных личностей (синдром, впервые описанный на австро-венгерском шпионе) одна судит всех, вызывая на правеж. Вот это был Команч. И если бы кто ему в детстве сказал, что самым настоящим и самым честным окажется именно Команч, собеседник Горелова, — о, как бы Борис удивился! А может, и нет. Он в детстве гораздо меньше удивлялся, будто с самого начала все знал.

И Алю, вот странность, он знал уже тогда. Аля была Девочка Напротив, предмет первых воздыханий, волшебное существо, начисто лишенное девчачьего высокомерия; она смотрела на мир благодарно, и его словно подбадривала — ну что же ты? Но Боря так и не решился, а когда осенью, собираясь в третий класс, приехал с дачи, ее уже не было. И теперь она вдруг приехала, прямо из Парижа. Оказывается, она уезжала в Париж. Правда, пятнадцать лет где-то пролежала в хрустальном гробу, не взрослея. Ему было теперь тридцать семь, а ей двадцать два...

Но был шестой.

Этого Шестого не знал никто, не знал сам Борис, но чуял. Шестой должен был выйти наружу, когда по разным причинам умрут или сдадутся верхние пятеро. Вот когда не станет ни Бориса, ни Гордона, ни даже Команча, — этот Шестой заявит о себе. Думать о нем было стыдно, сознавать его в себе — мучительно. Это был голос рода, той стыдной архаики, о которой нельзя говорить вслух. Борис все делал, чтобы заглушить его: учил языки, читал сложных французов и вычурных немцев в оригинале, бесконечно странствовал, не позволяя себе ни месяца оседлости; о родителях, живущих в провинции, почти не вспоминал, а когда наезжал к ним — радостно отмечал в них черты советскости, поступаясь даже памятью детства. Но Шестой был, и Боря знал, что это последняя опора. До нее могло не дойти, но он чувствовал, что дойдет: этот навык — доверять самым дурным предчувствиям — был воспитан долгим опытом.

Имени Шестой не имел.

* * *

2

Главная задача сообразительного человека в мире заключается в том, чтобы понять свое предназначение и следовать ему, говорил Команчу отец, чьи назидания всегда были банальны, но, как выяснялось, спасительны. Увидеть себя со стороны, проследить свой путь с его кривизной и научиться этому следовать, — на это едва ли хватит жизни, но Боря, у которого с детства был опыт самонаблюдения, к двадцати пяти годам об этом догадался. Ему надо было жить на два фронта: любить одну женщину и спать с другой, служить в одном месте и подрабатывать в другом, исповедовать одну веру и тяготеть к безверию. Такая двойственность присуща не всем, но только для него она была воздухом, средой, самым плодотворным состоянием души. И женщина, готовая терпеть эту раздвоенность и даже наслаждаться ею, в конце концов нашлась — даже, пожалуй, раньше, чем он надеялся.

Когда ему было около тридцати, в его жизни появилась Муретта, существо небывалого склада.

Во всяком случае, в прежних своих скитаниях он не встречал ничего подобного. Это было новое поколение, народившееся через полтора десятилетия после революции. Революцию она застала ребенком, но именно в этом впечатлительном возрасте успела понять, насколько все зыбко, как легко рушится мир и как это, в общем, весело. Тринадцати лет она дружила с беспризорниками и многому у них научилась. Муретта мастерски свистела в два пальца, жонглировала яблоками, могла пройтись на руках. Это были еще самые невинные из ее способностей. Она могла бы и карманы обчистить у трамвайного попутчика — Боря не раз удерживал ее от демонстрации этих навыков. Она была изобретательна и ненасытна в любви — Боря в первое время уставал от этой акробатики, — но умела быть и тихой, и смиренной, и все это без малейшего напряжения, — и переодевалась с той же цирковой легкостью. Ей все шло. Ловкость и сила были совсем не лишними в ее профессии — а Муретта была не больше не меньше — хирург-стоматолог. Он потом процитировал ей из входящей в моду книжки: его любила даже одна женщина, зубной техник, — и она намекнула, что была знакома с одним из соавторов. «Да? — переспросил Боря. — А с этим автором ты не была знакома? "Я имел для души модистку с телом белее известки и мела, а для тела дантистку с удивительно нежной душой". Двадцать лет пролетело, теперь я большой». Прелесть, сказала она, неужели это ты?

    Она была в самом деле хорошим врачом, с личной клиентурой, в том числе чиновной. Но все это в первый год головокружительного романа занимало его очень мало, он не мог налюбоваться ее ладностью, гладкостью, смуглостью, ее откровенностью и остроумием, фривольным, даже грязноватым, но в этом и была — ненавистное ему слово — пикантность, а иначе как назовешь? Эта ее кожаная шоферская кепка!.. Машины нет, так хоть кепка. И Боря думал, что вот она, женщина тридцатых годов, новый тип, и советская власть, пожалуй, имеет теперь именно такое лицо. Трудности еще были, и где-то даже голодали, но в целом построилось вот такое: вполне европейское, хотя скорее американское, — прелестное, свежее, очень деятельное, с бодрыми ямочками, с неофитским, хотя и несколько снисходительным, любопытством к мировой культуре, с некоторым даже интересом к античности и воплощением античных же гармоний.

В мужском варианте воплощением таких потенций был Дорлиак, разоблаченный, прощенный и безвременно ушедший. Он был антично красив, дориански дендичен, и вместе с тем человек глубоко новый, без аристократического вырождения. И вот Муретта: бешеная смесь кровей, с татарщиной, с польской примесью от отца, умершего в девятнадцатом и осиротившего семью, — с великолепным наследственным вкусом, с этой очаровательной способностью соорудить наряд хоть из полушалка, с шармом деловитости и невесть откуда взявшейся избалованности. Она немного напоминала Халаджеву, но была выше, шире в кости, без капризности, которая все портила. Словом, это

было совершенно то, что нужно, и для полноты
счастья не хватало только одного: чувства, что,
когда он пресытится и начнет с неизбежностью
искать нового, потому что по-другому не было еще
никогда, а до старости по-прежнему далеко, — она
с обычной своей легкостью скажет: прелестно.
И найдет себе утешителя, который не помешает
весело делиться с Борисом своими похождения-
ми и по-прежнему вместе летом странствовать по
Кавказу. О, Кавказ!.. Нет, Кавказ был дик. Вот на
Грузию, пожалуй, Муретта походила больше всего:
щедрая, веселая, благодатная, без напряжения из-
влекавшая, как фокусник из рукава, новые
и новые чудеса и угощения, — и с такой же легкостью переключавшаяся на любого другого ту-
риста. Когда Боря уезжал, его провожали чуть ли
не со слезами, а на следующий день, уверял он
себя, уже припоминали с трудом; и это отлично —
не надо слишком сильных чувств, не надо ни вызывать их, ни испытывать, это и неприлично,
в конце концов.

Появились прекрасные люди с короткой
памятью. И то сказать, если бы мы всё помнили — и гимназию, и отряды самообороны, и голод,
и немцев, и фантастический Петроград восемнадцатого, и невыносимый Петроград двадцать второго, и все, что называлось потом угаром, — как бы
мы жили? Искусство легко забывать было главной
добродетелью новых любовников. Только женщины
не научились легко отпускать, но наконец нашлась
и такая.

Боря никогда не заговаривал о браке, и предложение сделал в удивительной форме — Муретта потом всем пересказывала.

— Муретта, — сказал он (французское прозвище придумал кто-то из прежних поклонников, ныне переведенных в друзья, и оно прижилось), — Муретта, что ты сказала бы, если бы узнала, что я полюбил другую?

— Молодец, сказала бы я, правильно сделал, я всегда была для тебя слишком хороша, и ты с твоим носом очень явно проигрывал на моем фоне.

Она произнесла это мгновенно, не задумавшись, — потому, вероятно, что репетировала прежде. А может, экспромт, какая разница.

— Муретта, — сказал Боря тогда. — Я хочу прожить с тобой то немногое, что мне осталось (шутки на тему своей старости он практиковал регулярно). Но в этом браке — ненавижу это слово, и недаром у поляков это слово отрицательное, — в этом браке я не хотел бы чувствовать себя на привязи.

Муретта расхохоталась, и это его слегка уязвило.

— Ох, не могу, — выговорила она со слезами на глазах. — Ты делаешь мне — мне! — предложение, оговаривая измены? Ты претендуешь на блюдо от шефа и выгрызаешь себе право иногда погрызть тухлятину с помойки? При этом, заметь, я не давала тебе никаких надежд!

— Ну уж и никаких, — сказал он сконфуженно. — У меня есть некоторые основания... как мне казалось...

— Да мало ли что тебе казалось! Еще ни один мужчина не смел обратиться ко мне с таким хамством! А между тем кандидатов достаточно, не думаешь же ты, Боря, что свет сошелся на тебе клином?

Нет, ответил Боря, этого я честно не думаю. О, горе мое, сказала она. Я никогда не дала бы тебе согласия, если бы ты явился с розами и долго мялся. Я не выношу выражения «просить руки», ведь ты просишь совсем не руки. Да, не удержался Борис, рука есть. Что же, сказала Муретта, в добрый час. Отказать было бы недальновидно, к тому же своя комната!

И он долго еще сомневался, не сыграла ли тут роли квартира в доме Жургаза, как раз обещанном к тридцать третьему. Но Муретта не была корыстна, или прятала это так умело, что за такую умелость можно было простить и корысть.

И они стали жить вместе, причем брак почти ничего не изменил. Мещанского уюта не было, был конструктивизм, максимум свободного пространства. Никаких цветочков, накидочек. Умела она и готовить, но по большим праздникам. В остальное время он что-то перехватывал на работе. Обновы шила сама, и преотлично... И года через полтора, как Боря и предсказывал, появилась в его жизни бывшая поселянка, а ныне домработница у Черемухина, девушка Татьяна, светловолосая, привязчивая, смиренная; потом была Полина, истеричка, хотя, между прочим, инженер; была актриса Самсонова, женщина высокого полета, чьим запросам он слишком явно не соответствовал, а соответствовал, как выяснилось, Гердман, к тому времени нищий ссыльный, человек без будущего, остряк и, в сущности, пустышка. Так думал уязвленный Боря, скача в пыли на почтовых.

Кстати, случившаяся вовремя поездка в орошаемый Туркменистан внушила ему мысль, что в среднеазиатских обычаях, может быть, нет ничего дурного: из множества жен как бы собирается одна, единственная и недосягаемая. Редко сходятся все добродетели в одном человеке, и в Муретте кое-чего не хватало — уязвимости, например. Она слишком была победительна, слишком тверда, ко всему приспособлена, и не было у него шанса ни на легкое высокомерие, ни на жалость, обычную мужскую жалость, которая в спектре эротических наших эмоций играет, между прочим, не последнюю роль.

Иногда Борю охватывал страх — а что в старости? Ведь Муретта и в сорок пять будет вечная циркачка в рискованном трико, она не насытится ничем, ей всего будет мало, а он к пятидесяти станет все больше мечтать о покое, об уединенности, об уюте, если угодно. Боря многое о себе знал и многое себе прощал за это. И тогда — как будут они уживаться? Тогда ему нужна будет простая девушка, сельская, лишенная Муреттиного блеска и лоска, но готовая пожалеть, в конце концов, обслужить... Муретта же была слишком непобедима, и каким бы котенком она ни ласкалась к нему иной раз, он не склонен был доверять этой минутной, виртуозно разыгрываемой слабости. Этой гаремной теорией он поделился однажды с Боровиковым, и услышал от него в ответ именно то, что и хотел услышать: а как бы вы хотели в двадцатом веке? Мы люди модерна. Мы двойственные люди, люди-палимпсесты, в нас одно написано поверх другого. И так не только в СССР, а везде. Человек безмерно усложнен — не хотите же вы, чтобы его сексуальный интерес был по-прежнему сосредоточен на одной самке? О да, подумал Боря, значит, все уже озабочены придумыванием себе универсального оправдания. Но про палимпсесты ему понравилось.

И все это время Муреттино — первенство? главенство? старшинство? пристойного слова не было — не подвергалось сомнению. Боря, впрочем, не обольщался, как не делился и впечатлениями о заместительницах, и она, отлично его понимая, обходилась без намеков на свои победы. Кое о чем он догадывался, к точному знанию не стремился.

Первые годы с Муреттой были очень хороши. Но жизнь менялась, и с ней менялась Муретта. Эти перемены были едва заметны и объяснялись, конечно, возрастом, — ибо и самая железная женщина не переделает собственной биологии. Она, во-первых, несколько отяжелела. Природа ничего не творит зря, природа готовила ее к материнству. Она раздалась, и не то чтобы обабилась, но гибкость и подвижность юности сменились, так сказать, большей основательностью. У нее стала, например, широкая спина. Он заметил это однажды и не сказать чтобы разочаровался, напротив, такая Муретта стала даже более желанной, — но чувствовалось уже, что это не девочка на шаре, а бездна, которая может и засосать. И когда однажды она намекнула, что может быть, со временем, все-таки Боря-маленький оказался бы не такой уж помехой, — он насторожился, а потом подумал: и впрямь. Надо же что-то после себя оставить, кроме вороха желтых вырезок. А поскольку с обычной журналистской мечтой о романе он простился давно, отчего бы не переключиться на деторождение? (С романом была особая история: все-таки, чтобы его писать, надо на чем-то стоять. А для него самоцелью стала именно подвижность в стремительно несущихся водах, легкость смены шкуры, и в тридцать пятом было уже немыслимо то, о чем мечталось в тридцать третьем. Он уже и не помнил себя тогдашнего.)

Но это раз. А два — Муретта стала ревнива, и это делало ее и грозней, и уязвимей. И в этом тоже было странное, все усиливающееся сходство со страной. Юная, бодрая, деловая, по-детски жестокая в тридцать втором, уверенная и все еще легкая в тридцать третьем, к тридцать шестому Муретта тяжело ревновала, иногда беспричинно, а иногда исходя из априорного знания о том, что должен же быть кто-нибудь. Так и страна уже всюду видела измену, хотя откуда бы? Нет, стране, как женщине, попросту казалось, что ей должны изменять, — и потому, что она уже не так молода, и потому, что по-прежнему нет обещанного счастья, и потому, наконец, что это просто в людской природе. И, всюду прозревая измену, страна чередовала кнут и пряник, то закидывала благодеяниями, то мучила подозрениями, то ласкалась, то плакала, то скандалила, придравшись к какому-нибудь формализму. Муретта, пожалуй, вела себя еще прилично. Однако и в ее ласках Боря заметил фальшь — она, которой все и всегда угождали, теперь старалась понравиться, и как-то он поймал откровенно заискивающий взгляд; шоферская кепка исчезла, появились длинные платья, однажды она с завистью рассказала о соседском ребенке, с которым играла во дворе, — и Боря готов был согласиться на эту новую стадию их союза. Но тут явилась Аля, и очень быстро все сделалось серьезно.

Он сидел в большой, шумной, прокуренной редакции журнала «СССР на стройке», обитавшего тогда при Жургазе, и правил что-то о Татарстане, что-то неуклюжее, но еще честное, с остатками энтузиазма. Из коридора донеслось «Пожалте-пожалте», и Максимов пропустил впереди себя девушку, показавшуюся ему шестнадцатилетней. Как и все, Боря сначала заметил огромные светло-голубые глаза, две голубые фары, как называла она их, насмешничая над собой. И она сразу остановила взгляд на нем, зацепилась за него, как за спасательный круг. Она вошла в комнату быстро и радостно, но видно было, что — растеряна; неясно было, как встретят существо из иного мира, с другим опытом, а тут он, совершенно такой, какого ей было нужно. Так она говорила потом. И еще говорила, что загадала. Удивительна была ее детская манера гадать, загадывать, доверие к приметам, самые старые московские суеверия, сохраненные в европейских странствиях и с новой силой расцветшие тут. Все эти «месяц слева», четные и нечетные ступеньки на лестницах, сложная система ее внутренних сказок, половину которых, он был уверен, она сочиняла для него. Но тогда и вправду загадала: если войду и встречу человеческое лицо, настоящее, нужное мне лицо, — то это как раз и будет он. Иногда Борю точила мысль: вдруг сидел бы не он, и она наткнулась бы на другое лицо, и все было бы с другим? Послушай, мог же я выйти в уборную? О, захохотала она, я тотчас сама захотела бы в уборную, пошла бы в конец коридора, встретила тебя, выходящего, — и тут же расхотела или... или напротив... Но он сидел на месте, правил ненужный Татарстан, и ровно на словах «блестящие глазки грязного, но веселого мальчугана в тюбетейке» вошла Аля, скользнула взглядом по головам, поднявшимся ей навстречу, и уперлась своими фарами в его очки. И такая радостная, такая сияющая улыбка приветствовала его — слава богу, все оказалось правдой, я все нашла! — что предать этого мига он никогда бы не смог. Он помнил о нем всегда.

Этот день был довольно суматошный. Ее посвятили в круг новых обязанностей, необременительных и не слишком важных, но она настаивала на том, чтобы ее задействовали — ужасное слово! — как можно плотней, чудовищный оборот. Я очень

истосковалась, товарищи, по работе. Иностранцы
были частыми гостями в «Стройке», но всё это
были настоящие иностранцы, а не вернувшиеся
свои, которых тотчас окрестили возвращенцами.
И как-то сразу Боря повел ее в буфет, и оказалось,
что она голодна — или притворялась? — и следующие два часа они проработали, постоянно
переглядываясь (ей тут же дали переводить чудовищный очерк о верблюдах, над которым она
то и дело прыскала, — а потом Максимов сказал:
хватит, товарищ, ваша работа сегодня в том, чтобы
как можно больше видеть и слышать). Тогда началась карусель — две недели бесконечных гуляний
по городу, и на Борины частые отлучки смотрели
сквозь пальцы, и он уже спрашивал себя: а не назначен ли он в кураторы? (Теперь уже не сомневался, что так.)

В первый же вечер она называла имена, которые он привык считать загробными, исчезнувши-
ми: Бердяев меня учил, Бунин мне сказал... Все
они где-то были и, оказывается, хотели сюда —
как, собственно, и положено теням. Почему же
она, такая живая, прилетела к нам из этого теневого
го мира, словно девочка из его отрочества умерла
от скарлатины, чего не было, и вернулась непонятно откуда? Они увиделись именно как потерянные
брат с сестрой, и оттого, что они давным-давно
были разлучены, не было этого братско-сестринско-
го общего детства, только мешающего. В детстве,
Боря помнил, на соседней улице жили брат с сестрой, оба красавцы, по которым вздыхал, кажется,

весь город, — близнецы с неуловимым сходством, но очень разные; и он недоумевал — как сами-то они могут жить под одной крышей и ничего такого друг к другу не испытывать? Мешало безгрешное, общее, вонючее детство: соседство на горшках. А Аля, хоть и была словно потерявшейся младшей сестрой, но с ней ничего ему не мешало, и когда он при первом прощании ограничился поцелуем в щеку, она посмотрела на него с изумлением, почти с обидой, — и тогда уж он дал себе волю, и прощались они на Даниловской набережной полчаса; и он знал — и она знала, — что в комнату, выделенную ей в большой коммунальной квартире, он может подняться, и Аля не возразит, но в первый день отчего-то было нельзя. Зато уже на второй их вечер, после трехчасового шатания по Парку культуры, где Боря с хозяйской радостью показывал ей все, само собой стало ясно, что он заночует; глупо, преступно, оскорбительно было бы не заночевать.

И тут шок: как?! Парижская штучка, окруженная там, насколько он знал, всеобщей любовью и поклонением, душа молодежного кружка, где все мечтали о России, корреспондентка двух газет, которую французы то и дело звали замуж, — наконец, ослепительная красавица двадцати двух лет, подрабатывавшая даже и киносъемками, — и вдруг берегла себя именно для него? Это не вмещалось в ум и требовало разъяснений. Неужели действительно лежала в хрустальном гробу или прожила пятнадцать лет в пространстве теней, где телесные контакты не приняты? Кому сказать — не поверят, но сказать было некому. Неизбежные в таких случаях неловкости она преодолела с умом и тактом, терпением и жертвенностью, каких он отроду невидел, и все получилось гармонично и празднично, — но как, как было это себе объяснить? Ну понятно они, Борино поколение, их двадцатые годы, когда главной задачей было познание мира и частным случаем этого познания ранний секс без любви; чувства были сильные, довольно звериные, но ничего и близко похожего на то братство, которое возникало иногда после двадцати, на то чувство общей уязвимости, телесности, бренности, которое приходило на секунду и сменялось потом новым отстранением, иногда почти брезгливым. Здесь же с самого начала было то, чего он не испытывал никогда и всегда тосковал по этому небывалому слиянию. Парижская школа любви заключалась отнюдь не в искусности (искусности он навидался), дело было в полном врожденном понимании, абсолютном проникновении, угадывании желаний за секунду до того, как они осознаются. Это было словно под музыку. Самым сильным и неожиданным чувством было постоянное удивление перед ее чистотой; и прелестней, и мучительней всего была именно эта чистота, которой она достигала большего, чем другие опытностью. Опытность не равна чуткости, в ней слишком видны повторяемые приемы, и то, что нравится одному, не обязательно подойдет другому. Аля обладала иным опытом, которого он не понимал, — опытом души, мгновенно узнающей все

по первым приметам. И потому она, не знавшая
мужчины в свои почти двадцать три года, не до-
пускала ни единой неловкости, ни малейшей грубости, словно с самого начала все знала о нем —
и все-таки с каждой ночью узнавала больше.

И постепенно он стал смотреть на себя любя-
щими глазами. Он научился многое себе прощать.
Перед Муреттой он тянулся, притворялся, старался
соответствовать чуждому, в сущности, образу —
этакий легкий, подвижный, бессердечный. А с Алей
он был тот же, что с матерью, и этого, как оказалось, ему так не хватало. И Аля никогда не обсу-
ждала с ним Муретту, никакого брака будто и не
было — она просто приняла его в свою комнату,
в свою жизнь сразу и целиком, и, если ему иногда
случалось ночевать дома, — мало ли, срочная работа или необходимость хоть как-то поддержать
видимость семьи — не было ни скандалов, ни рас-
спросов. «Я завтра...» — «Конечно». И ни на секунду не мог он ее заподозрить в желании отомстить,
да хоть бы, чем черт не шутит, просто расширить
горизонты — нельзя же заменить собой весь свет.
Он бы страшно обиделся, но понял. Однако эта
мысль была совсем уж абстрактной, из разряда ци-
ничнейших предположений на все случаи жизни.

И он так быстро привык к этому счастью,
что перестал отделять ее от себя. И на работе
все знали, никто ничего не скрывал; одно, пожалуй, несколько коробило — что при встречах она
представляла его мужем; и тут же объявившиеся
у нее — откуда только брались? — бесчисленные

приятели среди коллег, фотографов и молодых людей, нигде не работавших и притом богатых, смотрели на него иногда странно, словно знали, что никакой он не муж.

Вот, кстати, интересно, откуда они набегали?! Он вовсе не претендовал на полный контроль над ее душой и телом, не следил за ней, отчета не спрашивал, да ей и нечего было скрывать. Одного она зацепила сумочкой в трамвае, разговорились; другой с ней перекинулся парой слов, когда вместе рылись у букиниста на Кузнецком (нарыла, кстати, книгу матери, хотела послать туда — но решила, что лучше книга дождется здесь). Третий подкатился в театре, куда Боря не пошел, потому что уже видел эту подделку МХАТа под самого себя.

Люди к ней липли, оно и понятно, — она являла собой чистейший случай сияния, сияющих людей не было давно, все улыбались через силу, а она еще и восхищалась тем, от чего давно воротило местного жителя. Вы не понимаете, порывалась объяснить она, там обо всем этом мечтать невозможно, там нищета ходит за стеной, дно близко и притягивает, там я была страшно уязвима (и никто не пытался ей объяснить, что там она уязвима, а здесь — обречена; но ведь и сам он так не формулировал в то время).

Все эти знакомцы ее были люди милые, но странные. Откуда, например, у них брались деньги? Кто-то жил в долг, но почему им давали в долг без отдачи? Другие где-то числились, но о работе не говорили, отмахивались. Третьи кормились на сомнительных синекурах, на призрачных должностях, где-то что-то переводили или учили музыке. Боря этого совсем не понимал. Для него профессия была основой жизни, единственной характеристикой, которой можно еще доверять; человек — это то, чем он занят. Года с тридцать пятого он стал замечать, что профессионалы либо разъехались поднимать провинцию, либо попросту исчезли, словно опустились на дно. Всплыли же как раз эти умельцы жить. Похоже, Аля принимала их за советскую богему — была же богема парижская, значит, обязана быть и московская! Ей и в голову не приходило, что они, должно быть, тихонько спекулируют, а может, и подворовывают — откуда-то их знали в лицо и пропускали без звука швейцары тех московских ресторанов, куда Боря, например, строгий и неутомимый работник, носу не казал, потому что не было у него таких средств. «Мы легкие гибнущие цветы», — сказал один из них. В этом было очарование, несколько, впрочем, двусмысленное. Боря не раз хотел с ней серьезно поговорить, но всякий раз смущался.

Зато Парк культуры стал для них обоих вторым домом — «Летний сад мой огород». Боря и не думал, что получилось такое отличное место. Ключевое слово там было «свежесть». Там, где купальни, и бумагопрядильни, и широчайшие зеленые сады... Откуда он знал эти стихи? Голова битком набита была цитатами, происхождение их стерлось. Стихи были алогичные, но совершенно точные: вода на булавках, и воздух нежнее лягушиной кожи воздушных шаров. Почему вода на булавках? Потому что так падает дождь в реку, вся река в иголочках. Наверное, имелось в виду другое, но он понимал так. Откуда здесь бумагопрядильня? Ближайшая была на Яузе, но как-то все ложилось, лепилось одно к другому, и когда он вспоминал это их первое лето — ему только и помнилось: на Москве-реке есть светоговорильня с гребешками отдыха, культуры и воды... Кто-то прочел, или показал, или действительно в воздухе носилось. Сама же Аля была в то первое лето так ленива, так расслаблена, так волшебна. Рассказывала мало, все время слушала. Он за месяц успел ей рассказать больше, чем Муретте за все годы, да Муретта и не хотела его слушать, слишком была полна собой. И эти короткие, почти белые ночи в Алиной комнате, эти рассветы в три часа утра... Эти лиловые облака на светлом небе, пасмурные утра, постепенно ясневшие, этот сборный запах всего короткого северного цветения, торопившегося уместиться в два месяца... Так все сошлось, что счастливее он никогда не был, и никогда не чувствовал в себе таких сил. И притом не было вечной тревоги — вот, жизнь проходит, что я делаю? Он делал то, что нужно: он был счастлив, а остальное ничего не значит. И оттого, что они так мало спали по ночам, днем их обоих, всегда одновременно, начинала одолевать блаженная сонливость. И все понимали, что между ними, и одобряли тайно. Так казалось ему. Потом он начал припоминать и смешки, и косые взгляды, — но тогда ничего не видел.

А между тем были вещи, которые его настораживали. Тревожные сигналы, осторожные звоночки — все это началось уже к осени, и хотя поначалу он гнал эти мысли, но они уже были, куда деться.

В ее чистоте было что-то идиотическое, по-другому не назвать. Этот вечер у Еремеева!.. Еремеев собирал нормальных людей, в которых был уверен, и тут Алю понесло — Боря не знал, куда глаза девать! Говорили у Еремеева на том языке, который давно был принят в Жургазе, — никакого, естественно, криминала, но дураки отсеивались. Они понимали тон. А она не почувствовала ничего и принялась страстно, яростно убеждать всех, насколько отстала Европа, как она обречена! Да, сказал Еремеев, еще надеясь увести разговор от опасных границ; да, Шпенглер и все это... При чем тут Шпенглер, почти закричала она, Шпенглер — фашист, ни один интеллектуал сегодня не подаст ему руки! Зачем он громоздит культуру, цивилизацию — и все для простейшего оправдания дикости! Представьте двух слепых, которые спорят об истине, двух слепых собак, которые дерутся за кость, — но истина давно здесь, у вас, у нас! И стала рассказывать им о том, как все они тут счастливы. Еремеев поддержал разговор, горячо соглашался, потом отвел Борю за локоть в кухню и сказал: все-таки, товарищ Фретийон, — под этим прозвищем Боря был известен благодаря прекрасному французскому и соответствующей репутации, — вы все-таки, товарищ Фретийон, смотрите, кого

водите в гости, если уж не смотрите, с кем... вы ме
компрене. Это было оскорбительно, стыдно,
но не бить же. Боря покраснел впервые за долгие
годы.

Он предполагал ночью устроить Але феериче-
ский разнос, но жажда оказалась сильней, а после
запал растратился. И только на рассвете он сказал
ей с неожиданной для себя серьезностью: а знаешь... может быть, действительно... Нет причины
нам искать большого ранга, — и она со всегдашней готовностью подхватила: и по мне, шматина
глины... Посмотреть на то, что было ДО, — сказал
он, — и начинаешь оправдывать многое. Все-таки
в самом деле... поверх голой почвы, сплошных
инстинктов, среди заимствований, совершенно
на этой почве не прижившихся... не знали рыцар-
ственности, не ведали чести, роль православия,
конечно, преувеличена, и чаще оно затемняло,
чем просветляло... так что, ты знаешь, очень может быть, что потомки еще позавидуют... Но ведь
об этом я и говорила, проворковала она, уже засыпая, уже устраиваясь, уже укладывая голову на его
плечо, щекоча волосами, — почему же все они
так... я видела, что они страшно разозлились, что
они прямо издевались... хотя боялись тебя. А меня
бы, конечно, размазали. Ну, видишь ли, сказал он
уже скорее себе, чем ей, спящей, — они разозлились не на твои слова, а просто их, может быть,
задело, что это все говорит человек из Парижа.
По нам-то все проехалось очень серьезно, мы знали
чувство своей ненужности, потом быт... потом —

ты многого не видела, и когда, знаешь, человек со стороны начинает нам рассказывать, как все прекрасно... хотя кому же и рассказывать? Кому это видно, если не со стороны?..

Потом, как всегда бывало, уходя утром, он курил нервно, в животе бурчало, мир был сер, моросило, и он думал со стыдом: все-таки она ничего не понимает. Рядом с ней все выглядело иначе, теперь гипноз кончился: пусть даже она права, но бестактность! Но непонимание, где и что говорить! И себя, и меня погубит. Ведь недоверие внушает вовсе не тот, кто смотрит скептически, поругивает сквозь зубы, — таким никогда ничего не бывает. Еремеев неуязвим, и чем выше в иерархии, кстати, тем более там принято это либеральное поругиванье. Им можно, и Еремееву можно, у него отдел. А пылкие, пусть самые искренние похвалы — уже подозрительно: что этот хвалитель прячет, что скрывает? Наверняка ему есть что замаливать. Сказал же один из самых умных людей, встречавшихся Боре: есть особая логика в том, что этот гордый ум теперь сражен, и чем? — женской болезнью, рассеянным склерозом; может быть, советская логика потому и была всесильна, что повторяла мировую, — здесь тоже самое возвышенное подвергалось самому унизительному, дабы никто не заносился. Так вот, сказал же и Боря как-то, занеся статью к пушкинскому юбилею: да, я люблю колхозы, я горжусь колхозами, они лучше мякинной навозной русской деревни. Но я не могу сказать это вслух, потому что меня не так поймут.

Удивительное дело, самый жаркий сторонник подозрителен, потому что, наверное, есть зачем лукавить, — а скептика не тронет никто, он ЧЕСТНЫЙ. В их логике надо быть честным. В уме, таланте, даже и доброте всегда подозревается притворство, а плохой — значит подлинный, плохие в безопасности. Но спасут ли плохие, когда придется? Когда по-настоящему припрет, не может не припереть, не ограничится ведь все это Францией... А Аля первая под ударом, именно потому, что таких не бывает, не должно бывать. Но как она все-таки вовремя сюда! Там докопались бы до еврейской четвертушки, и поминай как звали. Надо бежать от нее, пока не поздно. Так он думал, особенно когда попадал в собственное жилище, в жургазовский дом, в квартиру, пропитанную запахами и грезами Муретты, и вид спящей жены не раздражал, но успокаивал. Нет, конечно, об уходе из семьи и речи быть не может. Но он знал, что это до вечера. Вечером все опять бросится в глаза: «горшки и бритвы, щетки, папильотки»... И страшно потянет к Але, но может, в этом и есть его назначение — существовать на разрыве? И уют его прежней жизни казался невыносим, но из этого существования на разрыве он ничего не мог извлечь. Тогда, в затхлом уюте, сочинялось изумительно легко. Теперь же он был неправ кругом, и нервы страшно истончились, но чего ради? Ничего, кроме трепета; а трепет — это настройка оркестра, бессмысленная какофония. Для музыки нужна правота. Пожалуй, он даже нравился себе — похудевший, грешный, с тенями под глазами: ты такой романтичненький, сказала Муретта, прямо влюбилась бы. Но эта раздвоенность была бесплодна, вот беда-то.

Аля говорила: там нельзя по улице пройти, все пристают. И даже когда она пожаловалась однажды ажану — за мной идет маньяк! — тот сказал: мадемуазель, хорошо понимаю этого маньяка. Ты не представляешь, говорила она, здесь совсем иное: здесь я могу пройти по бульвару в короткой юбке, и никто не смажет меня грязным взглядом. Проще всего было промолчать, и Боря промолчал. А между тем надо, конечно, было ответить: моя милая, здесь на тебя не смотрят только потому, что им не до тебя, они придавлены. Там к услугам любого апаша белая булка и бутылка дешевого красного, и поневоле они от безделья возбуждаются на любую красотку, проходящую мимо. А здесь кому какое дело до тебя? Сам я, сказал бы он, в двадцатые годы, которые все чаще называют теперь проклятыми, доходил до такого голода, такой усталости, что мне в двадцать три года было совершенно не до любви...

Но он молчал, а Аля заливалась: ты знаешь... нет, ты не знаешь. Ты просто не можешь понять. Для вас Родина — норма, но тот, кто был долго ее лишен... Это хуже, чем человек без тени. Я всегда знала, что я там никто, и никакие мои успехи, никакие публикации не могли меня сделать своей. Ты не замечаешь своего счастья, как воздуха, которым дышишь, а вот астматик знает, что такое воздух. Мы все там были астматики. Когда я въезжала в страну, когда я увидела первых людей на границе, услышала русскую речь в Негорелом... И таможня — какое светлое здание! И мне принесли свежее белье в поезд... И первый раз на Красной площади... Я же помнила ее, по детству, но она была совсем не такая. И Арбат: мне вообще показалось, что это другая улица! Ведь она вся была исхожена, я знала каждый дом, но преобразилось все... Она захлебывалась от счастья, когда они пошли на «Турандот»: ты знаешь, ведь я видела Вахтангова! Он один раз у нас был. Уже больной, весь желтый. Ты знаешь, что он не мог быть на премьере? Он умер, когда мы уехали. И в антракте к нему прибежал Станиславский: победа, победа! А он умер через три дня... И как ее восхищали разговоры в театре: ты слышишь, хватала она его за руку, слышишь? Ведь они говорят о спектакле как критики, а кто они? — наверное, ткачихи! Когда я там рисовала, писала — я не знала, зачем все это. Я думала, вообще теперь все в упадке и никому никогда не будет нужно. А здесь — разве ты не видишь?! И он нехотя соглашался, да и что тут было возразить? Да, искусство, да, ткачихи; правда, не ткачихи поднимаются до искусства, а искусство падает до ткачих, но это, наверное, говорит во мне снобизм, и не мне судить...

Или эта история с шофером Леней. Леня и Леня, никто и внимания на него не обращал, хотя он был хороший парень, из тех деловитых, тихих и веселых, от чьего присутствия всем становится легче; и редакционная эмочка всегда была у него в порядке, поскольку начинал он на ЗИСе и знал до гайки, как машина устроена и почему ездит; и сам он был бодр и безотказен. Бывают такие люди, ровные и чистые. Никто и представить не мог, что у Лени проблемы, — но Аля как-то разговорилась с ним: ее отправили на вокзал встречать дружественного журналиста, француза, призванного проехать по следам Андре Жида и написать, где он наврал.

Долго ли было ехать от Страстного до Тверской заставы? И однако за это время Аля успела вызнать, что Леня с женой и новорожденной дочкой живет в бараке, что им обещали комнату, но в последний момент туда вселился какой-то — Леня толком и не знал, кто; а дочка у него все время хворала, кричала, соседи возмущались. И Аля ничего ему не обещала, но, размахивая удостоверением, пошла выяснять — и добилась-таки справедливости: оказалось, что комнату на Чистых прудах перехватил ловчила из бывшего Торгсина, ныне гастронома номер два. Она добилась и того, что ловчила был уволен, ибо воспользовался положением, а Леня триумфально въехал в положенное ему жилье и с тех пор подкладывал Але на стол то кулек конфет, то цветы. И не было никакой возможности объяснить ей, что это вторжение в Ленину судьбу — благотворительность ненужная, даже опасная: добьешься справедливости в одном частном случае, а головы полетят на нескольких этажах сразу. Аля никак не могла понять простой вещи: в одном случае из десяти — да, удавалось исправить ошибку, защитить бесправного, наказать взяточника; но взяточника уничтожали, ловчилу размазывали, а еще десятерых невиновных, просто стоявших рядом, исключали отовсюду за попустительство. Важно было не благодеяние, а предлог.

Много говорили о деле инженера Осмоловского, которого вытащил Россельс, — но вместо Осмоловского и четырех его подельников, ни в чем не повинных спецов, впоследствии оправданных и поднятых на знамя, загремели председатель суда (с женой), следователь (с женой), двадцать человек свидетелей, вообще ничего не понявших, и редактор районной газеты, тоже не вмешавшийся. Тут если и налаживали чью-то одну судьбу, ломали за это десятка два других; если разжимали челюсти, выпуская одного, — взамен заглатывали сотню. Аля этого не хотела видеть, она утверждала, что так и быть должно, — у всякой ошибки несколько виновников, и все они должны как минимум извиниться! До нее все не доходило, — а Борис начал уже для себя формулировать, пытаясь объяснить и ей, — что у этого чертова колеса, в котором все они теперь крутились, была не причина, а цель, и цель состояла в том, чтобы все крутились в колесе. Предлог же был неважен, как неважен он на Страшном суде, потому что все виноваты. Может быть, все это было правильно. Может, попросту не было другого способа добиться, чтобы хоть кто-нибудь работал. Может, действительно проходили сложный этап во враждебном окружении, а враждебное окружение — такая вещь, что надо изо всех

сил давить изнутри, дабы поддерживать давление
на границы и сохранять форму, так объяснял один
физик, впоследствии сам ставший элементом этого
давления, но выпущенный по письму коллег (после чего его место колодника заняли десятеро).
Но устанавливать тут справедливость не требовалось — и, однако, все его попытки объяснить эту
нехитрую правду оказывались тщетны. Аля вся
светилась, рассказывая о вселении Лени на Чистые пруды. Она не могла быть неправа, она, такая
хорошая, — но чем она была лучше, тем острей и
больней чувствовал Борис ее уязвимость; почему-то
ясно было, что она первая стоит под ударом, она,
со всей своей туристической, французской совет-
скостью. И сама Аля что-то такое чувствовала, она
все чувствовала.

Вот однажды... это был уже сентябрь... Он
многого не заметил, а ведь буря уже разгулялась
по-настоящему, уже косило людей рядом с ним,
а он все считал, что ничего нового. По обычному
своему эгоизму — черте всеобщей, но в его случае
осознанной, — он замечал только то, что угрожало
ему, а себя считал неуязвимым — отчасти потому,
что работал в правительственном издании, отчасти же благодаря Горелову. И тем не менее воздух, воздух, к которому он всегда был чуток: после
горячего лета наступил очень ветреный, сухой,
с резкими красками сентябрь. В московских парках
как раз тогда появились настурции и бархатцы,
и тревожным их запахом, тревожным оранже-
вым цветом все было помечено. Была долгая ночь,

во время которой засыпали урывками, потом одновременно просыпались, прижимались, все время
зябли, — и вдруг она закричала во сне протяжным
птичьим криком, голосом, какого он никогда у нее
не слышал. Он разбудил ее, стал целовать, успокаивать — желания почему-то не было, даже мысль
не мелькнула в ту ночь забыться самым простым
способом, — и она, все еще бурно дыша, не вполне придя в себя, рассказала, что опять был сон,
ужасный, виденный накануне отъезда. Она шла
по кладбищу — никогда не боялась кладбищ — сухой осенней ночью, такой, знаешь, когда еще тепло, но в подкладке, в изнанке уже холод, и все
было колючее — колючие венки, сухие цветы. Она
шла не одна, с ней был спутник, чей уверенный
голос она слышала, но не оборачивалась: ей только казалось по голосу, что он смуглый и у него
высокие скулы. Вдруг перед ними возник спуск
под землю — вроде парижского метро, ты видел?
(Он не видел, но представлял.) И мы спустились,
и там оказался коридор — длинный, ровный, как
в больнице или... (Он про себя договорил за нее:
в тюрьме.) И комнаты по бокам, и в комнатах за
решетками — люди, в основном старики, старухи...
их я много видела в Париже, сидели на солнышке,
такие никому не нужные, но и себе уже не нужные, — там ведь очень долго живут, и доживают
до того, что вообще себя забывают и ничего не хотят. Вот они сидят по сторонам, и каждый делает
какую-то странную, ненужную работу: расплетают
старые венки, сортируют цветы, искусственные,

складывают в кучки опавшие бумажные лепест-
ки, потом сматывают ленты, иногда раскладывают
сухие букеты... И такие все сосредоточенные, такие медлительные — действия, знаешь, как у самых старых и самых больных, все замедленное...
Я не чувствовала страха, я просто не понимала,
зачем это делается. И потом опять лестница вверх.
И когда мы выехали, я спросила у этого спутника,
все не поворачиваясь, зачем, что это они делают?
И тогда он как-то сделал так, что я обернулась,
потому что знала, что он скажет сейчас что-то
бесконечно важное; и увидела его желтое ацтек-
ское лицо. Знаешь, бывают такие ацтекские лица?
Действительно смуглое, скуластое, знающее что-то
такое, что только ацтеки знали... И он мне очень
серьезно, значительно сказал: «Разве вы не знаете,
ЧТО НЕ ВСЕ ЛЮДИ ВОСКРЕСАЮТ?». А я и взаправ-
ду знала, я всегда догадывалась, что и бессмертная
душа есть не у всех, и воскреснут действительно не
все, но меня поразило, что он тоже это знает, знает, как много я в детстве про это думала. И вдруг
его лицо стало расти, расти — я проснулась от
страха, такое оно большое и желтое было передо
мной, во все небо. Так это было перед отъездом.
А нынче я уже знала, что не надо оборачивать-
ся, и просто шла и думала: неужели я тоже могу
не воскреснуть и буду сматывать эти проволоки?!

Погоди, закричал он шепотом, ты не умрешь,
теперь ты не умрешь! Раньше мы были врозь и все
могло случиться, а теперь никогда! Но почему-то
ему запомнилась и эта ночь, и ее сон, и тревога,

страшная тревога во всем, еще и деревья шумно
качались. И с этого момента чувство своей неуяз-
вимости стало быстро убывать, и тем мучительней
было читать Алины бодрые, бодряческие колон-
ки о том, как былая эмигрантка радостно познает
мир. Но и это Борис прощал: душа, вернувшись из
загробного мира, радостно набрасывается на любые
земные впечатления, любые запахи, будь это даже
запах свалки — но живой, земной свалки. Ведь
в загробном мире, где зимуют души до встречи,
ничем не пахнет.

* * *

3

О том, что дело не кончится обычным романом, он догадался в Крыму. Они поехали туда в сентябре, оба взяли отпуск, — Алю обязали вдобавок
написать серию очерков о Крыме глазами русской
иностранки. Их отправили в санаторий имени Два-
дцатилетия Революции, только что открытый, близ
Массандры, но из санатория они сбежали на пятый
день. Молодая республика страстно увлеклась само-
лечением. Ей потребны были свои герои — начиная
чуть не с доисторических времен. Своих вождей
и рыцарей она лечила серьезно, со знанием дела,
с оттенком ласковой принудительности. Рыцарю
полагалось до последнего отбиваться, негодовать,
но потом сдаваться — и чуть не в смирительной
рубашке отправляться в Крым. Там его по часам
кормили, поили всякой горькой дрянью, сажали на
строжайшую диету, и возвращался он либо помоло-
девшим и бодрым, либо, что чаще, замученным на-
смерть. Все медсестры, врачи и самые повара имели
тот же любовно-строгий вид, с наслаждением запре-
щали ночные купания и поздние прогулки, у Али

нашли следы туберкулезного процесса, у Бори — увеличенное сердце (вмещавшее, как он тут же сказал Але, слишком многое), и они ушли на базар, да так и не вернулись.

Там же, на базаре, они сняли полдома у почти черной татарки в изношенном черном халате и остаток отпуска провели в диких, райских местах, напоминавших одновременно Гогена и таможенника Руссо. Эти сравнения придумывала Аля, видавшая их в оригиналах. Татарка была молчалива, намекала, что времена пришли совсем плохие, но денег ей они не прибавляли — главным образом из принципа: она сдавала дом и, по сути, ничего не делала — а они все-таки зарабатывали. Это высокомерие зарабатывающих относительно паразитирующих настигало их по десять раз на дню. Крым оказался совсем не курортный, еще дикий, голодноватый, население было поражено апатией и словно все чего-то ждало. Крым, говорила Аля, всегда чего-то ждет. Она была тут, по ее уверениям, зачата и чувствовала себя более чем дома — на прародине; ехать в Коктебель, однако, отказалась наотрез — «Я помню, как было, и не хочу видеть, что там сделали после. Вот, может быть, с матерью когда-нибудь» — она никогда не называла мать мамой, и это было Боре приятно: его поколение бежало сантиментов и радо было видеть то же в младших. Крым весь был пограничен, на краю моря, России, жизни, потому что слишком много туберкулезников отправились отсюда дальше, чем за море. Ты знаешь, говорила Аля, ведь и отец здесь воевал, и уехал отсюда. Это было самое мучительное. Я могу понять людей, которые прощаются с Россией ноябрьской; но уезжать из России вот такой...

Здесь абсолютным стало то, что называется лицемерным словом «близость», и здесь, пожалуй, началась близость подлинная — не псевдоним секса, но полное родство.

Казалось, и воспоминания у них были общие. Он был груб, черств, заматерел за последние годы, но ему уже чуялось, что это в его жизни был волшебный Арбат и страшная сказка промерзшей мансарды; а она словно знала все о нем, о детских морских мечтах, хотя какое море на брегах Сожа? Он впервые увидел Крым в двадцать пятом, когда приехал помогать Соловьеву разбивать палатки для будущей детской республики.

Ночи были почти бессонны, они не могли наговориться, перебрались на пол — в узкой кровати было жарко и тесно; Аля наслаждалась тем подростковым, запоздалым бесстыдством, которое так пленяет в недавних девственницах, стремглав проходящих весь путь, который они для себя закрывали в семнадцать, в девятнадцать... Удивительная простота была во всем, что она делала. В России ужасно всего стеснялись. Боря помнил девушку, готовую скорей обмочиться, чем спросить, где тут, братец, у вас нужник, — для Али никаких запретов не было, и тела своего она не стеснялась, потому что как можно было стесняться этого сияющего тела? Она находила в Боре десятки совершенств, о которых он не подозревал; она превращала

в праздник все, включая лазание на японскую муш-
мулу за странными — не то слива, не то груша, —
узловатыми кисленькими плодами; каждая подо-
бранная на сухом склоне кедровая шишка была для
нее праздником. Они были хозяевами этого безум-
ного, никому не принадлежащего Божьего края;
и когда в Москве Силин спросил, действительно
ли там голодают и нигде нельзя достать мяса,
Боря затруднился с ответом. Какой голод, какое
мясо? Вероятно, в Крым надо было ездить только
во влюбленном состоянии; да впрочем, если жить
в России с прекрасной девушкой, светло-русой, лет
на двенадцать младше себя, — Борис знал теперь,
что это идеальная разница, — можно вообще не замечать ни очередей, ни квартирного вопроса. Беда
в том, что мир со всеми его неудобствами задуман
был для влюбленных, а достался разведенным.

Вот тогда он дал себе слово остаться с Алей
навсегда, а серьезней некуда все стало после визи-
та к родителям.

Он отвез Алю в Гомель в июле тридцать восьмого года. Мать давно просила приехать, отец
жаловался скупо, но ясно было, что плоховат.
Чехов говорил: пока легкие в порядке, то и все
в порядке, — а отец теперь все покашливал, обследоваться не хотел, курил не меньше, приговари-
вая, что в этаком возрасте уже ничего не начинают
и не бросают. Боря взял Алю, предчувствуя, что
другого случая познакомить ее с отцом, может,
и не представится. Кроме того, была смутная надежда уговорить родителей переехать в Москву.

Он нашел бы возможность их устроить, Гомель был
в пятистах километрах от границы и становился
местом опасным — о войне с Германией писали ро-
маны и ставили спектакли. Сколько бы ни говорили о том, что мы не пустим немцев в глубь территории, случиться могло всякое. Многие вокруг него
паниковали и забирали родителей в Москву даже
из безопасных мест вроде Брянска.

Они приехали свежим, мокрым днем с яркой
зеленью и серо-лиловым, клубящимся небом. Принимался и переставал теплый дождь. Их Аптечная
называлась теперь в честь Азриэля Жарковского,
который никогда тут не жил и вообще жил мало,
убитый на двадцать первом году в боях со стрекопы-
товцами. Аля старательно радовалась, стараясь угодить Боре, и Боря никак не мог ей сказать, что города он, в сущности, не любил, всегда отсюда рвался
и никогда тут не был вполне своим. Да, очарование
западной России, да, все возможности для игр в ин-
дейцев — Борис и теперь был убежден, что война
красных с белыми была лишь продолжением войн
между краснокожими и бледнолицыми, охватив-
ших в начале века всю подростковую Россию; а все
почему? — потому что в восьмидесятые годы Купер
и Рид издавались приложениями и были в каждом
доме. Но жизнь была скучная, с глупыми перехода-
ми города из рук в руки до начала девятнадцатого
года, и он уехал при первой возможности. Родителей было жаль, и поначалу, в первые годы, он наве-
щал их часто, потом раз в год, потом раз в три. Отец
теперь шутил, что по стопам сына пошел в журна-

листику — печатал краеведческое в «Гомельской правде», благо многое узнал в бытность свою архитектором. Они с матерью старели красиво, без брюзжания, следили за московскими делами, читали все, что Боря присылал, старались реже напоминать о себе и просили только внуков поскорей.

Отец встретил их на вокзале, обнял Алю, ни о чем не расспрашивал. Дома ждали все чудеса материнской кулинарии — суп с клецками, вкусней которого Боря так и не нашел ничего на свете, фаршированная рыба, яблочный штрудель с корицей, хворост, грушевый взвар, и Аля преувеличенно хвалила все, так что Боре было за нее, пожалуй, неловко — уж очень хотела понравиться. После обеда она легко и естественно принялась помогать матери с посудой, и мать приняла эту помощь; отец удалился в кабинет, поманив Борю пальцем. Боря знал, что сейчас последует политический разговор, но не уклонился: ему нравился кабинет, он с детства любил лежать около книжного шкафа и, пока отец работал, тихо читать, грызя что-нибудь; особенно хорошо под это дело шла сушеная вишня.

Квартира не изменилась, родителей не уплотняли, ничего не отняли — отец был на хорошем счету, не в последнюю очередь потому, что успел понравиться сапожнику Кагановичу, наводившему порядок среди местных коммунистов в январе восемнадцатого года. Отец, в сущности, жил удивительно чистой жизнью. Деньги его интересовали мало, хотя зарабатывал он всегда прилично — нестыдно, как сам выражался; иудаизм, как вообще все врожденное и родовое, не занимал его вовсе. От глупого и лизоблюдского еврейского русопятства, столь распространившегося в десятые годы, он тоже был совершенно свободен. И в кабинете его ничего не было лишнего: благородная простота, чувствовавшаяся во всем, даже в эскизах скамеек на набережной, — они преспокойно перестояли все катаклизмы.

С катаклизмов Боря и начал: не дожидаясь, пока отец начнет расспрашивать о московских делах, полагая, что сын посвящен во все тайны, — прямо спросил: что с переездом? Если хочешь работать, будешь работать, и обещаю тебе, что выхлопочу комнату в хорошем месте. Отец качал головой: всё глупости.

— Поговорим серьезно, — сказал он. — Что с Тухачевским?

— Ты год ждал, чтобы меня об этом спросить?

— В письме об этом нельзя, ты сам понимаешь.

— Тухачевский — предатель, — сказал Боря.

— Ты в это веришь?

— В это, — сказал Боря, — верю абсолютно. Он был отвратительный, тщеславный тип. Знаешь, что будет, если к килограмму повидла прибавить килограмм навоза?

Отец не знал.

— Два килограмма навоза, — сказал Боря. — Вот чего действительно не переношу, так это железо в сахаре. Дружба с артистами, игра на скрипке... У меня коллегу посылали делать с ним беседу, просили комментарий. Он говорит, что более само-

влюбленного и напыщенного собеседника у него
не было в жизни. И, кстати, я верю, что Тухачевский в молодости двух солдат придирками довел
до самоубийства.

— Да? — недоверчиво спросил отец. — Ну хорошо, но если все вы это понимали, почему же тогда...

— Что же мы могли сделать?

— Что угодно. Написать, поставить вопрос.

— Ты знаешь, что я не военспец.

— Но есть другие военспецы. В конце концов,
должен он был делать что-то подозрительное?

— Как только сделал, его сразу перевели, а потом взяли.

— Но писали, что он был завербован чуть ли
не сразу в Польше...

— Не в Польше, а позже, — назидательно сказал Боря. — Завербован он был предположительно
в двадцать восьмом. Но он был осторожен, и потом армия — оптимальная среда для заговора.
Все очень закрыто. Потребовалась санкция на про-
слушивание всех разговоров. Он был под плотной
слежкой два года.

— Да? — снова переспросил отец. — А мне отсюда видней другое.

— Я надеюсь, ты не обсуждаешь это с Варшавским? — Варшавским звали бывшего соседа, ныне
переехавшего на окраину.

— Я с тобой первым это обсуждаю. Но пока весь
ход вещей убеждает меня в том, что предательство
коренится совершенно в другом месте.

— Да? В каком же?

— А вот в том самом. Ворошилов ничего не
понимает, этого не видят только слепые. Я ничего
не знаю о военном деле, но кто умный, кто дурак,
как-нибудь еще разберу. Тухачевский был умный,
хоть ты и считаешь, что военному это не положено.

— Я не считаю. — Боря защищался уже и от
родного отца. Сейчас нельзя было поддаваться
ни в одном разговоре, и это превратилось в рефлекс.

— Ну, ты говоришь, что ему не положена
скрипка, дружба с артистами... Он стратег, других
таких нет. И все это — расчистка пути для какой-то
огромной сдачи. Ты увидишь. Все, что сейчас делается, это расчистка места. Я и у нас тут смотрю.
Всех, кто соображает, увольняют или берут. И конечно, всегда оказывается, что было за что. Умного
всегда есть за что. А на их место ставят тех, кто аза
в глаза не видел. Они готовят сдачу, большую сдачу.

— Сдачу кому?

— Я не могу еще сказать точно. Но я думаю, —
отец еще понизил голос, — что немцам.

— Почему, каким образом? Прости, но ты тут
совсем с ума сошел.

— Я не знаю, каким образом. И это неважно.
Но немцы проникли очень глубоко, и они морочат
голову. Все эти разговоры, что угрожает Англия,
бред. Англии самой бы разобраться с колониями.
Я, между прочим, в Англии провел полгода.

— Папа, это было в девяносто пятом году.

— Неважно. Англичане никогда не нападут
на Россию, это островное государство. Острова
всегда думают только про собственную оборону.

— Да-да. Особенно в Трансваале.

— В Трансваале начали буры.

— Да-да. Англичане развернулись на границе и влезли во внутренние дела, после чего, конечно, начали буры.

— Борис, мы не будем об этом спорить. Англия ничем не может угрожать России, у них нет границы. Про Францию вообще смешно говорить, они уже в четырнадцатом воевали хуже всех.

— Хуже всех в четырнадцатом воевали мы.

— Отнюдь нет. Если на то пошло, хуже всех воевали немцы. И немцы хотят реванш, и реванш будет. Они влезли страшно глубоко. Ты не знаешь, но я помню. Немецкой разведкой тут все было пронизано уже в пятнадцатом.

— С того времени кое-что изменилось.

— Изменилось, но не все. Ты знаешь, что вернулся Дымшиц?

— Дымшиц? — Боря не помнил никакого Дымшица.

— Здешний, дантист. Его сын уехал в Германию, якобы учиться на инженера-путейца. Я ничего не знаю, может быть, действительно учиться. Потом он вернулся, около тридцатого. А сейчас его перевели сюда, они приехали оба с отцом. Устроился работать на вокзал. И я думаю, что все это не просто так. Я не говорю, что он завербован, и конечно, не буду писать никуда. Но наш узел — крупный узел, это прямой путь на Москву. И то, что они сейчас прислали человека, обучавшегося в Германии, все это крайне подозрительно.

Отец сошел с ума, понял Боря.

Они все тут сошли с ума, коллективный невроз, это не могло закончиться просто так. Когда вся страна ловит шпионов, первыми лишаются ума старики.

— Я надеюсь, ты не следишь за ним? — спросил Боря по возможности беспечно.

— Представь себе, слежу. И я знаю уже достаточно. Он дружит с Брехуновым, а Брехунов отвечает за весь водопровод, я знаю его много лет. Ко мне иногда приходят за консультациями. Твой отец, представь, кое-что сделал для этого города. Но это все после, речь не о том. Ты понимаешь, что немцами сейчас инфильтровано буквально все? Ты увидишь, меньше чем через год мы заключим с немцами союз.

— Папа, я сам думал когда-то, что мы заключим союз. Но с тридцать третьего года там много переменилось. У нас никогда не будет союза с антисемитами.

Потому что — едва не добавил он — чем мы тогда будем от них отличаться?

— Разуй глаза наконец! — закричал отец шепотом. — Союза с антисемитами! Кто мы такие, если не антисемиты?

— Особенно мы с тобой.

— Ты прекрасно все понимаешь!

— Нет, отец, ничего этого я не понимаю. Понимаю я только то, что пора тебе в Москву, иначе ты совсем вываришься в этом котле.

— Тухачевский просто узнал, — не отставал отец. — Просто понял. И поэтому его убрали.

— Ладно. Позволь мне это не обсуждать. Тебе отсюда видней.

Он хотел пойти на кухню, помочь Але, вообще вырвать ее из объятий матери и показать город, но отец удержал.

— Я не все еще могу тебе сказать. Но поверь, если со мной что-то случится, это они меня достали. Ты не знаешь. Но здесь весной была сыпнотифозная эпидемия.

— Какая сыпнотифозная, откуда?

— Оттуда. Люди пили сырую воду и заражались. Это не может быть ничем, кроме вредительства, поверь мне, я знаю. Это они.

— Папа, но Сож — грязная река...

— Сыпного тифа здесь не было пятнадцать лет. Я говорил с Брехуновым. И он сказал мне, что в феврале к нему внедрили нового сотрудника. В службу водоочистки. Некто Греков. Я попросил его поднять все сведения. Так вот, дядька этого Грекова, — отец поднял палец, — дядька Грекова арестован в прошлом году за шпионаж. Он указал это в анкете, потому что не мог не указать. Иначе скрыл бы, конечно. Но у нас-то пока следят. Это Москва расслабляется.

— Хорошо, — сказал Боря. — Я понял. Если с тобой что-то случится, я буду знать, что это Греков.

— Не Греков, а они! И помяни мое слово, они разослали свою агентуру уже везде, и через год, самое большое, здесь будет их власть. Ты говоришь — переезжать, но куда? От этого никуда не переедешь.

Черт-те что, подумал Боря. Я не представляю, какого масштаба должна быть катастрофа, чтобы все они вошли в ум. Но чего я ждал, — собственно, чего все мы ждали? Мы ведь тоже превращаемся, как лягушка в кипятке. Если кипятить постепенно, она не выскочит, так и сварится. Когда взяли Тухачевского, я тоже сначала не верил себе, хотя и понимал, что ему по заслугам. Вообще всех, кого пока брали, я не любил. Но любил ли я кого-нибудь, осталось ли тут, кого любить?

Аля сидела напротив матери за столом, глядя на нее влюбленными глазами. Мать раскладывала на столе пасьянс из фотографий. Боря этого терпеть не мог.

— Отпускайте домашнюю рабыню, — скомандовал он. — Мы пойдем гулять по местам моей славы.

Аля попыталась внизу спеть дифирамб родителям, Боря ее прервал.

— Папа сошел с ума, — сказал он. — Думаю, что совершенно. Видеть это ужасно, он всегда был человек умный и даже, пожалуй, холодноватый.

— Что случилось?

— Он считает, что Германия окружила его шпионами, что Тухачевского убили шпионы, что слесарь шпион. Хорошо, что он ничего не знает про тебя.

— Но я все рассказала маме, — Аля округлила глаза и выглядела так невинно, что он рассмеялся.

— Рассказала и рассказала. Мама пока, надо надеяться, в уме. Кстати, здесь напротив жила девочка, страшно похожая на тебя.

— Это была вестница. Ты не знаешь? Настоящая жена всегда присылает вестников.

— Интересно, где она теперь.

— Давай спросим.

— Давай. Я помню, как ее звали. Даша, кажется?

Они вошли во двор напротив. Оглушительно пахло мокрой травой и листьями, этот запах в Москве был другим, слаще, а здесь он был остр и горек, напоминая о детстве. Боря ненавидел воспоминания, считая их вообще дурным тоном, люди модерна не должны позволять себе этого; причисление Пруста к модернистам — ошибка.

Во дворе сидела на лавке грузная старуха.

— Вы не знаете, тут в пятнадцатом году девочка жила? — спросил Боря вежливо. — Дашей, кажется, звали.

— В пятнадцатом много кто жил, — сказала старуха сонно.

— Беленькая такая, блондинка.

— Много жило.

— Может, в доме кто помнит?

— Да спросите, — ответила она равнодушно.

Спросить, однако, было некого. Они постояли еще и вышли. Мимо арки проехал мальчик на дряхлом велосипеде.

— Мальчик! — окликнула Аля. — В этом доме не живет женщина вроде меня, Дарья?

Боря усмехнулся. Это очень мило у нее получилось.

— Вроде вас никто не живет, — крикнул мальчик.

— Это точно, — серьезно сказал Боря.

Он собирался показать ей Румянцевскую, Замковую, Кавказскую, на которой, говорят, жили убийцы, и был особенный шик вечером прогуляться туда, — но по дороге Аля его остановила:

— Мне очень нужно позвонить в Москву.

— На работу? Сегодня же суббота.

— Не на работу. Должна приехать моя подруга. Оттуда. Мне просто надо знать, приехала или нет.

— Хорошо, пойдем на почту.

Он знал, где теперь почта, — прекрасный узел связи открылся еще в тридцать четвертом на улице Коминтерна, которую он знал и не любил еще как Соборную. Но что это ей приспичило, почему не сказала раньше?

— Я просто сама забыла, понимаешь? — виновато пояснила она, прочитав, как всегда, тайные мысли.

На почте ей, однако, понадобилось сделать не один, а три звонка, и пока Боря расхаживал по улице и курил, ему пришла в голову мысль, что и это все не случайно, и что там, откуда она приехала, ее явно к чему-то готовили; он ведь ничего не знает о ней. Паранойя отца оказалась на диво заразительна.

Через двадцать минут Аля вышла, сильно встревоженная.

— Не приехала.

— С кем же ты разговаривала так долго?

— С любовником, ведь у меня любовник, ты не знал? Борька, какое счастье! — Она уже смеялась. — Ты ревнуешь!

— Нет. Я, если честно, — он знал, что это лучшая политика, — понял тут, что ты шпионишь. Отец сказал, а я ведь, знаешь, в него!

— Я заметила. Те же брови. Конечно, шпионю. Но ты не понял, откуда я. Это тайный небесный шпионаж. Я тебя послана хранить и за тобой приглядываю, и сейчас сообщила на небеса, что ты ведешь меня на окраину. Можно ли идти или убьет? Сказали, что можно. Ты на хорошем счету.

Он показал ей городской вал, и штаб, где собирались команчи, и гимназию. Грустно было все это. Прошлое слежалось пластами, трогать их не следовало. Слишком много было всего, слишком со многим пришлось примириться. Он всегда гордился своей адаптивностью — и доадаптировался до того, что давно утратил себя. Собственная личность никогда не казалась ему ценной, а между тем там кое-что было. Вот здесь однажды он весной брел из синематографа с Галей, про которую двадцать лет не вспоминал. С Галей все могло быть, но почему-то оба, понимая это, пренебрегли. Может, отложили на потом. Она была красавица, хотя и несколько испанского, чересчур знойного типа; страшно обаятельна была ее манера склонять голову набок и заглядывать ему в лицо. Было часов пять вечера, еще светло, и все таяло. Этот желто-оранжевый свет, талый снег, бледная голубизна!.. Почему такой полноты счастья не было ни тогда, ни потом? С Алей было не хуже, но с ней была другая память, с ней был счастлив только он нынешний, давно утративший ту остроту и свежесть. Нечего было ее сюда привозить.

Правда, ночью она сумела сделать так, что вернулась молодость, почти детство, — в той самой комнате, в которой спал он до семнадцати лет, на узкой кровати, где — Аля настояла — они должны были улечься вместе. Он предлагал притащить диван из гостиной, как было с Муреттой, когда он привез ее в тридцать четвертом и все еще было у них прекрасно, хотя и не без первых признаков охлаждения, но Аля потребовала: только здесь, только на этой мальчишеской кровати. И не то чтобы это ее заводило — скорей тут было нечто психотерапевтическое. Она была ровно такой, как мечталось ему в отрочестве, — он никогда не мечтал о вакханках. «О, как милее ты, смиренница моя». Горький запах доносился в форточку, светало в пять, она была такая тонкая, такая белая, так странно осваивалась со своей женственностью, все еще не привыкнув, что они вместе и что это прочно. И он старался отдалить все, ограничиться пока тем, что называется ужасным словом «ласки». Как можно дольше хотелось не прерывать эту подростковую негу. Подростки робеют переходить к главному, для них оно не главное, и он гладил ее, едва касаясь. Все было похоже на полусон, мысли не приходили, ничто не тревожило.

Тем внезапней оказалась ее атака уже под утро, когда она не давала ему заснуть, требовала еще и еще, из вымечтанной девочки превращаясь на глазах в женщину двадцати четырех лет: вот

так всегда — мы разбудим, а потом изумляемся.
И здесь они поменялись ролями — уже она была
решительней и старше, и делала все, как хотелось
ей; и он подумал — если бы тот, четырнадцати-
летний, видел меня и ее сейчас, он уж точно не
подумал бы, что двадцать лет прожиты напрасно.
И они проспали потом почти до полудня.

Мать с утра была на базаре и купила череш-
ни — дорогой; себе они, конечно, не покупали. Он
не мог отказаться, и пока Аля еще спала, он в кухне ел эту черешню. И заметил потом, вытряхивая
косточки в ведро, что они цеплялись за дно миски,
не хотели падать, выигрывая, может быть, секунду — но выигрывая. Вот так и мы, подумал Борис,
но не стал уточнять, за что мы цепляемся и куда
падаем. Просто подумал, просто таково было ощущение. Он часто, впрочем, представлял, что должны чувствовать последние листья, цепляющиеся
за ветку, или последние птицы перед отлетом, —
странно, почему он, всегда умудрявшийся идти в
ногу со временем, всегда так быстро перестраиваю-
щийся, чувствовал себя последним цепляющимся
за жизнь; какое-то тут было предчувствие, тайно-
знание о себе, от которого он пока убегал. Но здесь,
рядом с родителями, это чувство еще обострялось.

А матери, против всех его ожиданий, Аля не
понравилась, и мать сказала об этом с неожиданной злостью. Она смягчилась после пятидесяти,
и уже ничего не было в ней от той снисходительной
и властной красавицы, какой она ему представлялась лет в двенадцать; теперь все было мягче, про-

ще, улыбчивей, но про Алю она сказала ему с явным удовольствием, чувствуя, что он ждет иного:

— А девочка твоя мне не нравится совсем, прости, Боря.

— Почему же?

— Врет она все, Боря, ты увидишь еще. Ни одного слова в простоте.

— Ну, понимаешь, она воспитывалась совсем в другой семье...

— Да мне, знаешь, и неважно, где она воспитывалась. Пирог ни с чем, а держит себя так, как будто прилетела райская птица и всем сделала удовольствие. Нет, Боря, если ты любишь, то делай как хочешь, а я тебе скажу, что ты с ней хлебнешь.

— Ну, ты это всегда говорила...

— И всегда говорила, и всегда права была. Вот ты так разливался соловьем про эту свою Мурку, — она отлично помнила, как зовут Муретту, но опять с удовольствием уязвила. — А теперь ты бросил ее, и наверняка ей квартиру оставил.

— Я пока не знаю, бросил я ее или нет.

— Да уж если ты с другой сюда приехал, то, конечно, бросил. А та хоть красивая была.

Он знал и это — матери все предыдущие нравились больше новых. Весь его путь выглядел сплошной деградацией. Так критик, желая уязвить автора, вечно бранит новую книгу сильней предыдущей, даже если предыдущая тоже никуда не годилась.

— А эта разве некрасивая?

— Ну что ты, какая же она красивая. Глаза — во! — а лицо маленькое. И ни одного слова,

ни словечка по-человечески, такая ломака. Вот ты
увидишь. Я понимаю, что не надо бы этого говорить, но промолчать не могу, потому что мать твоя
старая дура.

Они больше не возвращались к этому, и с Алей
мать была доброжелательней прежнего, и когда
они уезжали ночным поездом, даже обняла ее.
Аля, казалось ему, так ничего и не заподозрила,
и только в Москве, два дня спустя, сказала:

— По-моему, я не понравилась.

— Кому?

— Твоим родителям. Они хотят, чтобы рядом
с тобой было что-нибудь понадежней. Но это они
еще не всё видели. Я очень надежная, Борька.

— Да очень ты понравилась, не беспокойся.
Отцу особенно.

— Отец чудесный, прямо германец такой. Рыцарь. Но они еще не поняли, и бог даст, им не
придется понять, что я самая надежная. Ты понимаешь, Борька? Самая.

Знала бы ты, подумал Боря, как он ненавидит
германцев. Все-таки при всем своем уме, говоря
о других людях, она вечно попадала пальцем
в небо. Но если бы знал он сам, как ему вспомнят-
ся слова отца спустя год с небольшим! Отец бы
непременно поднял палец и долго, назидательно
грозил. Но отец не дожил. Его нашли на улице в
апреле тридцать девятого. Разрыв сердца, смерть
в одночасье. И только в августе Боря подумал:
вдруг отец действительно что-то знал, и все эти
Дымшицы дотянулись до него? Не может же про-

сто так... Но решимости уйти к Але после поездки еще не убавилось.

Гром грянул позже.

В сентябре Муретта уехала на Кавказ — разумеется, без него, даже не предложив отправиться вместе. Прощалась она почему-то тише и при этом патетичнее, чем обычно. Позвала его в «Прагу». В последний раз в ресторане они были на пятилетии свадьбы, пригласили только ближайший круг, да и то Боря ерзал — была уже Аля, и во всем чувствовалась невыносимая фальшь. Еще и Муретта решила впервые появиться в бархатном, которое совсем к ней не шло, и многие ядовито шутили про лета, которые клонят, и Боря, защищая ее, наговорил колкостей ни в чем не повинным людям. Теперь, год спустя, она была непривычно тихой и словно виноватой. Официант — «с раньшего времени», хотя, возможно, и нет, просто этот стиль теперь приветствовался, и первой, как всегда, реагировала обслуга, — принимал заказ не записывая, холодно кивая. «Смотри, как у нас все стало», — сказала Муретта, машинально все еще гордясь достижениями. «Ты отчего грустная?» — спросил Боря. Она объяснила что-то про печень, про предчувствия. «В Кисловодске подлечишься», — сказал он вполне по-товарищески, он же не был к ней совершенно равнодушен. А между тем было чувство, что Муретта не просто прощалась перед Кисловодском, а может, чем черт не шутит, собиралась уйти. Он не знал даже, с кем она ехала, мог спросить — но не спросил. Но ехала она одна, как выяснилось, и уже там, в Кисловодске, познакомилась с местным жителем, темным типом, обладателем чуть ли не единственной в городе частной машины, в которой подвозил к санаторию имени Куйбышева особо почетных клиентов, а иногда самого директора, но тот, человек рыхлый и болезненный, выезжал редко. В основном, как можно было догадаться, машина служила для соблазнения скучающих курортниц.

Муретта сразу сделалась объектом его особенного внимания. Возил ее к Провалу, к месту дуэли, еще куда-то. Она не возражала. Однажды вечером попросилась за руль, ссылаясь на обучение в первой шоферской школе Москвы (и действительно, как хвасталась Боре, посетила пару занятий), но водить, конечно, не умела и не пробовала, а тип побоялся возразить. Видимо, дело у них зашло довольно далеко. Она перебралась на водительское сиденье, со смехом и визгом проехала сто метров, а потом решительно сдвинула брови и кинула машину вниз по крутому склону, сбив два столбика бессмысленного ограждения. Это счастье, повторял водитель, это чудо, что там росла эта орешина! Орешину Муретта не разглядела, а может, наоборот, присмотрела давно, рассчитав не погибнуть, но покалечиться и отяготить Борю вечной виной. Но и покалечиться толком не вышло — она сломала правую руку (а между тем была левшой, чем гордилась, и именно левой удаляла зубы) и еще изуродовала осколками лицо. Был сильный ушиб глаза, но глазу в итоге ничего не сделалось.

Боря получил телеграмму от санаторского главврача и бросился в Кисловодск — шеф впихнул его в самолет академика Крылова, летевшего в Тбилиси по своим сельскохозяйственным делам. Академик в полете пригласил Борю сесть рядом и все три часа бешено ругал журналистов. Боря не выдержал и наговорил ответных резкостей — о том, что академики-то вообще молчат, закопавшись в свои экспериментальные грядки, а журналисты пытаются хоть контрабандой донести живое слово. Академик слушал с неожиданной покорностью, а при расставании вдруг обнял, и стало невыносимо жаль старика...

Из Тбилиси добирался десять часов на двух попутках, удостоверение не действовало, машины не давали, ехал в итоге на грузовике, набитом кукурузой. Шофер завернул в Нальчик, где жила у него какая-то родня, и Боря не посмел возражать — по такой жуткой дороге ехал, да еще ночью, заслужил отдых. У родни оказался праздник, поили свежей чачей, не отпускали, дом был бедный, но жадно-гостеприимный. Гостя из Москвы принялись расспрашивать и бесстрашно ругать местное колхозное начальство. Боря думал только об одном — застанет ли Муретту в живых, кивал, записывал, пил, наконец взмолился: Степан, поедем, у меня жена, может быть, умирает в Кисловодске! А, махнул рукой тот, в Кисловодске всех на ноги ставят, там такая вода есть, что у племянника позвоночник сросся, — веришь, нет? И потом, я сейчас пьяный, мне три часа спать надо...

Он поспал, умылся ледяной водой и ехал дальше злой, и денег содрал больше, чем договаривались. Боре казалось, что Степан зол оттого, что все понимает: ай, слушай, какая она тебе жена? Рассказал бы ты ей, как за нее беспокоишься, когда с девкой своей французской ночуешь и лыбишься, когда та зовет тебя мужем? Вот тогда бы ты ей рассказал, да? А теперь рабочий человек из-за тебя не ел, не спал, теперь у него из-за тебя голова болит... Вообще в последнее время весь мир смотрел на Борю исподлобья, но после катастрофы с Муреттой и деревья, и стены совсем обнаглели — давили на него со всех сторон.

Ее поместили в отдельную палату, поставили капельницу — хотя в капельнице не было особой нужды; поначалу, конечно, было страшно — замотанное лицо с дырами рта и единственного неповрежденного глаза, — но врач сказал, что, в сущности, отделалась легко. Врач был русский, но давно живший на Кавказе, радующийся случаю поговорить с московской прессой; рассказывал об удивительных случаях исцеления на водах, мимоходом добавив, что избыток солей приводит к отложениям, к малоподвижности суставов: «Мы все тут к тридцати годам хрустим». Заметил, что транспортировка вод совершенно неудовлетворительна: они теряют половину целебных свойств, «да и вообще, положа, так сказать, ногу на ногу, — перевозить бессмысленно, лечение возможно только здесь, где источник сохраняет, так сказать, силу земли...». И Боря выслушивал все это, как и колхозные жалобы, кивая и понимая только то, что Муретта хотела покончить с собой, а виноват в этом он. Никто его ни в чем не подозревал, она не справилась с машиной, понятно, но он-то знал, что Муретта — захоти она — справилась бы с чем угодно.

Врач еще долго объяснял, что челюстно-лицевая хирургия стоит сейчас на уровне высочайшем, да и среди ее коллег наверняка будут люди, готовые помочь; ведь мы не в Америке, повторял он, там за это с вас слупили бы целое состояние, а здесь это доступно, вы убедитесь. С рукой же вообще пустяк, простой перелом без смещения. Таких ишаков, как этот водитель, следовало бы вешать за одно место, но у него вообще ни царапины, и даже его драндулет можно восстановить, хотя по-хорошему надо бы отобрать...

Водитель драндулета подстерег Борю около палаты, долго тискал его руку, повторяя про счастье и чудо, и Боря именно чудом не отдергивался, потому что от брезгливости к этому сизолицему типу его мутило. После естественной в таких случаях прелюдии — «Вы же понимаете, что вашей жене никто не может отказать?» — тип перешел к делу: Боря должен был оплатить ремонт его машины. «Вы понимаете, запасные части... у меня стояло все новое, я заменял сцепление месяц назад, теперь это счастье, это чудо, если вообще можно будет восстановить...» — «Вы хотите, чтобы наша семья оплатила ремонт?» — спросил Боря железным голосом. «Но хотя бы вполовину!» — стремительно отступил сизый. «Вы пустили неопытного водителя за руль на горной дороге, не проверив ни прав, ничего... и после этого преступления хотите, чтобы она платила? Да вас самого за это прав лишить пожизненно, даже если у вас в дружках тут все судьи!» Сизый струхнул и попятился, повторяя: «Вы всё же мне не угрожайте, у меня есть свидетели...» — «Свидетели чего?! — шепотом рявкнул Боря. — Вы места другого не нашли, кроме больницы, чтобы приставать со своим вымогательством?!» Он убил бы этого человека не поморщившись — не потому, что приревновал его к Муретте (он огорчался больше из-за того, что уехал от Али, которая звала его кататься по Москва-реке — зелень, плеск, счастье, звезды, запахи!). Нет, не в ревности было дело, а в том, что из-за глупости этого ишака он был теперь прикован к жене; теперь — по крайней мере на год, пока она будет приходить в себя и чинить лицо, — не могло быть и речи о разводе, и если она так и задумала, то ум ее был поистине иезуитский. Но он не верил — женщина может покончить с собой, но никогда не согласится изуродовать себе лицо! «Я думала наказать тебя, а наказала себя», — едва ворочая языком, сказала Муретта, и был момент, когда он, целуя ее левую руку, чуть не разрыдался. Правда, сострадание быстро испарилось: виноваты были все, но он хотя бы не нанес никому физического ущерба.

Всё и в самом деле оказалось не так страшно — небольшой шрам под глазом и еще один на виске, большей частью уходивший под волосы. Но что-то в Муретте сломалось.

По возвращении в Москву они пробовали жить, словно ничего не произошло, и Боря стал даже чаще бывать дома, и были какие-то прогулки по вечерам, во время которых разговор не клеился, но однажды она, не стесняясь людей, громко, тяжело разрыдалась, прямо-таки упав на скамейку, и он сидел рядом, свесив руки меж колен, не утешая, потому что утешать было бесполезно. Хорошо, сказала она наконец, мы договоримся с тобой так. Мне нужно только, чтобы ты не уходил, по крайней мере сейчас. Сейчас я не смогу быть одна физически. Я пролечусь, это пройдет, я встану на ноги, и тогда иди куда хочешь. Но сейчас мне нужен человек рядом, пусть такой, как ты, пусть жестокий и лживый (он не возразил ни словом), пусть вовсе нечеловек, но все-таки живой, чтобы не каждый раз просыпаться одной. Я ни на чем не настаиваю, ты можешь ходить к этой своей, ты можешь вовсе не спать со мной, если тебе противно, а тебе это теперь наверняка противно (все-таки не могла удержаться, отметил про себя Боря), — но развода я сейчас не вынесу. Считай, что я полностью капитулировала.

Все это была грубейшая манипуляция, но он ничего не сказал. Другая на ее месте затеяла бы ужасное разбирательство, сообщила бы наверх — как? бросает советскую женщину, прекрасного специалиста, ради какой то эмигрантки? — но Муретта была из тех, кто может покончить с собой или по крайней мере сделать попытку, но написать в партком не может. И все продолжалось так,

как устоялось к лету, только дома он ночевал чаще
и старался ее иногда, как выражалась Муретта,
лакомить: покупал торты, тем более что она резко
похудела. К тридцати выглядела на все сорок,
а главное, переломился в ней стержень: на все
попытки разговорить ее только усмехалась устало,
иногда принималась просить прощения, а то вдруг,
особенно если выпивала лишнего, начинала страстно уверять, что ничего не было, клянусь, Боря,
с этим шофером — вообще ничего! Это было последним, что его волновало, но он кивал с глубоко
сострадательным видом. Два раза случилась близость, иБоря с изумлением отметил, что Муретта
по-прежнему обладает неким воздействием
на него, — хотя и он был не тот, и она не та, и никакого сравнения с небесами, на которые возносила
его Аля. В первый раз Муретта заснула совершенно
счастливой, а во второй оттолкнула его чуть
не с рычанием — «Ты все равно сейчас с ней!» —
и это было мелодраматично и смешно, да вдобавок
почти не окупалось удовольствием. И больше ничего такого не было, не считая августовской ночи год
спустя.

Аля все поняла и о браке больше не заговарива-
ла. «В конце концов, — сказала она однажды вдруг,
посреди праздной болтовни, — ты мой муж, и этого
нельзя изменить. Нужно ли нам что-то еще?»

Он промолчал, опустив глаза; эта маска печа-
ли и вины действовала, он знал, безотказно.

* * *

4

Когда Серов вернулся с Халхин-Гола, его восторгу не было границ. Прямо стихи, современная баллада, все теперь писали баллады и поэмы, произведения сюжетные, киплингианские. Из Каталонии он прилетел далеко не такой восторженный: видимо, в Каталонии не было большого риска. Теперь же разливался соловьем, как человек, которому действительно повезло. Дружище, захлебывался он, дружище, всем запомнить фамилию Жуков! Это — это нечто феноменальное! За него — вот я лично — ты не поверишь — но я не считал себя даже способным на такие ощущения — вот лично в бой! Это молодой, из новых. В гражданскую командовал полком. Сейчас комкор. «Это... это... — захлебывался Серов. — Это абсолютный военный, которого не хватало. Он поверх всякой субординации сам инспектирует. Его ценят...» — Серов глазами показал, где ценят. Тем, наверху, немедленно была необходима война. Они жили войной. Они заходили на нее с разных сторон, пробовали здесь и там: Япония, Испания... Им не впервой было лечить внутренние проблемы внешним воздействием. Только война могла разрешить все. Она списывала что угодно, объединяла нацию, запрещала задавать вопросы. Так было множество раз — всегда, когда явно не получалось. А что не получалось — видели уже все.

Война выручала Николая Первого, Александра Второго, война должна была спасти империю. И никогда не спасала, ибо ни одной проблемы не решала, а загоняла вглубь. Кровопускание было некогда любимым методом лечения, это называлось «бросить кровь»; оно и в самом деле могло спасти от апоплексии, но больше ни от чего. Война была замечательным способом маскировать пороки под добродетели. Война отмывала, переводила в разряд подвига что угодно — и глупость, и подлость, и кровожадность; на войне нужно было все, что в мирной жизни не имеет смысла. И потому все они, ничего не умеющие, страстно мечтали о войне — истинной катастрофе для тех, кто знал и любил свое дело. Но у этих-то, у неумеющих, никакого дела не было, они делали чужое, и потому в них копилась злоба, а единственным выходом для злобы была война. На войне не надо искать виноватых — виноватые были назначены; на войне желать жить было изменой, и те, кому было чем дорожить, объявлялись предателями. Слово «предатель» вообще теперь было в большом ходу.

Обо всем этом до поры ни с кем, и в особенности с друзьями, нельзя было говорить: Борис сам не заметил, как разговоры сделались опасны. Еще в тридцать втором году прилично было шутить; больше того — неприлично было не шутить. И в тридцать третьем еще шутили, а потом вдруг перестали.

Полная ясность наступила с арестом баснописца. Захмелевший актер, одержимый тем же мерзким чувством допущенности и дозволенности, которое привез Серов с Халхин-Гола, принялся в верховном присутствии читать басни, уместные, быть может, в кругу подвыпивших актеров, но оскорбительные на кремлевском банкете. Собственно, это и разозлило. Сами басни были совершенно невинны. Отреагировали именно на то, что, как мог судить Борис, особенно раздражало там: когда пьяный — часто нарочно подпоенный — лицедей или сочинитель преисполняется лизательного восторга. Он бывает вполне искренен в такие минуты, он даже, честное слово, готов отдать жизнь... И в порыве любви принимается раскрываться, преподносить в дар все свое нутро, а что было у него в нутре? В основном зловоние. Бахарев рассказывал, что Демьян впал в опалу не из-за идейных ошибок, а потому, что заваливал вождя влюбленными письмами, в которых подробно освещал ход лечения своего диабета. Детально писал о сахаре в моче! Сахар в моче безобразен сам по себе, а докладывать о нем наверх есть бестактность запредельная, и потому Демьяна выперли из Кремля. Так и здесь: пьяный расчувствовавшийся актер начал показывать все, на что способен. Жертвой пал автор, тоже, конечно, пошляк, но совсем иного разбора. И с этого момента анекдоты прекратились, сатира стала формой панегирика, а многие перестали вести дневники. Чего не говоришь — того и нет, и году к тридцать шестому замолчавшие уверовали. Последним собеседником Бориса сделался Горелов.

Первый разговор с первым Гореловым помнился ему отчетливо. Горелов словно задался целью опровергнуть все его предположения. Несмотря на явно крестьянское лицо, широкое, крепконосое, он казался истинным европейцам и, судя по обмолвкам, — намеренным, вероятно, — побывал в Германии, и не побывал даже, а пожил. Он не предлагал ничего заведомо неприемлемого. В какой-то момент, устав от Бориных аккуратных «ни да, ни нет» — ровно тогда, когда тактика требовала перейти к угрозам, — он вдруг, прочитав Борины мысли, сказал: «А почему бы вам не допустить, что нам интересны именно вы?»

Наверное, с другими были другие аргументы. Но надо было в самом деле очень хорошо читать в сердцах, чтобы зайти именно с этой стороны. Дело в том, что Боря уже давно никому не был интересен. То есть как? Интересен был Гордон, востребован Ильич, но до Команча никому не было дела, а главное, вся эта сложная система не привлекала ничьего внимания. Правду сказать, лет с пятнадцати — с тех пор, как родители ограничились робкой любовью и не пытались проникнуть в его сложный мир, — Боря был порядочно одинок, и даже Муретта, самое близкое, почти родное временами существо, скользила по гладкой поверхности его сложной жизни. Давно не чувствуя ни в ком подлинного интереса, он и сам замкнулся, заткнулся. И даже если предположить, что его покупали, то по крайней мере знали, что предложить.

— Так почему вы не хотите допустить, что нам просто интересны ваши оценки? Нам надо знать то, о чем вы не пишете. Всем это читать не обязательно, но должна же быть у вас возможность донести...

И здесь Горелов улыбнулся, потому что обмолвка вышла характерная.

Пусть это была игра, но игра забавная, с непредсказуемым финалом. Хотя предсказуемы все финалы, — но есть разница: умрут все, но некоторые перед этим живут, а другие нет. Можно было подразнить и, чем черт не шутит, действительно что-то исправить. Наконец, можно было передать что-то полезное. И если даже они будут наглухо равнодушны к тому дельному, что он скажет, и станут чутко выслушивать только оговорки про Бориных знакомых, — пускай, что-нибудь все равно осядет и запомнится. И наконец — это было главным, хотя и переживалось на дне, втайне, — это была гарантированная защита: он был достаточно умен, чтобы уж о себе-то не сказать лишнего.

Правда, в Горелове-первом что-то ощущалось, что-то такое, что явно намекало на неизбежность появления Горелова-второго. Тут был повод для рефлексии, и Борис еще до замены подумал над ее принципиальной возможностью: что именно было в Горелове не так? А вот, пожалуй, неорганич-

ность. Побеждала органика, абсолютная естествен-
ность, а Горелов-первый был результатом каких-то
скрещений, внутреннего роста, работы над собой.
Может быть, действительно сочетание вот этого
селянства и Европы, крепконосости — но притом
элегантности или по крайней мере претензии. Одет
он был лучше Бори, хотя на Боре, он знал это,
хорошо смотрелась не только кожаная куртка,
но и любая местная тряпка, даже халат в Туркме-
нистане. Подлецу все к лицу, говорила Муретта, может быть, даже и не шутя. И вообще, Горелов был
напряжен, не до конца искренен, и разговоры с Борей не доставляли ему удовольствия: Горелов работал. Но разве можно быть до конца откровенным
с человеком, который работает? И Боря не очень
удивился, когда вскоре после знакомства с Алей —
он поначалу связал эти события, но потом понял,
что Аля ни при чем, — в скромной комнате близ
Спартаковской площади появился Горелов-второй.

Боря позвонил, и открыл ему мягкий, уютный, округлый, хотя и душноватый с виду человек.
Роста он был порядочного, так что круглота ощу-
щалась скорее как массивность, но вел себя так
мирно, лениво и уютно, что было очевидно: это
не работа, это отдых души. Кем он там работает,
что делает в своих таинственных кабинетах, —
неясно, да и неважно; сюда он приходил поговорить с умным собеседником, отдохнуть от рути-
ны и выслушать интересную точку зрения. С ним
у Бори сразу установился именно тот контакт,
в котором заинтересованы обе стороны.

Атмосфера беседы по вызову исчезла немедленно. Боря не возражал бы теперь уже не против ежемесячных, но и против еженедельных встреч, однако предлагать такое было бы избыточным рвением. Горелов-второй этого бы не оценил. Боре иногда хотелось предложить: да вы зайдите, что ли, или посидим где-то в Журдоме, — но и это было бы выходом за грань профессиональных отношений, а Горелов ценил в Боре именно сдержанность. Все-таки однажды Боря не удержался и сказал: знаете, а я ведь себя чувствую у вас почти как на венской кушетке, у этого... Знаю, спокойно кивнул Горелов-второй, далее просто Горелов, ибо первый исчез, не оставив по себе памяти. Исчезновение его не оговаривалось, новый просто сказал: в связи с командировкой с вами буду теперь работать я, зовите меня Петром Степанычем, мы все тут, знаете, Петры Степанычи, и вы тоже. Да, знаю, сказал этот Петр Степаныч, вы просто, можно сказать, попали в десятку. Я ведь именно этим и занимался года до двадцать девятого, а потом по разным обстоятельствам понял, что сейчас надо поменять место работы. Расскажите, пожалуйста, попросил Боря, словно это он здесь задавал вопросы. И Горелов с готовностью откликнулся, словно тоже ждал, пока его одиссея станет кому-нибудь интересна.

В двадцать девятом году — хотя догадаться можно было чуть ранее, — начались регулярные выступления против нашей научной школы. Все-таки она не вполне сочеталась с марксизмом, или,

верней, для окончательного сочетания требовалась
адаптация, а заниматься этим было некому. И тогда обо всем догадался подлинный глава школы,
давно уже преподающий в одном из южных педин-
ститутов: поймите, объявил он на последнем собрании психоаналитического общества, они хотели бы
табуировать все, чем пользуются сами, — чтобы никто не подобрал к ним ключа. Запрещается только
то, что будет востребовано в узком кругу. Началось
с запрета на волшебную сказку — но неужели вы
думаете, что собственные их дети будут расти на
книгах о двигателях? Высшая правда заключается
в том, чтобы верхи ели одно, а низы другое; этого
установления не опровергла еще ни одна власть,
ибо в противном случае исчезли бы любые стимулы
к этой власти стремиться. И, разумеется, им пона-
добились мы — но, чтобы нами пользоваться, они
должны нас запретить. Теперь наш долг — доказать, что мы им необходимы; и это мы доказали
очень быстро, потому что расспрашивать, как
мы, — он употребил именно этот уютный глагол, —
не умеет никто.

А для нас — о, для нас наступило золотое
время: в полузапрете, и более того — в обстановке
непрерывного глумления мы стали беспрепятствен-
но копить материал, который и не снился отцу-
основателю. На кушетке рассказывают многое,
поисками настоящего стимула — такого, чтобы
выкладывали всю подноготную, — занимались
во всем мире, и только в России, как всегда, пошли
дальше всех. Конечно, многие слухи — вы знаете

все эти преувеличения, — чистая клевета; ведь механизм понятен. Люди в приступе первого страха выкладывают такое, что самим потом стыдно, — вот они и выдумывают все эти глупости о пытках. Какие пытки, зачем? Сами рассказывают такое, что иногда, право, совестно слушать; с наслаждением, с опережением, до всякого вопроса сдают всех знакомых и близких родственников, которых втайне ненавидят. А с другой стороны — как не ненавидеть, живя в таких условиях? Сколько тещ, рассказавших всю правду про зятьев: не оценил фильм, выругался, слушая радио... Сколько невесток, свекровей! Незабываемо... Я не говорю уже о коллегах. Потом, конечно, от стыда начинают врать, что выколачивали показания... Да зачем выколачивать? Представьте ковер, который сам по первому требованию выпускает всю пыль...

Да вы знаете, сколько писем пишут совершенно добровольно? (Оба Горелова — и первый, и второй, — избегали все-таки слова «донос».) Или это тоже под пытками? Что вы, все так устроено, чтобы каждый по личному желанию выворачивался наизнанку. Я даже думаю иногда, — и Горелов уютно улыбнулся, — что и весь проект затеян нашими, чтобы создать условия, в которых люди добровольно выбалтывались бы до самого черного дна. Заметьте, ведь и я ни на чем не настаиваю. Людям просто не с кем поговорить.

И что же, спросил Боря, много интересного вы узнали? Повисла пауза. Я знал одного священника, заговорил Боря как-то суетливо, чтобы заполнить

молчание, — спросил его, много ли интересного
он услышал на исповедях? Ничего интересного,
сказал священник, вот поверите ли — сплошная
скука, не на чем глазу отдохнуть. Ну нет, помол-
чав еще немного, сказал Горелов. Что неинтересно священнику, то клад для психоаналитика. Они
не умеют анализировать, и потому для них все это
только шум. Священник вообще равнодушен к па-
стве, она его раздражает, как пациент — обычного
врача. Но если есть мотивация... если из каждого
случая можно получить новое знание... Нет, нам
не скучно. «И что же сенсационного вы узнали обо
мне?» — спросил Боря. «Когда-нибудь расскажу, —
пообещал Горелов, — но сегодня знаю недостаточно. Кое-какие двери закрыты, вы их оберегаете.
Одно могу сказать — вы напрасно чувствуете себя
виноватым. Ради этого всё — женщины, измены...
Можно даже сказать, что вы грешите нарочно,
не ради удовольствия, а только чтобы острей чувствовать вину. Поэтому же вы бываете откровенны
со мной. Всё ради одного». — «Зачем же мне это
нужно?» — спросил уязвленный Боря. Он хотел,
чтобы его слушали, но не желал, чтобы копались
у него в душе. Неужели никто не может интересоваться им бескорыстно? «Это нужно вам затем, чтобы оправдать таким образом грядущие катастрофы,
которые вы предчувствуете, — назидательно, чтобы
не казаться слишком серьезным, пояснил Горелов. — Вы всегда сможете себе сказать: было за что.
Таких, как вы, немного. Огромное большинство
любит страдать незаслуженно».

И Боря кивнул: Горелов попал в точку. Состояние вины было для него естественно — и, пожалуй, необходимо.

Это началось давно. Но нельзя было чувствовать себя вечно виноватым, и все чаще он обвинял теперь страну. В самом деле, она неутомимо плодит виноватых, виноватыми легче править, а в России не бывает невинных, все помазаны с детства, с первых шагов, условия таковы, что невозможно не согрешить. Почему? Потому что с точки зрения какого-нибудь из одновременно существующих кодексов обязательно будешь виноват. А сосуществуют все эти кодексы потому, что нет единого. Как говорила непонятная женщина Джейн, с которой у Бори могло получиться, хотя он всегда чувствовал прочный барьер (который он мог бы, допустим, сломать, но тогда она ушла бы от мужа и осталась с ним, а удовольствие явно того не стоило), — эта непонятная Джейн даже теперь, когда уехала и вела практически антиамериканскую пропаганду, говорила: в Америке могут дружить люди разных взглядов, а в России нет. В чем дело? В том, что помимо взглядов у американцев есть нечто общее, и это больше любого разногласия. В России же людей не связывает ничего, кроме разве виноватости. Американцы, которых Боря видел много, объединены тем, что за ними стояла Америка, и это делало их защищенными. Их нельзя было трогать — как послов. Даже в России, где не действовал ни один закон — и даже закон всемирного тяготения действовал прихотливо, — с ними лучше было не связываться. Когда Борис встречал американца, он понимал, что американец неуязвим: его можно ограбить или убить, вот только худо тебе будет. Когда же — в Париже, например, — Боря встречал русского, и не жалкого эмигранта, а гордого советского гражданина, он чувствовал прежде всего эту уязвимость, потому что защищать такого человека никто бы не стал. Наоборот, Родина была бы только рада от него избавиться, у нее и так их слишком много. Чтоб ты лопнуло, проклятое, да зачем ты и родилося.

В России нельзя быть хорошим человеком, Боря понял это давно, потому что все коллизии, которые продуцировала Россия, были коллизии увечные, выморочные. Вот почему всякий моральный выбор непременно превращал тебя в подлеца. Если ты сопротивляешься, ты желаешь зла миллионам, которые счастливы. Если не сопротивляешься, ты предатель собственных взглядов. Слово «предатель» вообще становилось самым употребительным. Когда в июле тридцать восьмого не вернулся бывший командующий Балтфлотом, чье имя было теперь под запретом и родной его поселок переименовался обратно, — это было предательство; а если бы он вернулся, это была бы трусость, мерзость, шествие на заклание. И те, кто предполагали заклать, отлично это понимали. Они ненавидели всех, кто сопротивлялся, и презирали всех, кто покорствовал. Не было нормального сценария, вот в чем дело; эта система, изначально кривая, еще до всякого Октября, могла производить только больные ситуации, в которых правильный выбор отсутствовал. Тут мог быть лишь один путь — действовать так, как хорошо для тебя; по крайней мере, это надежный критерий, потому что все прочие менялись поминутно. И Борис успокаивал себя тем, что правых нет, а потому никто не в силах советовать ему; никто не может осуждать его за дружбу с Гореловым; никто не вправе попрекать его Алей. Он принимал решения только за себя, отшвырнув подлый принцип — «Действуй так, чтобы тебя можно было взять за образец». Тут никого нельзя брать за образец, и сама идея образца — глупая, подлая — чужда человеческой природе. Каждый решает в первый и последний раз.

Не сказать, чтобы он на этом успокоился, но ему полегчало.

* * *

5

В сентябре тридцать восьмого приехала Алина
семья. Это случилось внезапно, Аля сама ни о чем
не знала. Представить, что эта отдаленная, почти
мифическая семья будет теперь рядом, он долго
не мог. У них уже завелся собственный быт, комната на Даниловской одомашнилась, украсилась
фотографиями — и Боря радостно замечал, что
фотографии отца и матери, единственные, стоят
у нее на столе, зато по стенам было пять снимков,
где Аля с Борей: и в Крыму, куда ездили на две
недели в прошлом году, на виноград, и на работе —
оба с комически серьезными лицами за столом,
и на набережной, и в парке, где снял их уличный
фотограф, долго распинавшийся насчет классиче-
ской красоты, звал Алю позировать и был вежливо
окорочен. А теперь надо было делить ее с непонятно какими, неясно откуда взявшимися людьми,
о взглядах и жизни которых он ничего не знал.
Мать, по Алиным словам, была поэт, отец работал
то журналистом, то в кино, всегда симпатизировал

СССР и давно мечтал вернуться; охотней всего Аля
говорила о брате, добром, но замученном родителями мальчике. С ней он отводил душу, но она
в последние годы перед отъездом бывала дома все
реже. «Мы все время ссорились. Мать помнила
меня такой, какой я была до чешского интерната.
Я всегда страшно ревела, уезжая в интернат, а они
никто не хотели понимать. И там я как бы заснула, а проснулась по-настоящему уже только здесь».
Боря не мог поверить, что ее, плачущую, могли
отправлять в какой-то интернат. «Я была уверена,
что мы бы прокормились. Я могла шить, вязать...
Там все было невыносимо, и хотя я пробыла там
только полгода, но, когда вернулась, они меня
не узнавали. Только отец понимал, но ему было
не до меня. Он весь был — тут, и очень жаль, что
приехал только теперь».

Возвращенцы уже были, их становилось все
больше; некоторые возвращались через Испанию,
словно искупив там вину перед Россией, — Испания стала как бы мостом, по которому перебира-
лись в Москву барселонские дети и французские
скифы, как называли себя белогвардейцы, покрас-
невшие за границей. Отец что-то такое делал для
Испании — но не в Испании; там воевал друг семьи. Отец выполнял какие-то поручения, завязы-
вал связи, но в общем, как выходило по Алиным
описаниям, был человек без профессии — слишком
хороший, чтобы где-то трудиться постоянно. Аля
цитировала иногда стихи матери, дала Боре про-
листать купленную на развале книжку — он ниче-

го не понял; трудно было представить, что́ Алина
мать будет делать тут. Аля говорила, что в Париже
ее ценили, но никто не любил. Очень по-русски,
сказал Боря, и Аля почему-то обрадовалась.

Им выделили полдома на подмосковной даче,
где с весны уже жили три возвращенца, и Боря
поморщился — что же, теперь Аля будет проводить с ними все время? Но она его успокоила: там
наверняка найдется где ночевать вдвоем, а комната в любом случае останется за ней, не таскаться
же каждый день в редакцию на электричке! После упразднения Жургаза их журнал уцелел, да
и кто бы на него посягнул? — все рассчитанное
на экспорт имело шанс. Под предлогом работы она
сможет ночевать в городе, но пока, первое время,
им — Аля подчеркнула: им! — обоим надо будет
помогать семье, бывать, видеться; и конечно, они
его полюбят.

И настал день — теплый, один из последних
в эту осень, — когда Леня повез их в поселок, где
в тридцатом размещалась знаменитая колония-
коммуна. Боря делал оттуда огоньковский репортаж со съемок «Путевки в жизнь», и ему там очень
не понравилось. Дети выглядели наглыми и глад-
кими, оператор и актеры снабжали их куревом,
а один из колонистов, в наряде на кухне, рассказал
Боре, что актив всех давит и жизнь совершенно
невыносимая. Это был тяжелый удар по Бориным
взглядам. Сам он вслед за пушкинской запиской
«О народном воспитании» полагал, что детей надо
растить исключительно в лицеях, телемских обите-

лях, где не мешает растленное влияние семьи, —
и что Чернышевский был глубоко прав, полагая
разрушение патриархальных семей единственной
гарантией российской свободы. Но в колонии царила такая несвобода, что в сравнении с нею Телем-
ской обителью была любая, хоть бы и самая раст-
ленная семья. Фильм вышел бодрый, такой же
наглый и гладкий, как актив, а Боря с тех пор избегал заговаривать о коллективном воспитании.
Он не отказался от своей утопии вовсе, но для нее
еще не настало время; вообще все, что задумыва-
лось в двадцатых, было рассчитано на еще не родившихся людей, а родившихся делало только хуже.

Дачный поселок имел странно унифициро-
ванный вид: двадцать бледно-зеленых домиков,
одинаковых, недавно выстроенных, с застеклен-
ными верандами и отдельно стоящими то ли ку-
хоньками, то ли домиками для прислуги. Пере-
делкинские дачи, где Боре случалось бывать по
службе, отличались куда большим разнообразием.
Тут же все дышало казенщиной и строилось, видать, для казенных, а не творческих личностей.
Аля уже успела встретить семью на вокзале, куда
Борю предусмотрительно не взяла, и провести на
новом месте вечер и ночь. Вещи пока не прибыли,
задержались в Ленинграде, куда мать с младшим
сыном приплыли пароходом; отец приехал еще
раньше, но, по Алиным словам, сначала подлечи-
вался в больнице, а потом в санатории. Аля с ним
виделась, но Боре ничего не говорила. Это несколько насторожило, но он уже понял, что работа отца

была не из публичных. О том, что делают скифы
за рубежом и кем курируются здесь, он догадывался, но предпочитал не расспрашивать; ясно
было, однако, что Аля тут совершенно ни при чем.
Из рассказов об их парижской нищете он уяснил,
что они если и выполняли поручения, то разовые:
серьезным людям создали бы условия. Есть вещи,
которые не подделаешь. Он скорее заподозрил
бы себя, чем ее; и себя, кстати сказать, ему было
в чем заподозрить.

На шестой даче от угла — или от поселкового
магазина, как отсчитывала Аля, — их уже ждали
за столом. Смотрины, хмыкал Боря. Аля относилась
к этой встрече очень серьезно: «Пойми, я не смогу
разрываться. Если ты им не понравишься, что же,
мне придется выбрать тебя, потому что — отлепит-
ся от родителей и прилепится к мужу. Но это мне
будет мучительно, я и так часто ссорилась с ними.
Кроме того, ссоры ведь ничего не решают. Ссо-
ришься, а любишь. Но ты увидишь, все будет как
надо».

О том вечере у Бори сохранились странные,
дробные воспоминания: он почти не помнил, о чем
говорили за столом. Больше всех ему понравил-
ся младший брат, Георгий, со странной домашней
кличкой Шур («Что, он Шура?» — «Нет, он в детстве все шуршал за диваном, там было у него свое
царство, нора»). Отец был высок ростом, слишком
красив, слишком доброжелателен, больше всех
похож на Алю — но невыносимо чем-то придавлен;
улыбался искусственно, дрожащей улыбкой, в раз-

говоре цеплялся за что угодно, главным образом за ерунду, только чтобы не высказаться всерьез.

Зашел разговор о журнале, о том, как его ждали за границей, ибо он был единственным источником сведений о здешней жизни; особенно хвалили фотографии, и отец принялся расспрашивать Борю о фототехнике, о том, на каком оборудовании лучше всего делать панорамные снимки. Ведь там, вы знаете, этого совсем нет, там в прессе фотография такого качества, что стыдно в руки взять. Боря выказал полное невежество в этом вопросе: он отвечал за тексты, о фотооформлении следовало говорить с бильдом, как называли они оформителя на западный манер. «Да? — удивился отец. — Странно, мне казалось, вы как редактор должны быть универсалом... Скажите, а весь фотопроцесс, вся проявка, печать — это тоже у вас в редакции, или же вы отдаете в лабораторию?» — «Разумеется, лаборатория у нас, она занимает часть второго этажа». — «А где обучались фотографы, кто их готовит?» Все это он выговаривал искательно, имитируя бурный профессиональный интерес, Боря же ничего толком не мог ответить и все ждал, что Аля осадит отца; но Аля молча пила чай и смотрела в сторону. Мать тоже сильно нервничала, стучала пальцами по столу, отламывала мелкие куски хлеба и бросала в рот, явно не чувствуя вкуса. Боря ловко перевел разговор на Алю: мы не нарадуемся, она идеальный специалист, такого французского я не слыхал ни у одного француза... Аля плохо знает французский, сказала вдруг мать. Она знает газетный французский, Рабле она не смогла бы читать. Но нам и не нужен язык Рабле, возразил Боря и ввернул по случаю: универсализм подозрителен, ami de tous — ami de personne. У вас хороший выговор, равнодушно похвалила мать. Иногда Боря ловил ее странный, подозрительный взгляд, словно говоривший: что вы нашли в моей дочери? Зато Шур смотрел на него с обожанием: он, видимо, скучал по мужскому воспитанию, мужскому общению, отец с его неврозом явно не годился в вожатые. Шур старался всячески продемонстрировать осведомленность, взрослость, грубо осадил мать, когда та робко сказала, что пора бы ему укладываться, — причем осадил по-французски: lassez-moi! В семье наблюдалось неблагополучие по всем фронтам: Аля демонстративно брала сторону отца, отец то и дело вставал из-за стола, выходил в сад, возвращался, все много и жадно курили, разговор крутился вокруг внешних поводов...

Боря почувствовал необходимость вывести это пустословие на сколько-нибудь серьезный уровень и сказал: мне, вероятно, надо представиться и объясниться. Я будущий муж вашей дочери, простите мою самонадеянность, но мы так решили. Я все уже объяснила, прервала его Аля, уводя от темы. Нет, почему же, вдруг обрадовался отец, зачем же умалчивать, вы можете, если хотите, нам рассказать, как именно вы любите Алю. Ведь не за одни же ее профессиональные качества? Нет, сказал Боря, хотя профессиональные качества очень высоки. Я хочу сказать вам... — он сделал тут значи-

тельную паузу — это было чутье скорее журналистское, навык строить беседу, — хочу сказать, что
моя жизнь была не совсем безгрешна. Мне, как-никак, тридцать семь лет, и я успел уже побыть
в браке. Да много, в общем, было. Но говорю вам
с полной искренностью, не знаю уж, насколько вы
можете мне верить, — что ничего лучшего, чем
ваша дочь, ничего более родного, чем ваша дочь,
я никогда не видел. Мне тоже нравится моя дочь,
сказал отец, но, кажется, ждал услышать нечто
иное. Его волновал другой, незаданный вопрос.
Но отвечать на этот вопрос Боря не собирался.

Отец был явно с примесью той крови, которая
должна бы показаться Боре родной, но казалась
как раз чужеродной. Есть среди нас, подумал Боря,
не только бледные рыцари духа, но и смуглые
рыцари наживы. Этот был как будто не из сефар-
дов, но и ашкеназское в нем словно выродилось.
Он был бледен, но не героической бледностью злобы, а голубоватой, венозной бледностью слабости.
Когда-то, черт его знает, он, может, и годился
в бойцы. Аля много рассказывала об его героизме.
Но теперь его окончательно съела жена, женщина
умная и притом истерическая, помешанная на собственной силе; с такими не то что связываться —
разговаривать было нельзя.

Вообще обитатели дачи, насколько Боря успел
рассмотреть их за десяток ночевок, — Аля приво-
зила его на выходные и довольно бесцеремонно
устраивалась с ним в кухонной пристройке — были
люди жалкие, но сочувствия не вызывали: ощущал-

ся в них задавленный аристократизм, только без особых оснований. Они всё проиграли — сначала здесь, потом там, теперь из милости были возвращены и даже в известном смысле осыпаны благодеяниями. Пока пристроили их в поселке, где вполне можно и зимовать, а в перспективе маячили московские квартиры, вот чуть обустроимся. Перед иностранцами, хотя бы и местного происхождения, привычно лебезили. А с чего? за какие заслуги? Они были не героические бойцы, а банальные мещане, разговоры их были скучны, склоки невыносимы. Склочничали они, впрочем, всё больше от страха, ибо и сами понимали временность и незаслуженность благ. Они вечно ссорились из-за мелочей, из-за соли, поставленной не туда, и, как последние коммунальные скандалисты, припоминали друг другу грехи молодости, переходя, правда, на французский. В их беглом французском Боря половины не понимал. Еще бы, мы-то в Сорбоннах не обучались. Вражда его к ним была классовая.

Особенно невыносим был дядя Пузя, чьего настоящего имени никто не упоминал, — словно сошедший со сцены МХАТа комический пошляк, действительно пузатый, в вечных подтяжках. Дядя Пузя постоянно изрекал, то есть философствовал, и в пылу философствования внезапно формулировал. Особенно часто пускался он в рассуждения о том, что главной задачей человека является, в сущности, перевод мира на говно; больше всего он любил щеголять такими формулами за едой. Вероятно, он еще в детстве усвоил себе тон ка-

призного любимца публики, и некому было ему
объяснить, что прошло некоторое время, что анфан
террибль давно уже не анфан... Жалела его одна
Аля, остальные переглядывались и пожимали плечами. Аля, с вечной своей склонностью переплачи-
вать всем, внушала Боре, что дядя Пузя — высокая
и чистая душа. Чей он был дядя и кем приходился
Селезневым, соседям по даче, — анемичной девочке, ее старому отцу и жирной, капризной матери —
Боря выяснять не стал; приехали они все вместе.

Мать Али... О, как его раздражала мать Али!
Цепкость бывших. Со всеми разговаривала на их
языке. Ко всем старалась подольститься; особенно ужасны были ее разговоры с водопроводчиком,
с электриком... Это был какой-то Афанасьев или
Даль — ее русский язык, который она считала
простонародным; выходило и глупо, и льстиво.
С Борей она пыталась говорить о журналистике,
но Боря раз и навсегда объяснил, что под него подлаживаться не надо: «Я вполне могу поддержать
общечеловеческий разговор». Она не обиделась, да
ей и было, кажется, совершенно не до него: была
сосредоточена на своем. Она словно все ощупывала
больной зуб, который страшно было лечить и нельзя выдрать, — занятие увлекательное, спору нет,
но совершенно бесплодное. Этим больным зубом
было будущее, которого Алина мать не принимала. Сама Аля тоже была будущим, и потому отец ее
обожал и побаивался, а мать не могла и не хотела
простить: она слишком помнила ее прежнюю. Боря
чувствовал, что, оставаясь с Муреттой, он как бы

движется против вектора времени, — а уходя к Але, становится солидарен с будущим, то есть встает на сторону естественного хода вещей. И это было так же позорно, как присоединение к большинству.

В декабре грянула история с Теруэлем. Это прозвище к нему приклеилось после им же, кажется, выдуманного анекдота: «Теруэль взят». — «А жена?» Конец Теруэля был концом Жургаза, но «Стройке» ничто не угрожало, как и любому экспортному продукту. Хочешь стать незаменимым — стань экспортным. А ведь Боря поначалу рассматривал эту должность как почетную ссылку, и только потом догадался, что ссылка — единственный способ пересидеть все прочие кары: тот, кто успеет пострадать раньше всех, в сравнительно мягкие времена, так и будет числиться уже наказанным, а возможно, исправившимся; еще Еремеев сказал, несколько подвыпив: «Мы закатились в щель, и это комфортная щель». Теруэль же всегда стремился на передовую, суетился, выдумывал, поскольку еще не понял, что пришли другие времена. Боря относился к нему сложно. К нему все относились сложно, по схеме «признавая несомненные заслуги, но». И вообще, заметил Боря, все эти люди, которые исчезали, имели свои «но», за что их непременно следовало арестовать, и только мы, оставшиеся, были совершенны и ни в чем не виноваты. Это сформировался такой подход, его усердно воспитывали в последние пять лет — и воспитали.

Так вот, Теруэля несомненно было за что. Он был активист, в самом деле хорошо придумывавший всяческие начинания. Он все время потирал руки — потирал, потирал, а вот и потерял, сказал про него Евсеев, тоже остроумный человек. Теруэлю страшно нравилось организовывать. И в этом не было бы ничего дурного, но во всех этих организованных им делах он непременно должен был быть первым, и именно с таким расчетом создавались все его журналы, книжные серии и международные конгрессы. Отсюда же была неизбежная второсортность этих начинаний, потому что и сам Теруэль был не первый сорт — в сравнении, скажем, с Эренбургом, — а уж все его назначенцы и вовсе мелкотравье. С Испанией у него не сложилось, хотя он рвался туда страстно — понимая, видимо, что на родине его потолок достигнут, да вряд ли и сохранится, а за границей есть шанс, и чем черт не шутит, он возглавит не только движение, но и партию, а там... И плюс, конечно, романтические мечты.

С Испанией вообще получилось очень плохо, даром что кампания была громкая, столько надежд, рывков, бросков, весь социалистический интернационал поехал спасать — и не спас. Потому что испанцы меж собой переругались, французы ничего не умели, американцы предпочитали писать репортажи, а летчики мало что могли, потому что войны решаются на земле. Находились люди, говорившие (еще вслух): куда мы полезли? У нас что, свои дела все переделаны? Но умные, вроде Теруэля, понимали, что без экспансии конструкция не устоит, а потому будет искать любой предлог для войны. Предлог и нашли, но сделать из Испании шестнадцатую республику не вышло, пришлось делать из Финляндии два года спустя. Не СССР распространился на Испанию — скорей часть Испании переехала сюда, все эти перепуганные большеглазые дети, которых Москва, Одесса, Свердловск тут же полюбили больше, чем своих, бледных и замызганных. До этого так же принято было любить негрских, как называла их Аля, потому что и в самом деле негрские детки очень хороши; в фильме «Цирк» все интернационально баюкали именно черного ребенка, потому что свой тут же искусал бы их, как сказано в классике, сопливым ртом своим.

Теруэля не было жалко именно потому, что все его проекты служили лишь его собственному величию, потому, что романтизм его совмещался с цинизмом, скорее еврейским, чем государственным; потому, что фельетоны его были натужны; потому, что он был помесью Эренбурга с Авербахом, авербургом, как называл его еще один остроумный человек. Остроумных людей становилось все больше, а организаторов все меньше. И когда стало известно про Теруэля, взятого, на этот раз без всяких анекдотов, прямо в ночь после его триумфального доклада в Домжуре, Боря подумал, что это логично. Все теперь было логично и никого не жалко. И Горелову на вопрос о настроениях он так и сказал: давно всем надоел. И Горелов кивнул как-то даже сострадательно.

...И, как всегда, оказалось, что Боря все знал. Пакт был неизбежен, органичен, понятен. И это позволяло так спокойно, так высокомерно выслушивать августовские разговоры: не может быть, как же так, что теперь делать?!

Если бы рядом оказался Сергеев, тихий честный Сергеев, он подтвердил бы, что в тридцать третьем году, в мае месяце, Боря Гордон, тогда корреспондент «Наших достижений», сказал ему в той открытой манере, которая практиковалась еще в тогдашних разговорах: вот ты увидишь. Я не говорю, — опередил он готовое вспорхнуть возражение, — что это идейно близко. Но это стилистически близко, а стиль решает все, вот ты увидишь. Да ладно, воскликнул Сергеев, ладно, о чем ты! Они разогнали коммунистов, они провозгласили германизацию Востока, и все знают, о чем речь! Спокойно, сказал Борис. Все станет видно очень быстро. Да, собственно, уже и сейчас. Вы все исходите из каких-то теоретических вещей, а нет ничего, что отбрасывалось бы легче теорий. Есть только дух, а дух един. Сказать ли тебе, чьим любимым чтением был старик Гегель? Сергеев не догадался, и слава богу. Но они жгут книги, вскричал он, книги, разве ты не понимаешь?! Разумеется, ответил Боря, но посмотри — я ведь научился все понимать по тону, а не по содержанию. Наши безумно, безумно рады ему. Гитлер — то, что надо. И то, что он разогнал коммунистов... помилуй, кому нужны сейчас те коммунисты? Кому нужен новый интернационал? (Знал кому, но всуе произносить это имя было небезопасно уже года четыре. Бога поминай осторожно, Сатану — еще осторожнее.) Я чувствую их кровную близость, потому что общий враг у них один; нет, не евреи, как ты подумал. Просто евреи всегда стараются оседлать будущее, чуют его первыми. Вот будущее и есть тех двоих единственный враг, потому что в будущем их одинаково нет, — понимаешь? И даже если они сцепятся в какой-то момент — во что я не верю, потому что это будет самоубийством для обоих, — если даже они сцепятся, то с единственной общей целью: положить в этой схватке побольше будущего, убить всех. Так уже было в четырнадцатом. Ведь что тогда случилось? Причин не было никаких, передел мира — внешняя вещь, которая не прекращается никогда. Случилось то, что они все почувствовали: будущее уже здесь. Оно рисует картины в Париже и, что самое обидное, в Бугульме, оно кокаинится, разгоняя мысль до нужной скорости, строит машины, пишет небывалые хроники. И чтобы задушить это будущее, они кинули его в топку. Кое-каких остатков еще хватило, чтобы сделать страну будущего у нас, потому что мы были в этой цепи самое слабое звено и, заметь, использовали первый повод, чтобы выйти из войны. Но у слабого звена свой минус — оно переродилось быстрей, чем что-то успело оформиться. Будущее проклюнулось у нас и попробовало проклюнуться у них — свое они задушили в ноябре восемнадцатого, мы свое душим сейчас. Один тут это понял еще в тридцатом и застрелился. (Про того, кто понял в двадцать третьем, он опять промолчал.)

Сергеев перестал улавливать его мысль, довольно нехитрую, впрочем, — и тогда Борис сказал прямо: поверь мне, сказал он, я принадлежу к самой уязвимой нации и все такие вещи чую. Они потому именно и взялись сначала за нас, что мы всё чуем. И сейчас я безупречно чувствую обоих: они — одно. Они помашут кулаками, но в будущем обязательно заключат союз. Я не знаю, против кого (потому что против нас — это само собой, но нас им надолго не хватит: этой печке нужно долгое топливо). Может быть, это будет владычица морей, а может быть, Япония, кто знает; но они найдут врага. Америка — тоже хорошо, вот только она далеко. Там, в сущности, другой мир. Исторические союзники — стопроцентно мы, никто иной. А итальяшки... Бог мой, что такое итальяшки?.. Я просто слышу, это ни с чем не спутаешь, — я знаю эти интонации, у нас долгий опыт толкования священных текстов, мы и газету читаем между строк.

И я слышу: они рады. Гитлер тоже социалист, он мужик, он народный оратор, и сколько бы там сегодня ни кричали, что за ним стоит крупный капитал, — мы знаем, что за ним стоит пролетариат. То, что он говорит, и то, как он говорит, рассчитано не на капитал. И голосовал за него самый что ни на есть пролетарий, которому надоела европейская импотенция. Пролетарию желателен стальной кулак. Я не исключаю, что когда-нибудь в дальнейшем мы с ним рассоримся. Но это случится только после того, как вместе с ним, в два стальных кулака, мы всё здесь устроим по своему образцу. Я физически чувствую, — продолжал Боря уже самому себе, возвращаясь домой пешком, чтобы хоть не-

много остудить голову и лицо, — я физически
чувствую, как сужается пространство моей жизни,
как мне и всему, что мне дорого, не остается места. Сергеев тогда меня не понял, а надо было
прислушаться: есть народы, которых сама история
научила заранее трепетать, и есть представители
этих народов, которые особо приспособлены к тре-
петанию. Эти представители — изгои среди изгоев,
и среди евреев тоже такие есть — те, кто оторвался
от корней. Они ни для кого не стали своими, но
перестали быть и частью своего гетто; всё, что они
выиграли, — сорванную кожу, невыносимо обо-
стренное чутье. И потому я знаю все, что будет,
говорил Боря невидимому Сергееву.

У Сергеева, видно, тоже было какое-то чутье,
присущее тем, кто отстал от одних и не пристал
к другим: он был фотограф, пролетарий репорта-
жа, но наслушался журналистских разговоров и
стал слишком умен и восприимчив для своего про-
летарского монолита. А в журналистский цех его
не брали, туда вообще не берут, а просто либо ро-
дишься таким, либо нет. И потому он еще в тридцать пятом что-то почуял, уволился отовсюду и,
ни к кому не зайдя проститься, убыл на Дальний
Восток. Там нужны были и фотографы, и радиоме-
ханики, и вообще люди с умными руками. И некому было теперь подтвердить, что уже в мае тридцать третьего Боря все понимал.

Все понимал, однако, не он один. Ведь про-
роки есть не только среди жертв, но и среди хищ-
ников: вот где чутье, вот где запах кровушки, как

любовно выражался Меркушин. В тридцать третьем
бесстрашно разговаривал Боря, а теперь Меркушин.
Еще два года назад его бы за такие разговоры, до-
неси кто, — а недостатка в желающих не было, —
не просто взяли, а, пожалуй что, и шлепнули бы
без долгих разговоров. Но враги теперь были другие, Меркушин это чувствовал и ничего не опасался. Он вел эти разговоры в советском доме, в советской компании, в самой прогрессивной среде. Он
был критик и, стало быть, транслировал установ-
ку. То есть не боялся, если б кто-то и донес. Некто
явился бы с сообщением и услышал в ответ: да что
вы тревожитесь, все правильно. Попили нашей
кровушки.

— Ну, теперь конец, — говорил Меркушин
с большим удовольствием. — Теперь быстро к ногтю.

— Кого же? — радостно подзуживая, спрашивал хозяин квартиры, драматург Кудряшов, вполне
соответствовавший фамилии: у него, как у многих
русопятов, были слабые, тонкие, кудрявые белые
волосы, их называют еще льняными. Он был из
тех, кто называет себя русачками.

— Да жидков, жидочков, — без злобы, с до-
бродушием сытого кота пояснял Меркушин, хотя
Кудряшов явно знал ответ. — Теперь жидочкам-то
и конец, потому что наш берлинский друг ни за что
не будет с нами дружить, ежели не станем соответствовать. — Меркушин уже пущал и «ежели», и «до-
коле», и прочие трели. — Так вышло, что русачкам
без немецкой машины никуда. Вот она, немецкая
машина, аккурат как при Петре. Косточки рус-

ские, инженеры немецкие. Ах, зачем так торопил-
ся Николай Васильевич? Ведь он все понимал, и
уже сегодня все осуществилось! Что бы подождать
годочек...

Годочек, русачки, жидочки, кровушка — все
было мерзко, ласкательно, как подслащенное дерь-
мо. О каком Николае Васильевиче шла речь — Борис сначала не понял, погрешив было на Гого-
ля, тоже большого нелюбителя робкого племени;
но Гоголь в прошлом году ничего не публиковал.
Какой-то Николай Васильевич, оказывается, еще
в тридцать четвертом все верно истолковал и повторял не ко времени, а в институте транспорта,
где он служил, нашелся доносчик, понятно из кого.
И если бы в тот вечер Борис дал пощечину Мерку-
шину, а то и Кудряшову — за напряженное подобо-
страстие, с которым тот ловил каждое слово, — его
совесть, может, была бы спокойней; но возьмите
же в расчет и давление воздуха! Еще два года, еще
год назад, — но теперь! Теперь начиналось такое,
что он забывал, на каком свете засыпал, — потому
что просыпался каждый раз на другом. Все порти-
лось стремительно, бесповоротно и так наглядно,
как он себе даже не представлял. И самое ужасное,
что многие были рады. Удивительно еще было, что
радовались не все. Но общий восторг был нескры-
ваем: у газетных стендов Боря видел безмятежные
лица. Находились умеренные оптимисты, уверяв-
шие, что мы выигрываем время; их было немного. Большинство только начало обрастать если
не жирком, так хоть мясом; вообще все начали

радоваться, радость стала хорошим тоном, непременным условием нашести, родности. И вдруг вся эта радость оказалась бы под угрозой, — помилуйте! Постоянно нависающая война, которой пугали отовсюду, все эти песни, пьесы, весь этот «Большой день»... Теперь же и «Большого дня» никакого не было, и автор его был исключен отовсюду, а потом, как положено, пропал, — то ли уехал, как умный Сергеев, то ли по-кроличьи ожидал участи по ночам и дождался... Говорили, что несколько раз он приходил ночевать — к кому же?! — к Добрыгину, которого так долбал пять лет назад! «У вас меня точно не будут искать», — сказал. И ему постелили.

...А в сентябре уже посыпалось всё, разверзлась яма: не бездна, которая бывает звезд полна, а выгребная яма истории. «Наших братьев угнетало панство, с нами рядом мучился народ, изнывало нищее крестьянство, но пришел тридцать девятый год» — нет, такого не выдумал бы и сам Боря, вечный насмешник. Главными врагами были теперь поляки. «Красная звезда» благожелательно пересказывала речи Гитлера, намерение его говорить с Польшей тем же языком, «каким Польша посмела говорить с нами». Словно едва сдерживались и тут наконец, получив разрешение, рванули — с такой жадной радостью принялись наконец его нахваливать, не придерживаясь даже нейтралитета для вида. Присоединение Данцига было встречено восторгом, и ясно было, что это зеленый свет: теперь пойдут кроить Европу, как пожелается. Когда Фрик зачитывал меморандум о Данциге, в рейхстаге, говорят, плакали. Потери немцев в Польше, радостно сообщал ТАСС, были незначительны. 17 сентября Красная армия при дружном ликовании населения вошла в Польшу. Польша называлась теперь Западной Украиной и Западной Белоруссией. Прочая Польша была Германией. Польши, собственно, больше не было. Ждали семнадцать лет — и дождались. «Да если хотите знать, — говорил Серов, — никакой Польши и не было никогда. Фальшак-государство. И если б мы не ждали неизвестно чего, а раньше туда вошли — не было бы всего этого гнойника на границах».

Как всегда, Серов придумал это не сам. Это написано было открытым текстом. «Польско-германская война выявила внутреннюю несостоятельность польского государства. В течение десяти дней военных операций Польша потеряла все свои промышленные районы и культурные центры. Варшава как столица Польши не существует больше. Польское государство и его правительство фактически перестали существовать. Тем самым прекратили свое действие договоры, заключенные между СССР и Польшей. Предоставленная самой себе и оставленная без руководства, Польша превратилась в удобное поле для всяких случайностей и неожиданностей, могущих создать угрозу для СССР». Это было даже игриво — всяких случайностей и неожиданностей, без уточнения, разумеется! Приятная случайность, детская неожиданность. Весь тон был глумлив, как у насильника, стоящего над жертвой руки в боки: что ж ты, милочка, за себя не постояла! Вообще документы молотовского наркомата поражали — при Литвинове такого все-таки не было: появилась некая германская, риббентроповская лощеность. Но в сочетании с самым трамвайным хамством выглядела она, как парфюм на немытом теле, как изысканные манеры карманника; при виде этих новых людей из наркомата Боря всегда отчего-то представлял, что при всем своем лоске срать они будут орлом, а сморкаться при помощи пальцев. О Литвинове теперь говорили с презрением: не сознавал момента, пытался сталкивать исполинов. А надо было... Но это теперь они стали такие ушлые. Скажи им кто-нибудь хоть в июле!..

Нет, всякое у нас бывало, конечно, и много чего Боря заставил себя забыть; но чтобы у мира на глазах присоединиться к самой черной силе — такого он все-таки не ждал. Прежде можно было поруживать, посмеиваться — но самому себе говорить: все-таки было хуже... все-таки просвещение для всех... все-таки первый в мире опыт... Больше ничего этого не было. Все было брошено в топку, и все сопровождалось полным отказом от приличий. Боря не знал теперь, для чего он нужен, но это бы полбеды. Боря не знал теперь, для чего нужно всё.

Да-с, вот так! Внезапно оказалось, что в стране существует народ, и теперь он внятно заявил о себе. То есть народ был всегда, но он был где-то там. Его вели, за него решали. Всегда, и особенно в новом курсе партийной истории, он был сила, воспитанная и вдохновляемая вождями. У него был передо-

вой отряд, количественно малочисленный, и этот
отряд тащил за собой остальных. Но тут обнаружилось, что дело не в отряде, что самая-то массовая
масса как раз и есть то что надо. Закончилась апо-
логия меньшинства, в моду вошло количество. Для
начала заговорили о том, что мы самые большие;
раньше были передовые, теперь огромные, а это
уже другое первенство. Вслед затем оказалось, что
главная наша доблесть — воинская, что наше
дело — присоединять, что наши предки обильно
полили и т.д. Вся земля была наша, просто не вся
еще к нам вернулась. Украина и Белоруссия были
столь же исторически нашими, как Данциг и Суде-
ты — немецкими; то есть в принципе и они —
наши, но пока мы позволяли немцам иметь на них
виды. Вдруг стало видно далеко во все концы света,
и все эти концы были наши. Передавались стишки,
слишком лояльные, чтобы их напечатать: но мы
еще дойдем до Ганга, но мы еще умрем в боях, чтоб
от Японии до Англии сияла Родина моя. Появились
роялисты правее короля. Все дежурные проклятия
коричневой чуме были забыты. Боря не думал, что
способен так удивляться.

Народ желал воссоединяться, не особенно
спрашивая у облагодетельствованных западных
территорий. Народ целовался. Народ осознал себя
главной силой, потому что былые водители его
были большей частью истреблены. Народ желал
раздуваться вширь. Это был еще один заход на
войну, третий и самый успешный, — ни Испания,
где проиграли все, ни Япония, от которой отвоева-

ли кусок никому не нужной Монголии, не могли
утолить народной жажды. Польша — это было уже
кое-что, уже месть; но Польшей и Монголией, конечно, не ограничивались. Англия — вот была первая мишень, Англия, укрывшаяся за проливом. Далее, рука об руку с немецким братом, мы доберемся
и до тех, кто отсиживается пока за океаном... и как
же они всегда умудрялись вступать в союз с мер-
зейшими! И только в таком союзе все у них выходило — потому и в Испании не вышло.

Народ торжествовал. Не было ничего отвра-
тительнее народа. В сущности, вся жизнь Бори,
все его таланты и темперамент уходили на то,
чтобы превратить народ в людей, — но теперь обо
всем людском можно было забыть. И они, поколение модерна, убитого в Европе, чудом уцелевшего
здесь, — подошли к той мясорубке, куда их намере-
вались сбросить: народ отомстил за все.

Ночь на 22 сентября, на воскресенье, Боря провел в городе. Он не стал врать Але — в последнее
время никогда не врал, да и не было необходимо-
сти, ибо он уже принадлежал ей весь, со всей своей
ложью, — и честно сказал, что у жены недомога-
ния, головные боли — последствия травмы, и надо
ночевать дома. Между ним и Муреттой давно ничего не было. Муретта преувеличивала свое уродство
и вполне могла нравиться, если бы хотела (и хотела, он знал, — шрам и скандал придавали пикант-
ности), но для него после больницы все было кончено. Не было даже сострадания. Она удержала его,
но потеряла право на сочувствие.

Сон не шел, Боря пробовал сочинять, ничего
не выходило, разболелась голова, он долго курил в
форточку, думал, так ничего и не надумал. Муретта
под утро — не открывая глаз, словно разговаривала во сне, — сказала ласково: «Все равно ты сейчас
у нее». Он не стал разубеждать. «Всегда надо делать
то, что хочется, — ровно продолжала она, — иначе
добра никому не сделаешь, а себе все испортишь».
Ну вот, хотел сказать он, ты сделала все, как тебе
хотелось. Хотела покончить с собой, но не до конца, удержать мужчину, но не любовь его, а присутствие, — и вот что ты сделала: могилу на двоих.
Но он опять смолчал, а потом сморил его тяжелый рассветный сон, в котором он все время помнил, что надо проснуться, очень скоро проснуться.
И в то самое время, как он заснул, брали Алю, —
словно только его бодрствование и хранило ее.

...На даче он застал полный разгром — разво-
рошенные постели, распотрошенные ящики, Алина
мать лежала в комнате, муж дежурил около нее
с сердечными каплями, недоумевающий Шур ходил по саду, так ничего и не понимая. Один дядя
Пузя сидел на веранде перед миской гречневой
каши и сосредоточенно, в своей манере, переводил
мир в говно. Никогда его любимая фразочка не
имела столь буквального, столь зловещего смысла.
Он ел размеренно и внимательно, с едва сдержива-
емой жадностью, словно понимая, что наедается
в последний раз. Он поднял на Борю глаза, мор-
гнул, ничего не сказал и снова углубился в процесс. «Боря, ну что такое, — жалобно повторял

Шур, — ну я бы еще понял, если отец, — но почему Аля? Это какое-то уже вовсе черт знает что». Боря машинально повторял, что узнает, что ошибка, что сейчас таких ошибок множество, — всё, что уже привык говорить в таких случаях; но на самом деле он был раздавлен. Не потрясен, а раздавлен. Тут перемешалось все, и главенствовал, о проклятье, именно страх — страх за себя, ибо явно подбирались к нему; да и как ему было не бояться за себя, когда они с Алей давно уже были одно? Но при одной мысли о том, что́ сейчас, в эти минуты, делается с Алей в том мире, куда ни у кого из них пока не было доступа, — ему хотелось схватиться за голову и выть, и казалось, что только этот вой принесет облегчение. Выорать, вывыть. Но ничего этого было нельзя — он должен был теперь брать на себя ответственность за жизнь этой парализованной семьи; и после первого шока Боря собрался и стал отдавать распоряжения.

Сперва привести в порядок комнаты, вызвать врача отцу, которому было гораздо хуже, чем матери, он просто не позволял себе свалиться; и приезд врача отчасти разрядил обстановку — стало ясно, что они по крайней мере не вычеркнуты из списка живущих, им еще положено медицинское обслуживание. Потом разработать порядок действий. Само собой, для начала при ближайшей встрече с Гореловым-вторым — следовало ли уторапливать ее? нет! — поднять вопрос и дать все необходимые свидетельства. Естественно, поговорить с Еремеевым: Боря никогда к нему не обращался, предчув-

ствуя более серьезную необходимость. Он несколько успокоился, начав строить планы: пришла вдруг
спокойная уверенность, что Алю он вытащит, ради
этого всю жизнь старался и к этому готовился. То
есть всю жизнь готовился, что придут? Вероятно —
да; и притом не за ним. О мерзость! Оставлять
Алину семью было страшно, но надо было ехать
в город, да и не мог он больше сидеть на этом
пепелище. Когда он сказал, что уедет и вернется,
Алина мать схватила его за руку и сжала со звериной силой; он испугался, что поцелует, но нет, просто держала, впиваясь короткими ногтями. Она не
говорила ничего, только смотрела. Я сделаю, повторял Боря, я все сделаю. Но что-то он сказал не так,
не то, чего она ждала, и она отшвырнула его руку,
как вещь.

В саду он подозвал Шура. Послушай, сказал
ему Боря, ты хотел работы и ответственности — вот
тебе теперь и работа, и ответственность. Ты оста-
ешься старшим, отец и мать ничего не могут, но
ты человек серьезный. Я буду сейчас нажимать на
все педали, кое-что, как ты понимаешь, я могу.
Главное сейчас — не навредить. Нужен покой,
которого все равно не будет, но нужно хотя бы понимание, что истерикой не поможешь. Постарайся
сделать так, чтобы они как можно меньше будо-
ражили людей вокруг. Сейчас не надо шума. Если
это ошибка, ошибку придется признавать, и все
получится слишком громко. Это никому не нужно.
Я уверен, что все выяснится, и завтра, максимум
послезавтра она будет дома. Пока — ты сам все

понимаешь. И вдруг он увидел, что Шур совершенное дитя, при всем своем телесном обилии, при всей взрослости и росте. «Ты думаешь? — робко спросил он. — Ты допускаешь?» — «Разумеется». — «Но, может быть, это связано просто с... Ты знаешь, Аля же многого не понимала. Она не понимала, например, что пакт о ненападении нужен, что это стратегический выигрыш, ты же знаешь! Она говорила, вот только вчера... вчера мы говорили с ней, но, наверное, она же это не только мне... Для нее и для матери, ты понимаешь, нет хуже зла, чем эти... я сам, кстати, так думаю. Мы просто с тобой еще не обсудили толком...» Шур был политический юноша, для него и теперь на первом плане были мировые судьбы, в которых, чем черт не шутит, и ему назначена была роль. Шур, сказал Боря очень серьезно, мы никогда не знаем, никогда не узнаем, с чем это связано. Гадать не нужно. Нужно действовать, Шур, иди к матери, ты сейчас там нужен. Боря со значением потряс ему холодную мокрую руку и быстро пошел на электричку.

Вот здесь его догнал ужас. Он только теперь, оставшись по-настоящему один, хоть и в вечно переполненном поезде, — куда, откуда все они ехали, от кого бежали? — понял, что Али теперь рядом не будет, и это надолго (о том, что навсегда, он и подумать не мог). Он так привык к ее постоянному — ну, почти — ясному и счастливому присутствию, к тому, что его любят и никогда не оставят, что всё, даже кошмар последнего времени, воспринималось еще как переносимое, допустимое. А теперь исчезла защита, под которой он жил. Главная-то защита, понял Боря только сейчас, была не должность и не Горелов, а эта девочка, страшно подумать; не он был ее опорой — она. Пока она была с ним, он был интересен и угоден Богу, а как пропала — так и все пропало, и теперь с ним можно было делать что угодно. И самое страшное было в том, что они ангела, ангела кинули в ад, особенное, неземное существо! Как она морщилась от чужой боли, как ласкала взглядом каждого ребенка, как без малейших сантиментов, без слюнтяйства кидалась на любой зов! Одни опутывают, другие окутывают, и как она окутывала каждый его день, как берегла, как подставляла руку! Что с ней будет завтра, что с ней сейчас, пока он едет? Он словно слышал ее мольбу, она не могла сейчас не думать о нем, не тянуться к нему, не верить, что он найдет какой угодно ход, но сделает все; а что он мог? Лучшее, что сейчас можно было сделать, — быть осужденным вместе с ней, тогда, по крайней мере, он не будет перед ней виноват; но это такое же дезертирство, как смерть. Теперь он нужен живым и должен что-то делать, а что — неясно. Господи, Господи! Он не мог вообразить, что́ там бывает, что́ и как там делают; страшней всего обезличивание, превращение в номер. И в камере ее наверняка будут мучить, даже если там сидят сплошь невиновные; ведь такие, как она, стократ уязвимы. Она так беспомощна сейчас, она продолжала верить, что все поправимо, она никогда не отчаивалась, даже ребенком, в восемнадцатом году, когда мать ушла и долго не возвращалась! (А поди знай, что это было: действительно бегала за порошком «Нестле» или заговорилась с влюбленным в нее поэтом; ей это было нужно, это был для нее хлеб, кто бы осудил? Ему ли осуждать, сеющему вокруг себя одно горе?) Не отчаивалась никогда, отныне ей это предстояло. Случилось худшее из возможного. Случилось невозможное. Может быть — на дне сознания это все-таки шевелилось, — может быть, ему следовало теперь исчезнуть, залечь на дно, временно перестать существовать? Не сделает ли он хуже своими хлопотами? Но он знал, что это мысль подлая; и знал даже, что страх еще не есть грех. Боятся все. Боря умел и преодолевать себя, когда надо. Теперь он будет грызть их зубами.

...О чем он там думал, на даче? Да — немедленно звонить Еремееву. Но как раз немедленно звонить было нельзя: воскресенье. Значит, завтра спокойно поговорить на работе. Боря стал вспоминать, к кому еще можно обратиться; по большому счету не к кому. Не сказать чтобы он не пытался предусмотреть подобные случаи, но только применительно к себе; разные случайности и неожиданности, как говорил Молотов. Но одно дело планировать, а другое — сорваться в яму и осознать, что никто к тебе туда не склонится. Разумеется, Горелов; но до встречи с Гореловым оставалась почти неделя, да и какое отношение мог он иметь к делу Али? Это была теперь огромная служба, государство в государстве; одна рука не знала, что творит другая. Писать заявление можно было, только

примерно зная обстоятельства. Он же — барахтался
в потемках, и все его двадцать лет в журналистике,
все тридцать семь от рождения ничего не стоили.
Что делать сегодня? О, они там понимали: воскресенье; у них не бывает выходных, это у всех других
выходные. Что делать? Он мог вернуться к Алиной
семье, успокаивать, выдумывать фантастические
планы — но даже думать об этом было невыносимо. Алина мать была устроена так, что ничего
не умела смягчать — расковыривала всякую рану
и всякое отчаяние переживала с абсолютной пол-
нотой. Он был там и нужен, и невозможен, и решил пока не ехать. Самое нужное и простое было —
напиться.

Он, однако, прежде вернулся домой. Входил
не без дрожи: могли ждать. Но все было спокойно, жена лежала на диване под целебной маской.
Муретта, сказал он, взяли Алю, ты ее знаешь, с
нашей работы. Под маской он не увидал реакции:
может быть, Муретта злорадно осклабилась. Муретта, повторил он, ты все знаешь. Да, кивнула она.
Я попробую позвонить, у меня один клиент вхож
в круги. Но никаких гарантий, ты понимаешь...
Муретта, просящая за Алю, — это было уже сверх
всяких вероятностей. Нельзя было пренебрегать
никакими шансами, но здесь... Не надо, сказал он.
Но мне это нетрудно, возразила Муретта, что ты;
и кроме того, — оставь, ты передо мной ни в чем
не виноват. Прежняя, молодая Муретта никогда
не сказала бы так. Из-под маски говорил человек
сломленный и раздавленный, все утративший, на

себя не похожий. Ах, да ведь и сам я на себя не похож, и все мы на себя не похожи. Последние четыре года расплющили всех, да и предпоследние — всех, только меня это тогда не так касалось. Тогда, если можешь, да, сказал он и почувствовал, что сейчас разрыдается.

Вечером Муретта ушла по своим делам, скорее всего к мужчине, как уходил он в эти два года, и до четырех утра ее не было. Потом пришла, ничего не объясняя. Боря тоже не спросил. Было страшно неуютно, знобило, все тело чесалось.

К десяти, по заведенному порядку, он был в редакции. Прошла планерка, никто не заметил отсутствия Али — тишина, ровная гладь. Он дождался, пока все разойдутся, и подошел к Еремееву.

— Да, что? — спросил тот недоброжелательно, догадываясь, видимо, о поводе.

— Я насчет... — Боря назвал Алю по фамилии.

— Я в курсе.

Боря не понял, что это значит.

— И что можно предпринять?

— Вам, — сказал Еремеев, сильно ударив на первое слово, — вам ничего не надо предпринимать. Теперь все, что надо, будет предпринято.

Неясно было, имеет ли он в виду оперативные мероприятия с Алей или свое вмешательство в ее судьбу.

— Но я знаю ее довольно близко.

— Я в курсе, — повторил Еремеев уже с откровенной брезгливостью.

— И я могу подтвердить... вы меня тоже ведь знаете... там ничего нет и быть не могло.

— Вы ничего не знаете, — сказал Еремеев, не понижая голоса. Непонятно, на чьи уши он рассчитывал, — в кабинете они были вдвоем, — но, видимо, требовалось отмести всякую мысль о сговоре; говорил он ровно и официально, а просить о неофициальной встрече Боря не мог, он был теперь зачумлен.

— Нет, знаю. Есть вещи, люди, в которых сомневаться нельзя.

— Она могла погубить вас и всех, и, может быть, погубила. Вы заигрались, Гордон, заигрались сильно. Она подвела под монастырь и меня, и вас. Вы, скорей всего, даже не догадываетесь о масштабе. Я вас пока ни в чем не обвиняю, я сам просмотрел... но никаких разговоров на эту тему вести не буду. Она грешила, ей и каяться. Всё, работайте.

И не сказать чтобы Боря был к чему-то подобному не готов: он и не такого насмотрелся. Но теперь-то Аля канула, словно не была, а все на работе, кому она вязала кофточки, подсказывала слова, правила убогие тексты, — словом не обмолвились с ним. Только Леня поджидал его у выхода и предложил подвезти.

Некоторое время они оба молчали.

— Товарищ Гордон, — начал Леня. — От меня большого толку нет, но если что сказать там, или показать, или подтвердить, то вы можете не сомневаться.

Боря сперва подумал худшее — что Леня готов дать на Алю показания, — но через секунду устыдился.

— Я все помню, — сказал Леня. — Как она за нас убивалась, с комнатой этой, как ходила везде... Мне никто так не помог никогда. Вы, может, не знаете, — я детдомовский...

— Знаю, — соврал Боря, хотя откуда ему было знать?

— Ну вот, — Леня кивнул и улыбнулся. — Да, конечно, знаете, вам положено... И вот никто никогда, честное слово. Я ей тогда сказал: Ариадна Сергеевна, если что, вы можете на меня во всем. И я пойду куда надо, напишу что надо, все сделаю. Имейте просто в виду.

Еще немного, и Боря заплакал бы. Он заплакал бы, но они приехали. Ему ведь тоже никто никогда. И он посидел еще немного в машине; так они и сидели — двое мужчин, которых никто никогда. Положим, в детстве было всё — и отец, и мать, и приятели; но с тех пор, как он сбежал в Москву, как началась его работа сначала по газетам, потом у Пистрака, с самого брюсовского института, где все друг друга топтали и никто никого не любил, подобно самому мэтру, — с самого этого времени никто не помогал ему, всё сам. И он не нуждался ни в чьем сострадании, отвергал помощь — ведь мы люди модерна, мы бежим от предписанных эмоций. Когда кто-то из друзей умирает, мы испытываем досаду от потери ценного кадра, но и только; когда умираем мы, мы бессмертны в делах; бессмысленно разводить сопли по поводу биологии, кроме биологии ничего нет. Литература есть сумма приемов, любовь есть сумма потребностей, общество есть сумма свободных индивидуумов, все прочее от лукавого, которого тоже нет. Никто не жалел его, никто не заботился о нем, в дружеском кругу принята была насмешливость. Они были новые железные люди. И вот на железных людей случилась проруха, ржавчина, за каких-то три года они превратились в глиняных, и Боря готов был заплакать от сочувствия бывшего детдомовца, журнального шофера, потому что никто, кроме этого шофера и Али, не позаботился о нем за всю его взрослую жизнь. Аля два года создавала вокруг него облако тепла, счастья, надежды, два года абсолютно верила в него, страховала от любых случайностей, предугадывала делания; два года он жил, считая это нормой, а сейчас ледяной, чугунный мир обрушился на него. А о том, что обрушилось на нее, страшно было думать. Вот сейчас наступала вторая ее ночь в застенке, и она была непонятно с кем, непонятно где, в переполненной камере — ведь все они сейчас переполнены, и всегда были переполнены, не было времени, кроме Февраля, чтобы выпускали больше, чем сажали... И он чувствовал, какая страшная беспомощная нота тянется оттуда к нему, как она надеется, как она молит, — и ничего не делал, ничего было нельзя.

— Леня, — сказал он, подавив чуть не прорвавшееся рыдание. — Леня, спасибо, я запомню.

Что общего было у этого нищего детдомовца с его чистенькой машиной и всегдашней благожелательностью — и Еремеева с его квартирой, ресторанными обедами, полночными сборищами, с его роскошью, словно заглушавшей дневные ужасы? Что объединяло этого тихого шофера — и Еремеева, предавшего при первой возможности? Что общего было у них обоих с Борей, да и что общего было у одного Бори, нынешнего, с другим, каким он был десять лет назад? Ведь он и с самим собой не мог договориться, потому что привык за эти десять лет к тому, к чему привыкать нельзя. Чем можно было теперь объединить их всех, расслоенных, — его, Леню и Еремеева? Нет, война, только война, — хоть какая-то видимость единства; все бросаются от чужого несчастья, как от чахотки, все врут себе и соседу, цельности нет и в камне, и в железе. Да если бы оставался хоть шанс свести в один монолит их всех, начальствующих и прислуживающих, сажающих и сидящих, допрашивающих и лгущих, то этим последним шансом была война, а после нее ничего, медленная смерть.

И ночью, когда рядом спала Муретта, а он не мог заснуть, боялся пошевелиться, — на него с новой силой хлынули тоска и ужас, словно в ночи, когда все спали и не мешали своими мыслями, Але удалось пробиться к его сознанию. Это была самая прямая связь. Ей было очень страшно, она пребывала в абсолютной растерянности, ее еще не допросили, как не допрашивали в первое время никогда,

маринуя, ожидая, чтобы жертва деморализовалась
и настроилась. Она и приказывала, и запрещала
себе вспоминать их ночи, потому что нельзя было
расслабляться и разнеживаться, но на чем же еще
могла она держаться, как не на этих воспоминани-
ях. И она вспоминала его всего, и тянулась к его
руке, надеясь обрести под ней успокоение; и ду-
хота чужих испарений наваливалась на нее. Она
клялась, что все выдержит, но понимала, что у нее
нет сил, она была беззащитней, чем когда-либо,
и ничего не могла. Она верила, что вот сейчас, вот
в эту ночь он уже бежит обивать пороги, что его неведомые друзья уже включились в борьбу, — а ведь
друзей не было, и надеяться было не на кого. Она
пробовала молиться. Она не молилась с двенадца-
ти лет, когда они приехали к отцу и он не встретил
их, потому что глупо разминулись, — и тогда мо-
литва была услышана, он догнал их у ворот дома.
Она умоляла, чтобы все это оказалось случайно-
стью. Ей уже сказали, что случайностей не бывает, и главное — сразу перестать надеяться. Но она
не могла не надеяться, не могла не думать о нем
и не вкладывать всех своих последних сил в этот
бессловесный ночной разговор. И на Борю наплыва-
ло такое огромное, влажное, темное облако любви,
и надежды, и дикой детской тоски, что он распла-
кался с облегчением, и после этого не плакал уже
никогда. Словно лампочку выключили в нем после
этой ночи.

...Встреча с Гореловым назначена была на ближайшую пятницу. Боря надеялся, что Горелов заго-

ворит об Але первым и передаст новости, но тот то
ли ничего не знал, то ли притворялся.

— Ну-ну, — сказал Горелов с обычной своей де-
ловитой ленью, словно интересовался чем-то второ-
степенным вроде рыбалки. — Что поговаривают?

— Так ведь не поговаривают, — очень спокойно
ответил Боря. — Сейчас только мы с вами погова-
риваем, остальные помалкивают.

— Ну, давайте мы с вами поговорим, — предложил Горелов. — Вы ведь что-то думаете обо всем
этом?

Боря опять демонстративно пропустил подачу.

— Вы про договор?

— Да, да, про договор.

— Про договор у меня самого очень мало мыслей, — сказал Боря осторожно.— Собственно, одна
мысль — что таким образом предотвращается
война.

— Ну уж, — недоверчиво сказал Горелов. —
Борис Ильич, мы же с вами говорили — у нас тут
разговоры честные. Иначе ни мы вам не нужны, ни
вы нам.

Это был уже прямой намек — видимо, они
торговали Алей, и за честность можно было купить
сведения о ней. И Боря сначала аккуратно, потом
все более увлекаясь начал рассказывать — о том,
что без войны ничего не получится, о том, что
война сцементирует всех, о последнем шансе, —
но Горелову было неинтересно.

— Хорошо, — сказал он, — а вот такого вам
не приходилось слышать? — И протянул лист серой

бумаги с машинописью на обеих сторонах, очень тесной, через интервал.

«Как свирепо поучителен тот факт, что германо-советский договор ратифицирован сталинским парламентом как раз в тот день, когда Германия вторглась в пределы Польши! Общие причины войны заложены в непримиримых противоречиях мирового империализма. Однако непосредственным толчком к открытию военных действий явилось заключение советско-германского пакта. В течение предшествовавших месяцев Геббельс, Форстер и другие германские политики настойчиво повторяли, что фюрер назначит скоро "день„ для решительных действий. Сейчас совершенно очевидно, что речь шла о дне, когда Молотов поставит свою подпись под германо-советским пактом. Этого факта уже не вычеркнет из истории никакая сила!

Дело совсем не в том, что Кремль чувствует себя ближе к тоталитарным государствам, чем к демократическим. Не этим определяется выбор курса в международных делах. Германо-советский пакт является в полном смысле слова военным союзом, ибо служит целям наступательной империалистской войны. В прошлой войне Германия потерпела поражение прежде всего вследствие недостатка сырья и продовольствия. В этой войне Гитлер уверенно рассчитывает на сырье СССР. Заключению политического пакта не случайно предшествовало заключение торгового договора. Москва далека от мысли денонсировать его. Литвинова сменил Молотов, который не связан ничем, кроме обнаженных интересов правящей касты. Политика Чичерина, т.е. по существу политика Ленина, давно уже объявлена политикой романтизма. Политика Литвинова считалась некоторое время политикой реализма. Политика Сталина–Молотова есть политика обнаженного цинизма.

"На едином фронте миролюбивых государств, действительно противостоящих агрессии, Советскому Союзу не может не принадлежать место в передовых рядах", — говорил Молотов в Верховном Совете три месяца тому назад. Какой зловещей иронией звучат теперь эти слова! Советский Союз занял свое место в заднем ряду тех государств, которые он до последних дней не уставал клеймить в качестве агрессоров.

Напомним, что вскоре после мюнхенского соглашения секретарь Коминтерна Димитров огласил — несомненно, по поручению Сталина — точный календарь будущих завоевательных операций Гитлера. Оккупация Польши приходится в этом плане на осень 1939 года. Дальше следует: Югославия, Румыния, Болгария, Франция, Бельгия... Наконец, осенью 1941 года Германия должна открыть наступление против Советского Союза. В основу этого разоблачения положены, несомненно, данные, добытые советской разведкой. Схему никак нельзя, разумеется, понимать буквально: ход событий вносит изменения во все плановые расчеты. Однако первое звено плана — оккупация Польши осенью 1939 года — подтверждается в эти дни. Весьма вероятно, что и намеченный в плане двухлетний промежуток между разгромом Польши и походом против Советского Союза окажется весьма близким к действительности. В Кремле не могут не понимать этого. Недаром там десятки раз провозглашали: "мир неразделен". Если тем не менее Сталин оказывается интендантом Гитлера, то это значит, что правящая каста уже не способна думать о завтрашнем дне. Ее формула есть формула всех гибнущих режимов: "После нас хоть потоп".

Одно из величайших отличий нынешней войны от прошлой — это радио. Благодаря радио народы сейчас в гораздо меньшей степени, чем в прошлую войну, будут зависеть от тоталитарной информации собственных правительств, и гораздо скорее будут заражаться настроениями других стран. В этой области Кремль уже успел потерпеть большое поражение. Коминтерн, важнейшее орудие Кремля для воздействия на общественное мнение других стран, явился на самом деле первой жертвой германо-советского пакта. Судьба Польши еще не решена. Но Коминтерн уже труп. Его покидают с одного конца патриоты, с другого конца интернационалисты. Завтра мы услышим, несомненно, по радио голоса вчерашних коммунистических вождей, которые, в интересах своих правительств, будут на всех языках цивилизованного мира, и в том числе на русском языке, разоблачать измену Кремля.

Распад Коминтерна нанесет неисцелимый удар авторитету правящей касты в сознании народных масс самого Советского Союза. Так, политика цинизма, которая должна была, по замыслу, укрепить позиции сталинской олигархии, на самом деле приблизит час ее крушения.

Война сметет многое и многих. Хитростями, уловками, подлогами, изменами никому не удастся уклониться от ее грозного суда. Однако наша статья была бы в корне ложно понята, если бы она натолкнула на тот вывод, будто в Советском Союзе сметено будет все то новое, что внесла в жизнь человечества Октябрьская революция. Автор глубоко убежден в противном. Новые формы хозяйства, освободившись от невыносимых оков бюрократии, не только выдержат огненное испытание, но и послужат основой новой культуры, которая, будем надеяться, навсегда покончит с войной».

— Такого не говорят? — спросил Горелов.

Боря не понимал, как ему действовать. С одной стороны, этот психотерапевт сейчас предъявил ему его собственные мысли, почти все, вплоть до надежд на всеобщую радиофикацию; с другой — этот стиль мог принадлежать только одному человеку, никому иному, и Боря не был бы газетчиком, если бы не опознал его.

Было время, когда он боготворил этого человека. Было время трезвого отторжения и даже, пожалуй, разочарования. Было время мстительности, всегда направляемой на бывших кумиров. Но Боря не переставал и тогда вздрагивать от мгновенной точности оценок, интонаций, собственных своих мыслей, которые этот человек высказывал наилучшим способом. Потом пришло понимание, что он всегда был хлестким провинциальным публицистом и никем более, ибо не видел сырой, глубинной сущности всех здешних вещей и до сих пор на что-то надеялся. Этот глубокий уровень был для него закрыт (а для Бори нет, Боря в последние пять лет научился многое видеть). Но на своем, первом, — он, как всегда, угадывал безупречно; просто кровяная местная сырость его отвергла, ему было с ней не сладить, его темперамент воспитан был пустыней, а не болотом.

— Нет, — сказал Боря наконец. — Так не говорят. Но думают наверняка. Я вот, честно вам скажу, кое-что из этого подумал.

— Правильно, — похвалил Горелов. — Он дело говорит. Просто жаль, что у нас это сказать некому. А так-то ведь сразу было ясно, что исторически нам суждено действовать вместе. И чтобы выбить у врага его оружие... хорошо бы кто-нибудь здесь вслух это объяснил, вы не находите?

— То есть я?

— Почему именно вы? Но кто-то из ваших подчиненных. Дать статью. Объяснить исторические корни. Показать, что это предопределено, и что национал-социализм — тоже социализм. В любом случае у нас с ними больше общего, чем между нами и всей остальной Европой. Считайте, что я вам дал конспект.

— Погодите, — не понял Боря. — Но ведь после публикации такой статьи...

— Ничего не будет автору такой статьи, — равнодушно объяснил Горелов. — Но сейчас она нужна. А потом... мало ли что потом. Сначала мы с ними поделим Европу. Потом, может быть, и все остальное поделим. А потом задавим, потому что нас победить нельзя, у нас больше пространства, чем может пройти враг. Это многократно проверено. Мы непобедимы.

— Но иметь их в союзниках...

— Тактика, — сказал Горелов. — Сейчас такая тактика. Но вообще-то неужели сразу не было понятно, что классовая близость и тэ дэ. Единственное разногласие — по еврейскому вопросу, но оно сейчас не принципиально. Принципиально сейчас то, что наш общий враг англосакс. Объясните там это или пусть кто-то.

Он высказал все главное и, казалось, засыпал прямо за столом. Видно, много работы было у них сейчас.

— Я все сделаю, — сказал Боря. — Но я хочу вас попросить. У меня взяли невесту.

— Невесту? — Горелов поднял бровь и, кажется, заинтересовался. — Вы разводитесь?

— Да. Мы собирались пожениться через месяц. Я вам про нее рассказывал.

— Я помню. Возвращенка, да?

— Да. Это было неделю назад, я не хотел беспокоить.

— Почему, вы звоните в случае чего. Телефон же есть у вас. Все данные ее мне передайте.

Боря продиктовал.

— Это проверка, я думаю, — сказал Горелов, явно избегая серьезного разговора.

— Проверка длилась бы меньше. Это связано, видимо, с ее заграничными делами.

— А может, и с заграничными. Ее отец приехал?

— Приехала вся семья год назад.

— Ну, я думаю, вы ответ получите через ее отца.

— А насчет свидания... я хотел попросить свидание...

— Свидание может быть после суда, а тут мы не знаем еще, будет ли суд. В любом случае через неделю отец все узнает.

Это был тупик. Боря попрощался и вышел под дождь. Вероятно, если бы он знал, какой смысл Горелов вкладывал в свой ответ, он бы ударил его. А может быть, и нет. Скорей всего, нет. Он и забыл, когда в последний раз кого-нибудь бил.

Тем не менее ответ действительно пришел, и действительно через отца. Удивительно, каким идиотом был Боря до сих пор: он так и не научился понимать их шутки. Разумеется, через неделю отца взяли, а сразу после этого матери с Шуром приказали выселяться. Это означало, что надо было искать комнату в Москве, регистрировать, перевозить вещи — мать Али была совершенно беспомощна и пребывала в непрерывной тихой истерике. Реальности она не понимала вовсе. То ею овладевала бешеная активность — сейчас же! немедленно! бежать к следователю, искать его где угодно, ее не могут не пустить! Писать на самый верх, объяснять, что чистейшего, лучшего человека, чем муж, она никогда не встречала, что Аля всегда была папиной дочкой, вся в него, и категорически не способна лгать... То она стояла неподвижно, хотя Боря умолял лечь, выспаться, — она, кажется, перестала спать вовсе, — и повторяла: я всегда это знала, вся моя жизнь шла к этому, всё это с самого начала не могло кончиться иначе... Она не принимала и не хотела никаких утешений, у нее словно была задача — сорвать все повязки, превратиться в сплошную открытую рану, все перечувствовать как можно полней и зафиксировать. А для кого фиксировать, для чего? Теперь всем переживаниям была грош цена; теперь каждый день, и в особенности каждую ночь, происходило такое, что говорить о личной трагедии было бессмысленно. Все сорвалось в трагедию мировую, где никакая частная жизнь и тем более никакая литература ничего не значили...

Боря нашел комнату. С дачи съезжали два дня, оказалось страшно много вещей, как они все это перевезли оттуда? Ужасен был растерянный Шур, злобно шипевший на мать, виновницу всего, как ему казалось; дважды он попрекнул ее тем, что она привезла его сюда. Они поселились на Покровском бульваре у мерзкой хозяйки, с самого начала понявшей, что над этими прокаженными можно глумиться нагло и безнаказанно. Боря попытался припугнуть, но и Борю она не пожелала слушать, потому что серьезный человек не мог быть связан с такими. Его журналистское удостоверение на хозяйку не действовало, да и ни на кого не действовало — в стране осталось только одно удостоверение, которое впечатляло. Все остальные годились максимум потешить тщеславие.

Большая часть Борисовых денег уходила теперь на поддержание обезглавленной семьи, на передачи Але, на скромные даяния Шуру, оказавшемуся вдруг и застенчивым, и деликатным. Он стремительно вырастал из всего и страшно смущался. Рубахи протирались на локтях, штаны были коротки. При этом Шур напряженно следил за политикой и постоянно стремился о ней говорить. Он между строк читал газеты, вел дневник и делал выводы о характере будущих военных действий. Его интересовали мельчайшие государства, он оценивал города по их стратегическому значению, рисовал от нечего делать карты, и постепенно становился создателем многотомного эпоса о грядущей войне. Эпос писался в толстых клеенчатых тетрадях, поражал детализацией и катастрофизмом мышления, свойственным, говорят, представителям гибнущих классов. Там были новейшие виды вооружения, главным образом из нержавеющей стали, но органичны были бы и летающие драконы. Одинокий мальчик, которому не о чем было говорить со сверстниками и с матерью, который из-за мучительной застенчивости не общался с девочками, да и о чем он мог говорить с пролетарскими девочками, — весь уходил в эту выдуманную войну, на которую, разумеется, страшно боялся попасть: он с недосягаемой высоты озирал поля сражений, в каковые были вовлечены уже и вся Юго-Восточная Азия, и Гренландия, и партизанские отряды детей, новые их крестовые походы. В этой войне Россия все теряла и все потом отвоевывала, потому что она-то, в отличие от европейских стран, могла сократиться до одного поселка и с этого поселка начаться. Лучше всех понимал это Александр Первый, отказываясь от мира с Наполеоном. Такой гигантский кусок был непоглощаем. По прогнозам Шура, Россия растекалась на всю Европу, хотя поначалу теряла и Ленинград, и Свердловск.

Он был славный мальчик, умевший подшутить над собой, страстно желавший выглядеть взрослым, действительно очень взрослый с виду, но умственно он как бы все время оказывался в коротких штанах и с прорехами на локтях. Любое мировоззрение было ему тесно, поскольку все здешние мировоззрения — по крайней мере легальные — были рассчитаны на дошкольников, а он уже был честным третьеклассником, иногда сомневавшимся, страшно сказать, даже в марксизме. Боря гулял с ним по всем местам, где любили они бродить с Алей, — Аля обожала эти пешие прогулки, бессмысленные, с его точки зрения: ей надо было налюбоваться, и он снисходил — «Что ж, любуйся». У Шура не было этой ее экстатической любви к новой Москве, он скучал по Парижу, Париж знал идеально и рассказывал о нем с памятливостью гида. Чувствовались в нем и попытки полюбить Москву, и все в ней, и даже кино, — но он принимался всерьез разбирать фильм, и фильм не выдерживал даже этой детской критики. Об отце он почти не рассказывал и, кажется, считал его неудачником.

Однажды, в порыве откровенности, признался, что, кажется, у них с Алей разные отцы — «Во всяком случае, я никогда не чувствовал к нему... как это сказать? — affection? С матерью могут быть любые склоки, она часто невыносима, но между нами все равно la corde. С отцом никогда этого не было; все чужое, запах чужой». Но больше он к этому разговору не возвращался, потому что дурно говорить о сидельце не принято ни в русской, ни во французской среде.

В феврале перестали брать передачи Але, хотя отцу по-прежнему брали; ее отправили на этап, его следствие длилось. В марте пришло от Али первое письмо. И Боря тайно порадовался, что она написала ему первому, до матери, до брата, — хотя тут же явилось ужасное чувство, что от матери и брата толку не было, а на него она могла еще надеяться. И вот странность: он был уверен, что там — как бы ни выглядело это «там», а ему оно представлялось в виде зловонного каменного мешка, — отмирают все прежние чувства, вся мелочь, остается только любовь, и то в самых шкурных проявлениях; но вот поди ж ты, Аля, оказывается, ревновала. «Там» вышла неловкость. Она знакомилась с обитателями камеры — в письме это называлось «новой квартирой» — и представилась как его жена. «Позвольте, но я прекрасно знаю его жену! Она мой врач!» Недоразумение выяснилось, но холодок остался, а ведь там от первого знакомства зависит очень многое. Там людям делать нечего, и они всё примечают друг за другом. Здесь, отозвался ей

Боря по вечной привычке с ходу вступать в диалог, прекрасный, быстрый, насыщенный диалог с ней, ни с кем больше не представимый, — здесь тоже всем нечего делать. Они ничего не делают, только боятся или притворяются; настоящего дела давно не осталось, только странные чемпионаты по труду вроде стахановских, не созидательные, а скорей разрушительные. Вот все и следят друг за другом, к чему бы прицепиться. Он часто ловил на себе такой взгляд — особенно стариковский, старушечий: все они хотели сделать ему замечание, торопились первыми. С доносами была примерно та же ситуация. Но к делу.

Ей дали шесть лет, то есть фактически оправдали; это уже обнадеживало. Условия, писала она, были сносные; диета, конечно, строжайшая — он все понял, — но в остальном почти как в крымском санатории, ты помнишь? Он помнил этот отдых строгого режима и побег оттуда; о, если бы теперь хоть день!.. Бывает даже кино, продолжала она. Отношение к ней ровное. Она в Котласе. Он знать не знал никакого Котласа. Вообще с географией выходило интересно: география в разговорах начала тридцатых была — Донбасс, Кемерово, Нижний Тагил. Через пять лет — Халхин-Гол, Барселона, опять же Теруэль. А теперь в перешептываниях мелькали Магадан, Норильск, Котлас — так постепенно осваивалась империей мировая карта: стройки, потом войны, потом зоны. Это была карта укреплений, тоже война, неизбежные этапы выживания: сперва занимали пространство

жизни строительством, потом атаками, потом вот
этим. Но пространство оставалось пустым, чем его
ни заполняй.

Аля писала еще, что работает швеей, что при-
годились давние полудетские навыки, что норму
давать не может, но есть прогресс; спрашивала
о работе, передавала беспомощные, бесполезные
приветы всем, кто так стремительно ее забыл. Боря
так выгорел за последние полгода, что из всех
чувств остался ему, кажется, только страх — уми-
рающий, в отличие от надежды, последним, —
да злоба, мертвая, сухая, вовсе уж не святая злоба;
но, когда он дочитал до этих приветов ее прямым,
круглым, дисциплинированным почерком, что-то
вроде ястребиного клекота вырвалось у него — вот
так он теперь плакал.

О статье она не писала, но он догадывался —
опыт эмиграции был теперь приговором. Он сразу
стал хлопотать о поездке. Горелов-второй отвечал
уклончиво, правый уклонист; говорил, что о сви-
дании можно просить только через полгода, что
Аля никак еще себя не зарекомендовала, что он
свяжется, запросит и т.д. Был соблазн — Боря уж
подумывал — кого-нибудь крупно сдать и как бы
выменять на Алю, но тут стоял барьер, а главное —
он понимал, что и этим ничего не решится. Что-то
должно было произойти.

Кончилась небольшая и бесславная война,
бледная тень Халхин-Гола, так и не переросшая
опять в большую, которая списала бы все; дружба с Германией продолжалась, и странна была эта

дружба. Все в ней дышало ненавистью, причем
взаимной; ненависть чувствовалась в тоне перего-
воров, в непрерывном торге, в гримасах, с которыми Молотов и немцы позировали для совместных
снимков. В улыбках было нечто идиотическое,
гротескное, явно провоцирующее. Шур плакался
о судьбе Парижа и говорил, что, возможно, Петена
еще назовут спасителем Франции. Боря с ним не
спорил и переводил разговор. Польша перестала
существовать, и о ней не сожалели. В конце концов, старик, говорили те немногие, с кем он еще
разговаривал, — Мюнхен ведь тоже был, что ж вы
теперь обижаетесь? Из Латвии пришел восторженный репортаж о новой, советской жизни. Такой же
прислали из Буковины. Боря писал Але дважды
в неделю, мог бы и чаще, но письма нечем было
бы заполнять — не о прочитанном же говорить
с ней? А так была хоть какая-то форма контакта.
Он страшно тосковал по ее голосу и телу, стыдился
признаться в этом, стыдился спросить себя: осталось ли что-то от этого тела? Аля была крепкой,
сильной и притом столь чувствительной к малей-
шим переменам тона, что невозможно было представить ее в обстановке, где оскорбляло и мучило
все. Самое ужасное, что он продолжал ее желать.
Новых женщин в его жизни не появлялось, измену
Але он почел бы непростительной мерзостью. Любовь перешла в план бесплотный, почти бесполый,
идеалистический. В письмах он старался напом-
нить — словечками, условными знаками — лучшие
их минуты, но не знал, утешает этим или растрав-

ляет. В конце концов, «Nessun maggior dolore che ricordarsi del tempo felice nella miseria» — это-то он помнил с брюсовских времен, славно вколачивали, — но, с другой стороны, на что еще опираться? Сам он только этой памятью и дышал, и держался, и заставлял себя зарабатывать.

В июле Горелов наконец дал понять, что поездка возможна. Боря почти не слышал о таких чудесных вариантах, хотя по закону — о, как приветствовала Аля эту человечность советских законов, как ставила в пример той же Франции, с ее Французской Гвианой! — полагалось ежегодное свидание, а за примерное поведение могли дать и второе. Но не было случая, чтобы кто-то ездил к родственнику, в особенности к невенчанной жене. Вероятно, от бесед с Гореловым действительно был толк, хоть Боря и не называл фамилий; да и что удивительного? Фамилию всякий назовет, а ты поди опиши чужие мысли, тем более свои! Единственный известный ему случай, о котором он узнал случайно, через ленинградских знакомых, был с Ивановой, журналисткой, начинающей драматургиней, так страстно любившей мужа, что ей разрешили свидание; Боря не знал, чем была оплачена эта милость. Возможно, дебютная пьеса Ивановой понравилась на самом верху — речь в ней шла об уральском богатыре, в новом славянском и даже, пожалуй, германском духе, — все эти малахитовые шкатулки были один в один срисованы с гриммовских сказок о гномах и карлах, о драконах, охраняющих яхонты. Возможно, что Иванова купила поездку тем же, чем и он. Наконец, может быть, она была такая красавица, что... Боря поехал в Ленинград, встретился. Она легко согласилась повидаться, что-то чувствуя, — все теперь что-то чувствовали; с виду оказалась хрупка и неказиста, только глаза были хороши, как у всех некрасивых: круглые черные ростовские глаза. В Ростове она занималась примерно тем же, что и он в двадцатых в Москве, и тоже любила двадцатые, а когда они кончились и в Ростове стало тесно, переехала в Ленинград, где еще оставался воздух. Теперь его выкачивали и здесь, словно мстили за эту отсрочку.

Они встретились с Ивановой в буфете «Октябрьской», где он остановился. Рядом шумно обедали какие-то полярные летчики. Как он понял, что они полярные летчики? Никак, прозвал так. Боря с Ивановой, напротив, разговаривали тихо, как больные среди здоровых. Оба с первого взгляда поняли, что черная метка на них одна и та же, оба были не из этих лет, и оба покупали выживание не совсем чисто, хоть Боря и не поручился бы, что у нее свой Горелов. Неизвестно еще, что лучше, — Горелов или пьеса в постбогатырском духе, в соответствии с девизом эпохи «Взлезай на печку».

Иванова была почти его ровесница, года на три помладше. Она ездила к мужу примерно в те же края. Еще повезло вам, сказала она, закатывают и дальше по нашим-то статьям. Его не покоробило это «наше», хотя раньше он бы отдернулся. Его всегда раздражали попытки несчастных распространить на всех свое несчастье, а теперь он даже умилялся. Наши места, наши статьи... Иванова усмехнулась: представляете, я добиралась туда с цыганским табором. Они ездили навестить своего барона. Баро, поправил Боря. «Ну да, но я привыкла по Ростову — барон. И представляете, они даже там умудрились достать лошадей!» Боря засмеялся истерически, несоответственно поводу, — собеседница глянула на него с испугом, но он не мог остановиться: цыгане в Архангельской области достали лошадей! И вот еще, продолжала Иванова: денег берите побольше, все, что можете. Там деньги многое решают, дерут за любую ерунду, за то, чтобы быстрее привели, чтобы на лишний час оставили, — тарифы на всё. И еще. Тут она помолчала и повторила: да, еще. Вы не удивляйтесь. Я ехала, все понимала, но не могла представить. Мы думаем, что там хоть что-то общее... с ними, с прежними. Хотя бы внешняя оболочка. Этого нет.

— Как? — не понял Боря.

— Так. Их просто нет. Это другая форма исчезновения, и я подумала даже... Ужасный грех, но я правда подумала: может, и лучше было бы... По крайней мере сразу. Даже если вдруг, когда-нибудь, непостижимым образом они вернутся — это будут совсем не они. Просто не ждите. Те, кто там, — они тоже нуждаются в любви, им нужны посылки, им надо письма... Но просто если вы действительно едете — кажется, она не верила, что кому-то, кроме нее, обломится такая милость, — то не ждите, что вот... Там ничего, ничего. — И в этой жестокости он узнал человека своей закалки, человека двадцатых, из которого никак не удавалось выбить точности и честности. — Постарайтесь как-то заранее. Потому что я не смогла скрыть, и он все прочел по глазам. И так улыбнулся, знаете... так, как мой муж никогда бы не улыбнулся.

Боря не поверил, разумеется, но кивнул. Он все хотел спросить, почему ей удалось, а никому вокруг не удавалось, — но не решился.

— Мы все уже умерли, — сказала вдруг Иванова и впервые прямо посмотрела на него круглыми черными глазами, в которые он на миг провалился, как в болото. — Все умерли, нас осталось только убить.

— Ну, с этим никогда не задерживаются, — сказал Боря беспечно.

Иванова ничего не ответила.

...Он выехал из Москвы поездом на Воркуту, который плелся необычайно медленно, иногда вставая в чистом поле; глубокой ночью, по-северному светлой и оттого еще более страшной, он сошел на станции, от которой надлежало искать попутную машину, а дальше добираться еще десять километров чем придется. Горелов не снабдил его никаким письмом — да и какое письмо тут было возможно? Сказал только, что «там предупреждены». Никакой машины, понятное дело, не было. Откуда цыгане взяли в этом краю лошадей, Боря представить не мог. Добираться пешком он и не мыслил, поскольку тащил тяжелый чемодан с продуктами, теплыми вещами и зачем-то еще с книгами, Господи, книгами от Алиной матери. «Вы не понимаете, она совершенно не может без книг, она в письме просила словарь итальянского языка!» — разумеется, для общения с надзирателями ей необходим именно итальянский язык; но возражать было нельзя, она пришла провожать и сунула ему в руки пакет с пятью толстыми томами, еле вместившимися потом в чемодан, тот самый, кстати, с которым они тогда... о, tempo felice!..

Боря в растерянности стоял на жалкой станции, но тут подкатил, о чудо, грузовик, и из грузовика выпрыгнул, о чудо, человек. Рожа его была темная — только рожу да кисти рук и видел Боря, но этого совершенно хватило, чтобы он про этого человека многое понял. Это был человек тюремный, по-тюремному пришибленный и при этом всегда готовый к прыжку: ходил он враскачку, пружинисто, глядел исподлобья, из-под темно-серого, мышиного кепарика, и было в его манерах нечто наглое и притом заискивающее. «Гражданин Гордон?» — спросил он любезно, то есть с той именно любезностью, с какой грабитель просит закурить или осведомляется, хороша ли погода. Боря известил Алю за неделю о своем приезде, предупредив, однако, что сорваться все может в любой момент; но он и представить не мог, что Аля организует ему встречу. «Для Ариадны мы всегда, гражданин Гордон, Ариадна имеет друзей», — говорил водитель с невыносимой гнусностью, и такие же невыносимо гнусные мысли лезли Боре в голову. Аля молода, прелестна, могла здесь и торгануть собой, и кто осудил бы ее за это? Наверняка никто из следователей, охранников, да кто угодно, — не отказывает себе, ведь каждый ворует с того места, к какому приставлен, а кто приставлен к живому товару, тот берет проценты с него... Руки водителя на руле — «Вы называйте меня Гусем для простоты» — были покрыты синюшной сетью татуировок, как бы митенками, все эти рисунки наверняка что-то значили, даже ладони были истыканы. «Не подумайте, — Гусю, как и всей воровской аристократии, было важно предстать джентльменом, отсюда и чинное полное имя "Ариадна„, — у нас без этого. Мы к ней без корысти. У нас исключительно благородно». Все теперь читали мысли, и это оказалось несложно: предполагай худшее да опровергай.

Тот свет поразил его опрятностью. Это была типичная опрятность ада, аккуратность чистеньких мертвецких, палаты безнадежных больных с простынями в голубой цветочек, скромность серых казенных одеял. Был очень ровный желтый забор, очень ровная проволока над ним. Почему Алю надо было держать за проволокой? Боря задался этим вопросом машинально, сказался недосып, стресс, — вопросов у него давно не возникало. Все та же лягушка в медленно нагревающемся котле. Был дом свиданий, куда его провели, тоже удивительно чистенький, с голубыми стенами. Аля была на завтраке. Привезти ее раньше не было никакой возможности: надо было регулярно питать, как в крымском санатории. Вместе с тем за этими голубыми стенами, за цветочками видел он такую камеру пыток, такую лавину унижений и прямого разрешенного насилия, что голова шла кругом и глаза словно выдавливались наружу от боли; мигрень начиналась очень не вовремя. Будто ударная волна давила на уши, просто взрыв прогремел еще в сентябре. Он сейчас увидит Алю. Вместить это было невозможно. Невозможно было представить, что разрешают ездить в ад, как бы в командировку или с визитом.

Он ждал два часа. Пришел офицер, назвавшийся политработником, переписал подробно все его данные. Пришел охранник, перед которым Боря непроизвольно встал. Охранник пристально его осмотрел и вышел — доложить, вероятно, что приезжий благонадежен. Пришел еще один охранник, досмотрел подробно все содержимое чемодана, отобрал папиросы, унес, вернул папиросы. Из теплых вещей оставили безрукавку, остальное унесли. Унесли печенье. Яблок оставили два. Еще раз пришел офицер, еще раз осмотрел чемодан. Через десять минут привели Алю.

Они стояли друг против друга, не решаясь заговорить при охраннике. Охранник потоптался и вышел. Дверь заперли снаружи. Боря тоже был теперь в заключении. Иван-царевич приехал освобождать Василису, им дали свидание, Иван-царевич все понял и уехал восвояси. Иванова ничуть не преувеличила. Все было даже страшней, чем она рассказывала. Глаза. Это были уже не фары, это были дыры. Из Алиных глаз всегда шел свет, озарявший лицо, комнату, Борю, — теперь эти

глаза были мертвы, как чистенькая мертвецкая,
и страшно было в них заглядывать, и ясно было,
что никакой любовью, никакой заботой, никаким
Крымом не вернуть прежнего света. Далее — руки.
Они тискали, мяли цветастую юбку, которой Боря
никогда на ней не видел, — откуда взялась эта
юбка? На ногах были толстые коричневые чулки,
большущие галоши, но галоши можно снять, юбку
сбросить, а куда деть руки? И она тоже не знала,
куда деть издырявленные, загрубевшие, согнув-
шиеся пальцы с опухшими суставами, с короткими расслоившимися ногтями. Рот странно искри-
вился, словно она перенесла удар, — какие удары
и сколько их было, этого он и представить не мог.
И поверх всего эта страшная маска, выражение по-
корной, согбенной виноватости, заранее согласной
на любую кару; это сознание предательства, полной
отверженности, отлученности от всего прежнего, —
и виновата была только она, без всяких ссылок на
внешние условия; прощения не было.

— Аленька, — выговорил он вдруг. Он никогда
к ней так не обращался. Это было ужасное слово,
какой-то аленький цветочек; но она была теперь
именно Аленька, никак не Аля.

— Я сдала отца, — сказала она очень тихо,
совсем беззвучно, словно это было первое, что теперь надо было о ней знать.

— А меня? — спросил Боря, и это был подлый
вопрос, но с инстинктом ничего не сделаешь.

— Тебя? — переспросила она. — Про тебя не
спрашивали.

И камень свалился с его плеч, и это было страшней всего.

— Да не сдала ты никого, — сказал Боря фальшиво. — Ты же знаешь, они спрашивают только то, что уже знают.

— Все равно, — сказала она. — Значит, им надо просто, чтобы мы всех сдали. Тогда мы уже такие, как надо.

Они так и стояли, он не решался к ней прикоснуться. Он и на похоронах опасался трогать покойников. Они были уже там, а он еще здесь: не положено.

— Боря, я была такая хорошая девочка, — сказала она вдруг жалобно, и рот у нее еще сильней покривился. — Так меня все любили. Почему со мной надо было это сделать?

Боря молчал.

— Так мне нравилось всё... — проговорила она.

— Это не тебе, — начал Боря. — Это все мне. Это мне за тебя, за все. Пойми, Алька, я лучше бы двадцать раз умер...

— Чем вот так приехать, да?

— Нет, чем отдать тебя.

— Нас всех мало убить, — повторила она слова Ивановой. — Всех убить.

И сказать, что с этим не задержатся, уже нельзя было.

— Ну что мама, что Шур?

— Вот... вот они написали тебе, — засуетился Боря. — Сядь, поешь. Я тут привез, они только печенье унесли...

Голод, видно, был все-таки сильней любых чувств — любви, вины; Аля стала осторожно отламывать халву по крошечному кусочку.

— Ты знаешь, меня тут встретили по-царски, прямо на станции...

— А. — Она попыталась улыбнуться. — Я передала. Я оказала им тут услугу. Спрятала одну вещь. Меня досматривали на этапе, ну, и здесь не стали. Мне отдали, я в лифчике спрятала. Потом оказалось, большая ценность. Неважно. У той, которая мне это отдала, — такая есть Муха, — у нее на воле влиятельный друг. У влиятельного друга шофер, тоже друг. Тут, в общем, связи, везде связи...

— Но что за люди вообще?

Она молчала и ела.

— Я к тому, не слишком ли обижают и все это...

— Нормальные люди, — сказала она блекло. — Если бы убили, то было бы правильно.

Были у них сутки, за время этих суток так и не стемнело, все тот же мертвенный свет. Ненадолго они засыпали, привалившись друг к другу, но любовь — какая любовь? Не могло быть и речи о том, чтобы по-мужски к ней прикоснуться. Вся она была как тряпочная кукла, жалкое мясо на гнутых костях. И если с ней, вообще с лучшим, что было на свете, можно было такое сделать, — то действительно оставалось только всех убить. Но почему, за что? Теперь не спрашивают, за что, вспомнилось ему; теперь спрашивают — зачем. Так неужели только затем, чтобы выросло племя, которому умирать не больно; а племя это нужно только затем, чтобы воевать; а воевать нужно только затем, чтобы все списать? Неужели тут всегда стоит одна задача — все списывать; всех сплачивать вокруг стержня; отводить любые претензии? А чтобы все были готовы умирать, неужели надо, чтобы никому не хотелось жить? Он взглянул на свою руку: жить не хотелось. Он был уже почти в том идеальном состоянии, в каком можно ложиться под серп; а тут и не было другой задачи, кроме как дать себя скосить. Одних надо убить, чтоб не мешались; других прогнать через фильтр; после фильтра можно воевать; после войны можно еще пятьдесят лет жить этой легендой. Если цель такова, они все делают правильно; если они все делают правильно — цель такова.

Они почти не разговаривали. Борис отдал ей письма матери и брата, сказал, что попробует приехать еще.

Когда уже оставалось полчаса до назначенного им срока и он явственно ощущал присутствие охранника за дверью, когда чувствовал физическую тяжесть каждой секунды, она сказала вдруг:

— У меня была младшая сестра. Я никогда не рассказывала. Ни тебе, никому. Она была страшная. Я и жалела ее, и боялась. У нее была огромная круглая голова, шейка тонкая, голова не держалась. Она как начнет одно слово повторять, без всякого смысла, как шаман, так и по полчаса, по часу... Если бы кормить и лечить, то, может быть, все встало бы на место. Но мы ее отдали в приют, и она умерла. Я тогда каялась, потому что ведь это меня спасали, когда ее отдали. И я молилась тогда:

пусть я стану как Марина! Должно быть, я думала, это ее вернет. Но вот эту именно молитву и услышали. Может так быть?

— Нет, не может, — сказал Боря.

— Ты знаешь, — сказала она под конец, — я думала... Может, мне можно как-то отсюда писать? Ведь писала же я очерки из Крыма, писала, как мы в театр ходили... Была же книга про Беломорканал! Здесь тоже область жизни. Как ты думаешь? Печатать очерки, как тут перековываются все, как я... Фотографии, конечно, нельзя, но я делала бы рисунки. А?

Она так ничего и не поняла, она еще не понимала, что попавший сюда вычеркивается отовсюду, что, если даже ему и повезет выйти, — ведь ее фактически признали невиновной, «врешь, ни за что у нас пять дают», — все равно вход в журналистику, хоть в районную газету, хоть в помоечный листок, будет ему закрыт навеки, вплоть до запрета на некролог. Репортажи о перековке, боже мой! После статьи за шпионаж! Он сам был виноват, конечно, не написав ей правды, да и кто бы решился написать? Он передавал ей приветы от людей, давно сделавших вид, что ее нет и никогда не было; посылал номера журналов, сообщая в письмах, что все ее ждут не дождутся, а то совсем просел стиль, нет свежих идей...

Ни одна душа там ее не помнила, а она все хотела для них работать, передавала ответные благие пожелания, интересовалась, как растет ребенок у одной и оболтус у другой... «Да, — сказал он, —

да, пиши, конечно. Попробуем напечатать. В конце
концов, сегодня это главная сфера жизни, об этом
думают все».

Вошел охранник. «Собирайтесь», — сказал им
обоим. Она взяла тяжелые свертки со словарями
и легкий — с едой.

— Аля! — чуть не заорал Боря, но надо было
щадить ее.

При охраннике обняться было немыслимо.
Она поцеловала его в щеку, не поцеловала — косну-
лась, и ужасный запах снова проник в его ноздри,
растворился в его крови, стал его частью — запах
мертвой опрятности, в котором, как в белом цвете,
было все зловоние мира.

Гусь поджидал его с грузовиком. «У нас со
всем уважением», — повторял он.

Боря закаменел. Обратного пути он не помнил.

И стал жить, то есть умирать.

*　*　*

6

Гремевший тогда поэт воспевал войну, уже идущую повсюду; он извергал дикую смесь барачной киплинговской вони и шипра, причем шипр преобладал. Шипром было пропитано все. Осенью наметился некий перерыв в дружбе: случилась ось Германия — Италия — Япония, и под это дело пришлось переверстывать весь номер, на девяносто процентов посвященный германским друзьям. Но потом улеглось и пошло прежним чередом. Аля писала письма, полные вины и ужаса: «Прости, я была сама не своя, твой приезд был так невозможен» и прочее. Боря все понимал, не понимал одного: как вышло, что он, красавец и муж красавицы, оказался вдруг старым человеком, тащившим на себе двух инвалидов? Это была расплата за слишком легкую жизнь, за совмещение черняночки и беляночки, двух красавиц, которым все завидовали; теперь обе они никуда не годились, как, собственно, и Родина, до поры ими олицетворяемая. И та, игривая, на все готовая, любительница экспериментов, гибкая, в шоферской кепке, и эта, нежная, вернувшаяся откуда-то из дореволюционной дымки, женственная и девственная, страстно преданная ему одному и предаваемая им, — обе они теперь никуда не годились. У одной был шрам и тик, у другой срок, и он волок их на себе, ни одной не желая и ни одну не любя. Долг привязывал его к ним, долг и больше ничего, и ничего он так не желал, как их взаимного уничтожения; но обе были между жизнью и смертью, а потому бессмертны.

Так и тянулось бы это существование, в котором не было теперь места ни попойкам, ни дружеским остротам; случалось, он по неделям ни с кем подолгу не говорил, кроме разве Горелова, назначавшего встречи все реже. Все начало переворачиваться после одного существенного разговора — и именно с Гореловым.

Боря не хотел больше ехать к Але, но Горелов сам вывел разговор на нее.

— Вы не хотите ее навестить?

— В каком качестве?

— В качестве жениха, — сказал Горелов. — Папа, понимаете, оказался упрям. И, чтобы ускорить ее освобождение, вы бы, может быть...

Боря ничему уже не удивлялся, но этому удивился.

— Вы хотите, чтобы я вытащил из нее недостающие свидетельские показания?

Горелов мог завозражать, заотнекиваться, но он был честный малый.

— Почему же нет, — сказал он.

— Разве он недостаточно изобличен? — спросил Боря. — Ведь уже сидит, может и дальше сидеть.

— Нет, этого нельзя. Мы не можем посадить человека несправедливо. Все должно быть справедливо.

— То есть на него надо изготовить показания?

— Почему изготовить? Скажем так, добыть. Цель всякой психотерапии заключается в том, чтобы виновный сам объяснил вину. Сам отыскал ее. Если пациент живет с неявным чувством вины, наш долг — найти ее источник.

— А если пациент не виноват?

— Смешно, — сказал Горелов. — Мы же с вами модернисты. Вина — ключевое понятие модерна. Невиноватых нет. Состояние вины — самое творческое, самое высокое. Мы всех сделаем виноватыми и всех излечим.

— Погодите, — сказал Боря. — Игра игрой... Но не хотите же вы сказать, что и в самом деле...

— Именно это я и хочу сказать. — Горелов прошелся по кабинету — да, по кабинету, как еще это назвать? — Так вижу я. А как это все на самом деле...

Снова пауза. Боря захрустел пальцами.

— А знаете, что тут бывает, когда мы с вами не встречаемся? — вдруг спросил Горелов.

— Откуда же мне знать.

— Тут один мой приятель встречается с девушками. У него есть ключ. Не простаивать же помещению. Он говорит, ему здесь не очень комфортно и не всегда получается, но это, наверное, потому, что срабатывает психологический барьер. А мне, напротив, гораздо лучше здесь работается, когда я знаю, что в другие дни... или ночи... Это как бы подстегивает. Я думаю, что и у вас так хорошо идет терапия во многом за счет того, что мы с вами присутствуем как бы на месте любви.

«Сошел с ума», — подумал Боря с облегчением. Было гораздо легче думать, что это безумие, нежели принять за норму.

— Случаи бывают теперь очень интересные, — сказал Горелов с обычным своим скучающим видом. — Вот, полюбуйтесь.

И, закинув голову, закрыв глаза, прочел:

Поймем ли мы в огне и дыме
Своей сегодняшней войны,
Какими битвами иными
Мы в этот миг окружены?

Он открыл глаза и в упор посмотрел на Борю:
— Нравится?
— Хорошо, — не сразу ответил Боря. — Похоже немного на...

Он назвал человека, давно уехавшего и, вероятно, уже умершего.

— Похоже, — кивнул Горелов. — Неприятный был человек. Я знал его немного. Тоже все надеялся, что придет всемирная катастрофа и все спишет. Тяжек груз ответственности.

— А это чье?

— А эта фамилия вам ничего не скажет. Интересный человек. Обратился, между прочим, добровольно. Сообщил о нескольких ближайших друзьях, тоже поэтах. Сообщал с такой откровенностью, что даже удивительно. Всю их жизнь рассказал, с какой-то, знаете, любовью. Я долго бился, не хотел спрашивать прямо: почему? С одним, положим, ясно: девушку они не поделили, роковое такое создание. Но остальные? Пока не стал читать его стихи, не угадал. Позор на мои седины. Он знаете что решил? Что ему не хватает злодейства. Что он никак не может создать шедевр, потому что слишком морален. А надо перешагнуть — вот и пойдут шедевры один за одним. Просто ему лень топором махать, и старухи подходящей нет на примете. А так — гуляй, душа. Ему кажется, что раз грядет мировая катастрофа, то в последние дни перед ней можно все попробовать. Вот он и пробует. Сверхчеловечек такой, графоманчик. Ведь им зачем нужен конец всего? Чтобы все списалось. Правда, по моим ощущениям, настоящего шедевра нет, — а вам как кажется? Вы же литератор.

— По четырем строчкам судить трудно, — осторожно сказал Боря.

— Да и по одной можно, — уверенно заметил Горелов. — Ясно, что случай патологический, и что всем до смерти хочется списать свои грехи, увидать битву мировую. И вот — доносят: думают, попробуют запретного. Да ведь ничего не будет. Гадостей наделали, а никакого конца света не случится. И теперь с этим надо будет жить, просто жить. Такая ловушка. Господь ведь тоже с юмором. Все ждут: ну, сейчас будет Содомская Гоморра! А будет максимум еще одна европейская война, и посмотрю я на них на всех...

Боря не знал, что сказать. Разговоров на такие темы он давно не вел.

— Ну да ладно, — сказал Горелов. — Я поспособствую вам, конечно. У вас все чисто. Она, кстати, на вас ничего плохого не сказала.

— Она, кстати, говорила мне, что несколько... как бы это... что-то лишнее про отца...

— Нет, совсем нет. Всякие невинные вещи. Вот если бы серьезное — тогда, может, мы давно бы его отпустили.

— Странно, — сказал Боря.

— Ничего странного. Признание вины решает все. Пока человек не признался, он не исцелен.

— А я?

— А вы и так кругом виноваты. Я же говорил вам. Так что если надумаете еще раз поехать, зимой, например, или весной, — милости просим. Большего пока сделать не могу, но, знаете, перемелется — будет мука.

И отпустил его, опустошенного, как никогда прежде.

«Нет, голубчики, — думал теперь Боря, — вы хотите меня сделать виноватым — так нет же. Не будет вам виноватого. Не будет вам исцеленного. Сотня безумных психиатров или кто они там — стая безумцев решила всех подавить комплексом вины

и бросить в огонь, чтобы существовать вечно, —
нет, увольте. Этого не будет никогда, — повторял
он, шагая по лужам, глядя в блеклое, голубое,
виноватое небо цвета мертвой опрятности. — Все
повинятся, а я не повинюсь, потому что я не вино-
ватый, потому что я не русский».

Так начал просыпаться Шестой.

Шестой, как и положено, был жестоковыйный,
упрямый, смуглый; Шестой терпеть не мог прощения и примирения. Примирение он считал чем-то
вроде вишистского компромисса, который, может,
кого-то и спас, но погубил единственно ценное, что
там вообще было. Если вы думаете, что я имею
в виду их жалкую французскую честь, вы заблу-
ждаетесь. Я имею в виду всех шестых, всех, кого
взяли первыми. Нас заставили забыть о крови,
я сам заставлял себя забыть о крови, утверждая,
что для новых людей пол, возраст, нация несуще-
ственны; нонация — последнее, что можно отнять
у человека, а точней, то, чего отнять нельзя. Когда
сдергивается блестящий покров Европы, под ним
остается нация; и вот их осталось две — я и волк.
С волком не может быть примирения. Я слишком
долго прожил с русскими, это верно; но, когда
русские показали свое лицо и я узнал, что единственное их предназначение — война, а единственный инструмент войны — человеческий тростник,
я отказался от всех пяти идентичностей и вспомнил шестую. Теперь я понимаю, почему мы стали
главной мишенью: потому что мы — последний
оплот человеческого.

Но думать так он решился не сразу. Поворот в его душе совершился тогда, когда Шур вдруг сказал (Боря как раз принес ему свою кожаную куртку, которая оказалась мала, но Шур кое-как застегнулся; плечи у него были, как у каменотеса):

— Боря, я думал тут... Скорее всего, то, что мы с матерью на свободе, это совершенно временно. Это ненадолго. Скажи, что о тебе я мог бы сказать, что было бы для тебя наименее nuisible?

Он всегда переходил на французский, когда смущался.

— Минуту, минуту, — торопливо сказал Боря. — Это что же, ты хочешь получить от меня показания на меня?

— Боря, пойми, — засуетился Шур, — пойми, что-нибудь сказать им все равно придется. Надо просто заранее рассчитать то, что наименее опасно. Просто скажи мне, и я это повторю. Для себя я уже придумал. Я недопонимал ценность договора позапрошлого года, но теперь я допонимаю. Я с Митько и Антоном делился, это двое из школы, совершенно неинтересные люди, но мне казалось, что от них может зависеть мой авторитет. Я хотел казаться независимым. И я делился. Но теперь я понимаю. Скажи мне, потому что иначе может выйти ужасная ошибка...

— То есть ты хочешь сказать, — перебил его Боря, — что после всего... — Он хотел сказать «после всего, что я для вас делал», но попрекать несчастного юношу куском не хотел и теперь; хотя, черт побери, приятно было бы отобрать у него вполне еще приличную куртку, пусть даже иссохшему Боре она была велика, а раздобревшему, куда только его прет, Шуру мала. — ...что после всего, о чем мы с тобой говорили, ты бы оклеветал меня?

— Почему оклеветал, почему... Но просто ты меня тоже пойми. В конце концов, может быть, с Алькой все вышло именно из-за тебя. Возможно, ее взяли потому, что ты сделал ее второй женой. Тебя не решились тронуть, а она за это ответила. Ведь это может быть? Ведь если бы она была шпионка, то, наверное, все было бы серьезнее? Значит, это какая-то мораль, или аборт, или я не знаю что, но согласись, что перед моей семьей ты несколько виноват, старина... то есть ты ею воспользовался, и теперь, может быть...

— Я понял, — сказал Боря. — Да, я все понял. Что же, ты прав. Хорошо. Ты можешь им сказать обо мне. Ты можешь сказать, например, что я ненавижу русских.

— То есть как, Боря, то есть как это...

— Очень просто. Это те же немцы, только без немецкой аккуратности. Народ-предатель. Никакой внутренней основы. Он предает всех. Аля к этому неспособна, потому что в ней есть отцовская примесь. Но в тебе, как мы знаем, этой примеси нет, и потому ты чист. Это не значит, что я ненавижу лично тебя. Но в принципе можешь сказать им с полной уверенностью: союз русских с немцами был предопределен, и я противник не только этого союза... нет... я противник всего, что они олицетворяют.

— Но прости, Боря, погоди, — залепетал
Шур, — ведь если кто-то и может остановить немцев, то только русские...

— Они не собираются их останавливать, —
произнес Боря торжественно. — Они уже решили
с ними слиться. Они всегда хотели стать ими, при
Петре и Бироне им это почти удалось. Я ненавижу
этот союз. Понял? Так и скажи им.

Прежний, осторожный Боря не только не сказал бы, но и не подумал бы этого. Но Боря нынешний не знал страха, в нем проснулось наследие
патриархов, о которых он и не помнил. Да и не
повернулся бы язык у робкого Шура пересказывать
такие вещи.

— После этого... — пискнул Шур. — После этого
я не знаю, как буду с тобой разговаривать.

— Ты не будешь со мной разговаривать, —
твердо сказал Боря. — Я буду помогать твоей сестре и твоей матери, но с тобой я больше не скажу
ни слова. Иди.

И Шур стремительно удалился, пару раз огля-
нувшись. Он, кажется, боялся, что Боря отберет
куртку.

Так просыпался Шестой, занимая все предо-
ставленное ему пространство; он властно распо-
ряжался Бориной жизнью, и оказывалось, что все
прежние развилки тоже разрешались благодаря
ему, что все выборы бессознательно совершались
при его прямом участии, что писал и думал за
Борю тоже он, а маски, которые он принимал,
были, в сущности, прозрачны. Он всю жизнь нена-

видел немецкую чистоплотность и русскую грязь;
он всю жизнь понимал их одинаковую природу;
он всю жизнь радовался любым разрушениям
и измывался над созиданиями, признавая только
одно созидание — башню собственного духа. Окончательное подтверждение своей правоты он получил 14 июня, когда ТАСС заверил всех интересующихся, что войной и не пахнет. Иван и Зигфрид
держали друг друга в стальном объятии. Торжествовала идиллия. Растоптанная Европа и миллионы желтых звезд всех совершенно устраивали. Все
облегченно выдохнули, а Боря окончательно отдал
себя в распоряжение Шестого, лишь для виду терпя прочих пятерых.

Он никому ничего не сказал. Но он себе позволил. Муретта уехала в Кисловодск. Боря выследил
в Парке культуры обворожительную, свежую, крепкую девочку с ямочками. Грубейшей ошибкой было
бы думать, что он захочет теперь кого-то из своих.
Нет, тратить силы на своих — значило бы расходовать их нерасчетливо. Наше дело — чужие, проникновение в чужих, порабощение чужих. И он выцепил хозяйским глазом эту новую, свежую девочку,
потому что бесконечно тащить за собой двадцатые
и тридцатые годы было уже нельзя. Они были
сломаны, перерублены пополам. Он выбрал ясные,
чистые сороковые, девочку эпохи дирижаблей
и фонтанов. Эта девочка была вылитая Брунхильда, светловолосая, грудастая, монументальная.
Он знал, чего ей хочется. Она вся лопалась от своих соков. Она сама пошла к нему в руки.

Кое-что, конечно, забылось, навык отчасти утратился. Но с каким же наслаждением он сбросил груз двух своих прежних любовей! Так демон отбрасывает сломанные, черные, запыленные крылья. И развернулись новые, легкие, крепкие, казавшиеся почему-то зелеными. Был упоительный зеленый день и упоительная ночь, и среди этого он, человек пустыни, пьяный влагой и свежестью июня. Он брал ее трижды, не уставая. Она успокоилась, откричавшись, и заснула, отвернувшись, а он распахнул окно в четыре утра и уставился в эту самую короткую ночь. Кричали воробьи. Медленно расчищалась синева ослепительного, должно быть, дня.

Вот я, говорил он этому небу. Вот я, твой первый, твой главный, твой избранный, уцелевший во всех передрягах, один сохранивший подобие чистоты среди всеобщего кровосмешения, расслабления и предательства. Вот я, твой кристалл, твой миндальный стержень, твой посох. Вот я, вышедший победителем из всех противостояний и готовый к последнему. Вот я в полноте моей силы, моей власти и страсти. Что можешь ты сделать со мной?!

И что-то мигнуло в воздухе, но он не понял — что; словно взорвалось где-то, но не рядом, а километров за семьсот.

*   *   *

~ ЧАСТЬ ТРЕТЬЯ ~

1

А вот у Игнатия Крастышевского все время было свободным, а между тем времени не было совсем.

Он умел воздействовать на людей посредством слов, но это было не писательство, а, как говорил он сам, сверхписательство. Способность открылась у него в восьмом классе гимназии, когда он с помощью вольного сочинения «Чему учимся мы у греков и римлян» внушил учителю словесности, патологическому садисту и полонофобу, мысль о самоубийстве, которое, впрочем, сорвалось. Крастышевский был тогда юн и неопытен.

Идея воздействовать на читателя прямо, а не только путем рассказывания историй лежала на поверхности, но, как мы знаем, для всякого открытия потребна небольшая патология. Так, Дмитрий Менделеев имел болезненную страсть к изготовлению чемоданов, и именно желанием изготовить, наконец, такой чемодан, в который поместилась бы вся Вселенная, было продиктовано создание

периодической таблицы. Шутка. Патология Игнатия Крастышевского состояла в его клаустрофобии.
Его преследовали сны о замкнутых пространствах,
о бегствах сквозь какие-то коридоры и переходы,
о гнетущих белых сводах, в которых разворачива-
лась большая часть русской придворной истории,
о тюремных камерах, где ему надлежало провести
без какого-либо преступления бесконечно долгое
время без всякой надежды на свободу; и почему-то
эти камеры были частично погружены в воду,
и почему-то он там не умирал сразу, а продолжал
жить. Это было всего невыносимее.

После одного из таких снов, когда тринадцати-
летний Крастышевский проснулся с бешено коло-
тящимся сердцем, в липком поту, он впервые поставил перед собой задачу — найти такое сочетание
слов, которое в безнадежной ситуации убило бы
его немедленно. Эта задача, впрочем, заинтересо-
вала его еще при чтении книги Густава Оже «Огонь
и вода». Самый симпатичный герой — француз
Молинар, обязательный шут при отважном капита-
не Паттерсоне, — попадал в плен к злобным кан-
нибалам Новой Гвинеи, предпочитавшим пожирать
жертву заживо, не сразу, а по куску. Дабы не попасть на этот пир в качестве главного деликатеса,
Молинар с помощью древнего заклинания, переда-
вавшегося в их роду еще со времен крестоносцев,
умертвил себя. Отчаяние кровопивцев, лишивших-
ся свежатинки, было велико.

Хотя Крастышевский читал эту книгу еще
в первом классе, он уже тогда задал воображаемому

автору правильный вопрос: если роковое заклинание передавалось из уст в уста и каждый молодой
Молинар получал его у одра предка, — почему оно
не убивало его сразу? Положим, предок, произнеся
семь ужасных слов, естественным образом заги-
бался на месте; но почему они не останавливали
сердце потомка? Эта мысль так мучила Крастышевского, отличавшегося уже и тогда некоторой
мономанией, что он обратился с письмом к Густаву
Оже, но не застал его в живых; ответ пришел от пе-
реводчика, которому письмо добросовестно вручи-
ли в товариществе Маркс.

Переводчик Измайлов писал, что точного
ответа у него нет, но вопрос волновал и его; вероятно, полагал он, заклинание убивало лишь тогда,
когда произносилось вслух. Существуют, писал он
пытливому отроку, таинственные практики, связы-
вающие устную речь с физиологией: так, именно
произнесение вслух некоторых заклинаний у север-
ных народностей способно облегчить боль, и даже
у русских сохранились остатки этих верований.
Известно, что простолюдины (подражать которым
ни в коем случае не следует) после сильного ушиба
произносят некоторые слова, почитающиеся непри-
личными. Когда мы их говорим про себя или —
в редких случаях — читаем на бумаге, они не меня-
ют ничего; но стоит после сильного ушиба выговорить запретное словосочетание, как боль сама
собой уходит, тогда как повторять в этой ситуации
«Я помню чудное мгновенье» было бы совершенно
бессмысленно. «Как это верно!» — подумал юный

Крастышевский. Ведь и ему случалось, споткнувшись на скользкой петербургской улице, говаривать про себя «...»! — или «...»!

Тогда он успокоился. Но в тринадцать лет снова озаботился поиском разгадки. Довольно скоро установил, что между голосовым или мысленным произнесением роковых слов нет большой разницы, артикуляция сама по себе неспособна остановить ничье сердце, а потому поиск самоубийственного заклинания, увы, остается задачей неразрешимой: счастливый исследователь отправится к праотцам ровно в тот момент, когда ему откроется таинственное словосочетание. Но уничтожить другого — задача исполнимая, только для этого нужно доскональное знание его биографии. С учителем словесности, как видим, сорвалось. Оставалось искать секреты менее радикального воздействия, и в этом Крастышевский за тридцать лет преуспел серьезно.

Очевидно, что литературознание переживает сегодня детские времена; лишь в конце десятых годов наметилась литературная школа, позволявшая понять, как и что устроено, а не просто подсчитывать капиталы автора или разбираться в его убеждениях. К школе этой Крастышевский не то чтобы примыкал, но посещал иные занятия; интересней всех казался ему Стрельников, поборник статистических методов. Правда, наука в исполнении Стрельникова была чересчур строга и не позволяла объяснить, почему в иных местах «Войны и мира» у Крастышевского щипало в носу, а при чтении Верченых, ровно с тем же сочетанием гласных и количеством согласных, нигде не щипало. Но это была хотя бы наука, а не лирика, не болтовня, не всяческие «Муки музы» под маской филологии. Иное дело, что Стрельников свою теорию строил на ненадежном фундаменте: статистика гласных и согласных говорила о сути текста не больше, чем ветки о корнях. В основании филологии лежала физиология, тут консультироваться надо было не со Стрельниковым, а с Дехтеревым. Другие ценные данные мог сообщить Ветлугин, занимавшийся поисками Тунгусского метеорита и попутным собиранием местного фольклора. Его книжка «Заговоры, плачи и любовные зовы Восточной Сибири» (1912) была у Крастышевского настольной. С плачами все было понятно, но почему песнь о горностае вызывала желание? Сам жанр любовного зова, не имевший аналогов в мире, подчеркивал исключительную зависимость русских от устного слова. Слово стояло в центре русского мира, служа универсальной компенсацией. Большинство названий русских романов содержало «и» — «Преступление и мир», «Война и дети», «Отцы и думы», «Былое и наказание», — но это было «и» в значении «зато»: война, зато какие дети! Отцы, зато какие думы! Мы живем вот так — зато какое у нас слово! «Зато» было более важным, более значимым словом, нежели «авось». Зато, о шиббо лет народный! Любовный зов заменял собою соитие. Этот жанр выявил еще Афанасьев, но лишь Ветлугин собрал наилучшие примеры. И не понять, почему песня о горностае, крадущемся по льду, означала собою призыв; почему кот звал кошурку в печурку именно за этим самым делом. Точно так же было неясно, почему белый пудель шаговит, шаговит, и почему это пелось бурлаками, как облегчало их участь. Целая дискуссия кипела вокруг «Разовьем мы березу, разовьем мы кудряву!»: Шаляпин пел это как куплет бурлацкой песни, Горький уверял, что это кусок из хороводной, а между тем почему-то именно под березу, под кудряву шагалось куда легче, чем под сама пойдет, сама пойдет. То есть Шаляпин чувствовал, а не знал, и потому взял это в трудовую песню, а не в отдыхальную.

Наибольший материал Крастышевскому давали трудовые и любовные, да еще иногда заговоры на здоровье. Следовало отличать подлинные тексты от бесчисленных имитаций: в последние сто лет стилизации под русский, а на самом деле немецкий стиль плодились с грибной скоростью. Отличительной их чертой были постпозитивы — гусли звончатые, луга пышные, — всё это пришло, конечно, из французского. Древние тексты отличались не звероватостью, а именно алогичностью, непредсказуемостью: целебен был не смысл их, а звук, как в имени лошади типа Карман — что общего у жеребца с карманом? — важно было происхождение от Картины и Мангала. Пусть тебе ворон, пусть тебе вон он, пусть тебе ворог, пусть тебе творог, — записал Шахматов от старухи под Ростовом Великим; в этом не было никакого смысла, но от зубов помогало.

Первый свой заговор Крастышевский сочинил, убаюкивая сына, и как-то сбил у него температуру — сам не понял как. Впрочем, в такие минуты просыпаются в организме неведомые силы. Чуковский, бывший некоторое время его соседом по Лештукову переулку, лучшую детскую поэму сочинил, тоже заговаривая боль и жар у больного сына. Вернуть то жуткое вдохновение потом уже невозможно, да и вообще, оно не подчиняется никаким законам.

Заметим: сказанное слово действовало далеко не всегда. В девятнадцатом году Крастышевского грабили в Москве на Петровке, и хотя он спокойно, с полной убедительностью сказал: «Вот возьми гору на открытой тропе, черную, усатую, крепко засоли», — грабитель только взглянул на него как на идиота и продолжил ревизию его карманов. С письменной речью дело обстояло проще, тут не мог подвести голос, не влияла интонация. Вообще глупостью было бы думать, что вот так сочинил — и действует: это было примерно как стихи. Все мы знаем законы стихосложения, но далеко не каждый может написать уже упомянутое «Я помню чудное мгновенье». Если бы стиховедение позволяло сочинять, все шедевры уже были бы созданы, а между тем добыча их остается занятием нелегким. Метод Крастышевского, как он сформировался к началу тридцатых, позволял достичь известных результатов при регулярной обработке заранее известного адресата, но не гарантировал ничего. Каким отличным делом стало бы сверхписательство, если бы с его помощью можно было уговорить любую женщину, обольстить начальство, выколотить повышенную зарплату! Жизнь превратилась бы в непрерывную конкуренцию словотворцев, а общение свелось бы к обмену заговорами вроде: «Принеси свою горь, унеси мою хворь, пусти по морю синему, по ливню линему, по бивню бинему» — «Вон, моя вонь, дон, моя донь, по песку крупичату, по мыску язычату!» Но способы выбить деньги Крастышевского не интересовали, а с женщинами все было слишком просто. Они в двадцатые годы были истерически податливы, ибо мужчин осталось мало, а за мужчин при должностях и вовсе шла смертельная борьба. Крастышевский брезговал такой легкой добычей. Он ушел от жены в двадцать третьем, когда понял, что у него завелся счастливый соперник. Правду сказать, сбежал с облегчением. Человеку, овладевающему главной тайной языка, к которой лишь приблизился Хлебников, к которой даже не подошел Якобсон, — не было нужды в отвлечениях.

К тридцати трем годам — началу самого плодотворного своего периода — Крастышевский был одиноким контрольным редактором в издательстве «Энциклопедия», попутно редактировал диалоги для фильмов: с началом звукового кино явилась потребность в профессионале, умевшем приспособить суконный язык сценариста к нравам описываемой эпохи. У Крастышевского не было других забот, кроме одной.

* * *

2

Разумеется, прежде чем всецело на ней сосредоточиться, он изучил общие законы словесности и не нашел в них ничего сложного. Самым перспективным жанром двадцатых был плутовской роман. Первым плутовским романом было Евангелие — рецепт был прост и включал десять составляющих. В центре странствующий Учитель, превращавший воду в вино и даже воскрешающий мертвых. Носитель прогресса, смягчающий жестоковыйный мир отца. С отцом всегда были проблемы: иногда его вовсе не было видно, иногда — призрак. Учитель непременно умирал и воскресал, ибо сам плутовской роман бывал наиболее успешен в яме, в период темных веков между двумя светлыми полосами. Так, христианство родилось между античностью и Ренессансом, а Гамлет и Дон Кихот были последышами Ренессанса в преддверии Просвещения. Возникновение шекспировского вопроса объяснялось тем, что во времена Шекспира сам он был никому не интересен, рукописей его не собирали, личность не только не помнили, а старались забыть. Интересны были Бомонт и Флетчер, которых сегодня в рот не возьмешь. Воскресение Учителя было залогом наступления новой светлой полосы, в которой, собственно, он и становился главным героем — как Рождество и Благовещение сделались главными сюжетами Возрождения. У Учителя всегда был глуповатый друг (иногда — ученик) и предатель (иногда — из числа учеников). Учитель всегда странствовал, потому что за повторение трюка в одном и том же месте могут и побить; иногда странствовали его альтер эго, как актеры в «Гамлете». Рядом с Учителем не могло быть женщины — она всегда ждала где-то, иногда за сценой; лучшим финалом было возвращение к ней и совместное рыдание, что так удалось в «Пер Гюнте». «Пер Гюнт», изготовленный по этим лекалам, был единственной всемирно известной пьесой автора, убежденного в том, что ее поймут одни норвежцы, тогда как остальные его создания волновали только скандинавов. Правариантом плутовского странствия была «Одиссея», в которую укладывались все прочие сюжеты. Любимым инструментом Учителя служило безумие, ибо часто только оно позволяло избежать расплаты. Так, Одиссей надеялся было избежать призыва на Троянскую войну, в порядке симуляции засевая поле солью, но Паламед оказался хитрей и положил под плуг Телемаха. Тут Одиссей быстро вошел в разум и сказал: «Всё, всё, поехали на войну».

Здесь важно, что Одиссей не хотел войны. Он понимал, что от войны ничего хорошего не будет.

Война нужна была Менелаю и Агамемнону для решения внутренних проблем. Елены, конечно, не было. Casus belli всегда выдумывается задним числом.

Безумие было любимым инструментом Гамлета и Чацкого — пародии на Гамлета. Плутовской роман всегда пишется в жанре пародии, ибо на спине оригинала легче проскользнуть в читательское сознание. Новый Завет пародировал Ветхий с его культом мщения и закона. «Гамлет» — Хроники Саксона Грамматика, в которых герой побеждал всех. «Дон Жуан» Байрона высмеивал всех предыдущих «Дон Жуанов». Мендель Крик и его сыновья воскрешали и вновь добивали Тараса Бульбу. «Хулио Хуренито» был пародией на Евангелие, а когда двое молодых приятелей Крастышевского озаботились способом быстро разбогатеть, он подсказал им написать пародию на «Хулио Хуренито». Великого провокатора они заменили на комбинатора, а имя оставили почти без изменений. Впрочем, основная его часть отсылала к тем же сыновьям Бульбы.

Комбинатор никогда не хочет войны. Он умеет договариваться.

Сложней обстоит дело со второй сюжетной схемой, а именно с Телемахом: она начала оформляться лишь во второй половине последнего тысячелетия. Фенелон написал «Приключения Телемака», сделавшиеся одиссеей нового времени: сын плута отличается от плута прежде всего тем, что у него есть профессия. «Фауст» относился к «Гамлету» как сын: чему учили Гамлета, кроме как сомнению, — непонятно; Фауст же был доктор, специалист во многих отраслях — от артиллерии до книгопечатания, что, в сущности, одно и то же. Пушкин был нашим Гамлетом. Лермонтов, помешанный на подражании Гёте, — нашим Фаустом, «Герой» был грубой пародией «Вертера», «Сказка для детей» — попыткой нового Мефистофеля. Всего странней, что в истории о Телемахе всегда появлялся инцест; это возникло еще на уровне мифа, когда сын Одиссея сначала женился на Кирке, сестре Пасифаи, а потом убил, чтобы жениться на ее дочери Кассифоне. Кроме того, от Телемаха обычно рождали мертвого ребенка, поэтому продолжения у истории человечества пока не было. Больше того: по некоторым признакам она близилась к концу. Русского Фауста уже писал Шелестов, чьи «Пороги» были хроникой несчастной судьбы профессионала, конника и землепашца; вышли пока три тома из четырех, мертвый ребенок уже родился, инцест был в первом томе. Инцест, догадывался Крастышевский, был метафорой власти, призванной опекать и вместо того растлевающей. Бегство с любовником — метафорой революции. Революция породила мертвое, нежизнеспособное общество, это было уже видно — страна гибла, профессионал куда-то девался. Второй том «Воскресения», из которого вырастала вся словесность нового века, не был написан. Хорошо бы назвать его «Понедельник», рассказать о том, как Нехлюдов, брошенный ради Симонсона, возвращается в Петербург и пытается встроиться в прежнюю жизнь; увенчать все сценой в церкви, когда он восторженно подходит к причастию... но похоже, пути назад уже не было.

Как-то один из немногих оставшихся собеседников сказал Крастышевскому: «Думаю написать книгу, которая произвела бы впечатление на...».

— А на остальных? — тут же спросил Крастышевский.

— Остальные считали бы верхний слой и ничего не поняли. Мне нужно написать сочинение, которое прочли бы все, а по-настоящему понял один.

Интересно, подумал Крастышевский, откуда он знает. Результатами своих изысканий он не делился.

— Полагаю, — сказал он с кажущимся равнодушием, — нужно совместить две абсолютно выигрышные стратегии, объединив в одном повествовании «Одиссею» с «Фаустом». Один ирландец так поступил и прославился чрезвычайно.

— Расскажите, — попросил знакомец.

— Да вы ведь и сами наверняка читали, Стечин перевел с учениками для «Интернациональной литературы».

— Я ничего сейчас не читаю, — сказал бывший врач, — нейрастения.

— Ничего особенного, но угадано верно. Одна часть книги — скитания по городу в течение дня дублинского еврея, нового Одиссея. Другая — такие же скитания его как бы сына, потому что настоящий сын умер в младенчестве. Он обретает новый объект заботы в лице одинокого мыслителя, который в последний раз мылся в октябре, а дело происходит в июне.

— И что же, — спросил врач, — он его моет?

— До этого не доходит, но поит.

— По-моему, чушь.

— Почему, любопытно.

Врач помедлил и спросил прямо:

— Как полагаете, на какие клавиши следовало бы нажать, чтобы там лучше всего поняли?

— Я же всерьез, — ответил Крастышевский. — Сочетание «Гамлета» с «Фаустом» способно творить чудеса. Плут — для всех, доктор — для адресата. Что до впечатления — думаю, для читателя, которого имеете в виду вы, хорошо бы побольше голого тела...

— Я подумаю, — обещал врач, а Крастышевский обратился к себе с монологом из «Гамлета»: как, уже и до этого дошло, а я медлю, медлю, медлю, — я! Я один, знающий, как это делается!

Но на самом деле он не медлил; уже четыре года, как не медлил.

* * *

— 3 —

Больше всего на свете Крастышевский боялся войны. Нет, больше всего на свете, как мы помним, Крастышевский боялся замкнутого пространства. Но война-то и представлялась ему апофеозом замкнутого пространства: окоп, со всех сторон сыплется земля, нельзя никуда пойти без дозволения, все время надо куда-то бежать, обязательно умирать, а смерть и есть самая безнадежная замкнутость. Крастышевский начитался ужасов о войне четырнадцатого года и помнил общую патриотическую истерику. Это была дичь, мерзость, позорище. Вдруг словно разрешили наихудшее, и люди этим разрешением радостно воспользовались. Он был в седьмом классе, и все, кого он ненавидел, тут же ринулись в погромщики. Радостная расправа с немецкими магазинами все объяснила ему про грядущую революцию. Тогда тоже было выдано разрешение на худшее. У Крастышевского были основания полагать, что новая мировая война окажется последней. Человечество достигло некоего предела и почти перешло на новую ступень, но это была ступень вавилонского зиккурата. Разрушение было не за горами. Но если даже оно предопределено, о чем заговорили в двадцатые годы почти все серьезные люди, — это не повод приближать неизбежное. Мы все умрем, но лучше не торопиться.

Нужно было выработать стратегию. Понятно, что вопрос о войне будет решать один человек. Понятно, что этому человеку война необходима, потому что в конце концов любой Вавилон упирается в войну. Сплочение нации, все такое. Военная риторика с самого начала слышалась отовсюду. Только чудом не взяли Варшаву, после этого жили мечтой о мести, дальше прицеливались ко всем. Иногда Крастышевский слышал осторожные разговоры о том, что на самом деле мы не хотим, не допустим, не выдержим войны; что нам нужно двадцать лет мирного развития; что Европа пусть хоть вся передерется, а мы пожнем плоды. Но даже если на самом верху действительно не хотели войны, вся логика европейской, да и всемирной, истории вела к этому, и начать войну обречены были мы. Крастышевский с ужасом присматривался к приготовлениям, читал «Красную звезду» и «Библиотеку командира», видел явственно наступательный характер всех будущих операций и все ясней понимал, что выхода нет. То есть выход был, и Крастышевский увидел его в тридцать пятом.

Иные спросили бы: неужели он не допускает, что на Россию кто-то нападет первым? Что решение о войне будет приниматься другой стороной, и воздействовать надо на нее? Нет, этого Крастышевский не допускал совершенно. Он исходил из логики и здравого смысла. Завоевать Россию было нереально, последнюю в истории попытку покорить и покроить ее предпринял Наполеон: положим, он вовсе не собирался захватывать Россию целиком, но Россия не понимала всех этих тити-мити, всех этих рыцарских представлений и локальных задач. Кто с мечом к нам придет и так далее, ради каковой концовки и был переделан убийственный сценарий под характерным названием «Русь». Можно было захватить столицу России — и все равно закончить войну в собственной столице, с полным разгромом. Россия непобедима, поскольку колоссально и огромно необхватна; Россия не знает никакой другой войны, кроме как до последнего человека; локальных поражений она не замечает вовсе, и ни Крымскую, ни Японскую войну не принимает всерьез. Те, кто негодует по поводу этих поражений, элементарно не понимают собственной страны. Сравним: «Царь дурит — народу горюшко! Точит русскую казну, Красит кровью Черно морюшко, корабли валит ко дну. Перевод свинцу да олову, да удалым молодцам. Весь народ повесил голову, стон стоит по деревням». Кто это говорит? Коробейник? Как бы не так; это говорит автор. Сам он в то же самое время, в тот же самый реформенный год признается: «В столицах шум, гремят витии, идет журнальная война, а там, во глубине России, там вековая тишина». Хоть ты обвоюйся в Крыму, хоть подогни все окраины — это за войну не считается.

Нападать на Россию бессмысленно уже потому, что она не может проиграть; чтобы напасть на нее, надо быть безумцем, а Крастышевский хорошо распознавал чужое безумие, потому что... потому что... Словом, он не наблюдал вокруг такого самоубийцы. Последняя война в человеческой истории могла быть начата только нынешним хозяином России, потому что без этого никак не получалось. Война просматривалась на всех путях. О ней пели все песни, снимали все фильмы, ставили главные пьесы, а когда обращались вдруг к полузабытому классическому наследию, это делалось в рамках все той же военной пропаганды: мы русские, у нас все русское. Слово «русское» было реабилитировано, Демьян был посрамлен.

К этому моменту Крастышевский отправил уже четыре послания. Иногда он впадал в отчаяние, ибо результатов не видел, но рук не опускал.

В общих чертах его метод был готов и опробован. О нем ниже. Пока надлежало определиться с подходом, с тем единственным каналом, который гарантировал выход на самый верх. Крастышевскому было вполне достаточно посылать сигнал раз в полгода. Собственно, и один раз в год был бы вполне приемлемым ритмом, но он решил действовать наверняка. Надо было найти щель, лазейку, тот единственный вариант, при котором раз в полгода его несколько страниц — число которых было строго просчитано для каждого случая — ложились бы на самый главный стол. Никаких других решателей не было с 1929 года.

Писать наобум лазаря в надежде, что единственное письмо из десятков тысяч дойдет, как
говорили в редакции, самотеком, — Крастышевский не мог. Подготовка каждого письма требовала
многомесячных усилий. Представьте себе поэта,
штурмующего сердце возлюбленной и сочиняюще-
го для этой цели единственно возможное послание
с учетом всех ее биографических данных, малейших перепадов настроения и даже, не в последнюю
очередь, физиологических особенностей. Это работа труднее секстины — сложнейшего из поэтиче-
ских жанров. Это работа не для нормального человека. Это Бог знает какая работа. И бросать это в
доносную щель венецианского типа он не мог себе
позволить — он должен был знать, что его письмо
прочитано единственным адресатом.

Жанр был неважен. Одно из первых открытий
Крастышевского состояло в том, что содержание
текста вообще не воздействует на читателя. Придавать ему значение можно было в доформальную
эпоху. Формальная эпоха открыла, что текст есть
конструкция, структура, и воздействует на читателя именно соразмерность этой структуры. Тынянов — открыв это, но не напечатав — перешел на
невинную с виду историческую прозу и создал по
крайней мере один превосходный, законченный
образец, чтение которого в самом деле сильно вли-
яло на читателя, — но увы! — в безумном напряжении сил гений пошел не туда, и заостренная им
стрела полетела в его собственную голову. С чароде-
ями случается такое — заклинание поражает закли-

нателя; с этого дня голова его была расщепляема,
пожираема, палима убийственным недугом, всегда
имеющим, увы, эндогенную природу. При чтении
главы пятой, дойдя до слов «туманно, оголтело
смотрел в жадные черные глаза продавцов», Крастышевский застонал сквозь зубы и схватился за свою
вытянутую голову: он увидел роковую ошибку. До
этого все развивалось с изяществом и легкостью
танцевальными, прямо с пареньем, — но здесь
автор обсчитался, соскочил, и дальше вся работа
шла в направлении аутоиммунном, в полном соответствии с названием. После этого, несмотря на
титанические усилия, Тынянов ничего уже сделать
не мог, и Крастышевский с ужасом следил за его
распадом; один раз послал сострадательное письмо, но ответа не получил, добился лишь — как
и полагал — кратковременной вспышки творческой
активности. Это Крастышевский еще умел, и это
было несложно; а вот добиться того главного, чего
он желал, — было сложно.

Но лазейку, микронную точку, в которую надлежало бить, — он нашел, и все благодаря спа-
сительному кино. Раз в полгода на главный стол
ложилась сводка об экспорте советского искусства:
количество закупленных картин, переведенных
книг, приглашенных на международные конгрессы
авторов. Сначала, как верно смекнул Крастышевский, это был показатель престижа: чего от нас хотят, за что любят. Впоследствии — с тех примерно
пор, как Совкино преобразовалось в Союзкино, —
это был еще и смотр потенциальных шпионов: кого

приглашают, кого слишком хотят видеть? Всякий заграничный успех с этого времени был уже приговором, хотя раньше воспринимался как еще одно утверждение наших ценностей. Шумяцкий, как все «отсохисты» — так прозвал Стечин простых людей от сохи, — доверял грамотным, вообще любил культуру, хоть и давил ее неутомимо; но давил именно тех, в ком чуял пролетарский дух, а спецов не трогал, даже боялся. И Крастышевский осторожно втерся в Союзкино — редактором, не более; должность его была мельчайшая, чиновничья. Он подготавливал отчеты по зарубежным поездкам, по экспорту отечественного кино, по кинофестивалям, куда приглашали наших. Он был в этом мире свой, ибо там сохранились добрые нравы, которых давно — а может, и никогда — не было в литературе. Его любили. Он был почти родной.

Вот, оказывается, как легко колебать мировые струны — достаточно найти единственный вариант, при котором твое сочинение, в любом жанре, любого содержания, ложилось бы перед верховные очи. Пользуясь своими кодами, Крастышевский мог, вероятно, добиться для себя министерского поста, или вынудить верховное начальство к уходу в монастырь, или ниспровергнуть любого сановника, казавшегося ему вредоносным. Но все эти мелкие задачи Крастышевского не волновали. Он спасал человечество, блокируя мысль о войне, ставя на ней крест, внушая панический страх перед нею. Мономания имеет свои преимущества: человеку, всецело поглощенному одной мыслью, не нужна семья, чужды посторонние интересы, смешны богатство и алчность. Мономан бьет в одну точку, не отвлекаясь ни на что. Если десять лет кряду думать об одном и том же — выдумаешь.

Особенности текста, призванного влиять, были следующие, — нет, скажем сначала еще об одном, чтобы снять недоразумения. Всякий ли текст влияет? О, разумеется. Да ничто и не влияет, кроме текста. Прочитанное способно вызвать мигрень верней любых погодных перемен, расстройство желудка — верней несвежей пищи. С первых навыков чтения, получаемых обычно в четыре-пять лет, человек управляем буквами, реже звуками. Но далеко не всякий автор применяет эти приемы сознательно, и потому после чтения мы испытываем неконтролируемую тошноту, отчаяние, изжогу, иногда эйфорию. Крастышевский первым рассчитал влияние расстановки гласных на сердечные ритмы, научился внушать, а затем исцелять головную боль, так внедрять цифры в сознание читателя, чтобы программировать его на определенные последовательности действий. До него все это было стихийно, и многие простужались от простого чтения детских повестей, а другие страдали запорами от советских производственных романов, не понимая, при чем тут цемент. Цемент тут при том, что незачем подменять художественную ткань цементом, — хотя, назови автор свой роман «Амброзия», все было бы то же самое.

Так вот, первым из правил управляющего текста, далее УТ, было то, что он должен содержать автоописание, — этим запускается механизм. Второй особенностью УТ служит структура, в идеале четырехчастная. Вторая часть должна составлять половину первой, третья — примерно треть второй, четвертая же содержит главный посыл и вчетверо меньше. Эта идеальная пропорция составляет золотое сечение всякого текста. Приказ, непосредственно передающийся читателю, должен быть зашифрован в каждой части строго определенным образом: в первой он присутствует в виде сигнальных слов, расстановка которых выстраивается в мозгу при первом же чтении по фонетическому сходству. Во второй он закодирован на уровне букв, узор которых самостоятельно и непроизвольно выкладывается в мозгу, поскольку нужные гласные стоят под ударением, а согласные правильно нагнетены. В третьей части нужная фраза присутствует полностью, но состоит из антонимов, данная как бы в негативе. В четвертой она звучит правильно, спрятанная в виде цитаты. Поместить кодовую фразу в контекст — задача особого рода. Прочие согласные несут колористическую функцию, задавая цветовое восприятие приказа; гласные задают минорную или мажорную интонацию, создавая эмоциональный контекст.

На правильную инструментовку пятистраничного доклада Крастышевский, случалось, тратил месяцы, просчитывая буквенные коды по двадцать раз, засиживаясь ночами. Схемами с кружочками и стрелками были завалены все поверхности в его комнате, а наиболее ценные результаты он перенес прямо на обои. Гостей у него не было, удивляться было некому. Дважды в год шофер Леня забирал у него перебеленный доклад и отвозил в редакцию «СССР на стройке», где формировалась общая сводка для подачи на Самые Верха: туда вносились все данные о советском искусстве за рубежом. Составлял эту сводку лично ответственный секретарь, и от него она передавалась другому секретарю. Крастышевский не впускал к себе шофера Леню, отдавал ему свои странички внизу. Никто не должен был видеть схему на обоях; Крастышевский, напротив, должен был видеть ее перед собой ежедневно, чтобы следование буквенным ритмам вошло в его кровь.

Внешне текст выглядел гладко, и лишь самый опытный лингвист — тот же Стрельников, допустим, — мог заподозрить легкое неблагополучие в синонимии. УТ выстраивался всегда как мозаика, куски которой слишком ярки, чтобы образовать монотонную поверхность; и в самом деле, иногда Крастышевскому нужны были синонимы общепринятых слов. В тексте, разумеется, они никак не выделялись, но мы здесь их подчеркнем, чтобы понятнее стал механизм. «В то время, как ЧЕРНАЯ туча БОЛЕЕ ИЛИ МЕНЕЕ СТРЕМИТЕЛЬНО наползает на Европу, ВСЕОБЩИЙ интерес к нАшей кинемАтографии делАется очевиднее ЯСНОГО. Гуманистичность и НУЖНАЯ направленность советского кино еще и еще, РАЗ ЗА РАЗОМ обрушиВАЕТ на западного зрителя, сЛУШателя, читаТЕЛя ту несомненную, ЯСНУЮ истину, что человек челоВЕКУ брадТ. СИНИЙ, ЖЕЛТЫЙ, ЗЕЛЕНЫЙ — все эти цвета отступают перед красным, который со временем займет главенствующее место на карте». Любой, у кого есть минимальный навык чтения между строк и хотя бы азбучное знакомство с лингвистическими воздействиями, прочтет здесь фразу «Арави тари оми», არავითარი ომი, или «Никакой войны» на родном языке адресата.

Самое простое было бы сказать, что Крастышевский — сумасшедший, в этом была бы даже какая-то рифма. Показался Крастышевский, оказался шамашедчий. И пожалуй, для всех было бы лучше думать именно так. Есть тайны, приближение к которым не способствует душевной ясности. Но формула Крастышевского была опробована, и опробована способом, исключавшим любые двусмысленности. Он не мог вкладываться в пустышку. Как писали в газетах, судьба мира была на карте; но в газетах она на карте не была, а тут была. Крастышевский поставил эксперимент, который нельзя было подвергнуть двоякому истолкованию: он нуждался в окончательной верификации и получил ее.

Лучшая из актрис второй студии МХАТа была известна тем, что прочитывала всю почту от своих поклонников и коллекционировала эти письма — не то для перечитывания в старости, не то для издания отдельной книгой. Курьезы попадались презабавнейшие. Что же, он написал ей несколько скромных, сдержанных писем, без малейшей эротической подоплеки. Эксперимент заключался в том, что он не указывал обратного адреса. Адрес был закодирован в строго составленных текстах. Прочее было обычным любовным бредом, не лишенным, однако, изысканности. На фоне общей безграмотной похотливости послания Крастышевского произвели впечатление. Была тихая, зловещая сентябрьская ночь. В такие ночи бесшумно падают сухие кленовые листья и беспомощно карябают по асфальту, царапают его, пытаясь зацепиться. А чего цепляться, ты уже всё. В такие ночи бесприютные влюбленные шатаются по улицам. В такие ночи переламывается время, и утром нет уже той осенней лихорадки, наступит серое, мокрое, стылое. В некотором смысле это последняя ночь. Забудь меня, никогда больше не вспоминай, живи своей жизнью: я говорю это именно тебе, не зря говорят — послушай меня и сделай наоборот. И в такую бесшумную, сухую сентябрьскую ночь, когда сквозь антрацитную черноту еще проступала кое-где золотая пыль осени, она приехала к нему по адресу, которого он не указал.

Это был шедевр. Он зашифровал этот адрес не в буквах даже, а в ударениях, в самом ритме, не выделив нужные слова ни подчеркиванием, ни цветом. Графика вообще была ни при чем, все решилось фонетически. И когда грянули неожиданные, как всегда, три звонка и Крастышевский распахнул перед ней дверь, уже зная точно, что она, ночные визиты не были еще в обычае, — о, миг триумфа, с которым ничто не сравнится. Ему неважно было, что к нему приехала ночью женщина, следы которой готовы были целовать все московские театралы

и удачливые любовники, женщина, которую зава-
ливали цветочными корзинами, которой снисходительно хлопали из правительственной ложи —
легчайшими касаниями пальцев, дабы не выдать
энтузиазма. Не женщина совершенная, мудрая как
змея и чистая как змея в новой коже, волновала
его. Волновало блистательное подтверждение мето-
да, теперь уже бесспорное.

— Как вы нашли меня? — спросил он сдержанно.

— Но вы указали адрес! — ответила она, смеясь. — Как бы еще я нашла вас? Ну говорите же,
я хочу знать все.

Велик, о, велик был соблазн рассказать ей
всё — ей первой, именно той, на ком опробовал он
свое зелье; но нельзя. Что бывает, когда мы дове-
ряемся женщинам, хорошо знал главный русский
автор: «Он из любви со мною проболтался!». И Крастышевский не сказал ей, каким способом внушил
адрес; он воспользовался ею грубо, нагло, с полным сознанием победы. И это было далеко, далеко
не так хорошо, как думали московские театралы.
Он даже, пожалуй, и не хотел больше. И она почувствовала, и высвободилась, и была такова. Сле-
дующее письмо содержало приказание все забыть,
и поскольку письма от прежнего адресата она бы
не открыла, смертельно оскорбленная, — он написал ей от другого имени, настоятельно требуя в последней трети — «Помни! Помни!». И она стерла
его адрес, так же, как и свой позор.

Так начались его тонкие, системные атаки.
Три года они как будто не приносили результатов,

и войной пахло все резче; определился и главный
враг. Все попытки раздуть в главврага Британию,
Японию, Испанию — оказывались тщетны; но поиски врага не прекращались, и как будто все ясней становилось, что кроме Германии, напороться
не на кого. Уже ставились пьесы о том, как немецкий пролетариат скидывает фашистов и братает-
ся с русскими на поле боя; уже в карикатурах все
чаще мелькали усики; уже готовился — Крастышевский знал это — фильм о том, как трактористов
готовят в танкисты, не все ли равно, пахать или
давить, если у нас гусеницы. Уже кое-кто припо-
минал лозунги «На Берлин»; уже напечатали в собрании сочинений плакаты Маяковского о том,
как у Вильгельма Гогенцоллерна размалюем рожу
колерно, — страшные вариации на тему «Француз
не тяжелей снопа ржаного»; «В славном лесе Авгу-
стовом битых немцев тысяч сто вам. Враг изрублен,
а затем он пущен плавать в синий Неман». Уже
такое печаталось, что стыдно было всегдашних разговоров о миролюбии; уже и самые эти разговоры
были непредставимы.

Крастышевский почитывал, почитывал, что
скрывать. Он врага изучал не менее тщательно,
чем физиологию и походку главного адресата; чи-
тая его речи, он отлично выучился его повторам,
паузам, неспешной тавтологичной аргументации.
Он даже говорил иногда в его ритме, с его словечками. Но врага он знал не хуже. Враг, при всем
внешнем сходстве, сильно отличался. Дело было
даже не в том, что здесь для порядку иногда заго-

варивали о будущем, а там превозносили прошлое, великую эру ледяных титанов. Истинное различие коренилось в том, что здесь преобладала религия аскезы, простоты, гражданской скорби — ибо хорошим жителем считался только тот, у кого почти ничего не было, а если что-то давали — то нехотя, и с таким видом, будто надо было немедленно поклониться и вернуть. Там же царила сплошная радость, цветущее физическое здоровье — особенно контрастное на фоне местной желтолицести, сероодетости, постоянной пришибленности. Там с восторгом, с ликованием позволяли себе встать на четвереньки; там всё понимали, но продолжали с упоением лгать. Фашизм в том и заключался, чтобы с радостью преступать осознанный, отлично понимаемый моральный закон: с оргиастическим детским криком пасть в объятия дьявола.

Нет, мы были лучше, много лучше; но именно с нас и могло начаться то, чем все в целом должно было кончиться.

* * *

4

Временами Крастышевский был близок к отчаянию. В тридцать восьмом отчаяние сделалось его главным внутренним ощущением.

Нельзя сказать, чтобы его писания не действовали. Они не могли не действовать, но тут открылось то, что впору было назвать законом Крастышевского. В посланиях, во втором и третьем их слое, ненавязчиво внушалось, что есть способ удержать ситуацию. Если по тридцать седьмой включительно еще уничтожались те, кого было за что, хоть косвенно, — патологическая жестокость, конкуренция, возможные контакты с фашистами, чем черт не шутит, — то с тридцать восьмого появились разнарядки, и грести начали уже всех вообще, непредсказуемым образом. За себя Крастышевский не боялся, ибо был надежно закодирован, — он был практически невидим, на то существовали особые, нелингвистические способы; впрочем, теперь не помогала и кодировка, но дело было не в нем. Могло погибнуть нечто большее, чем он и все его тео-

рии. Он впервые начал догадываться, что бывают
вещи хуже войны.

Описать то время смог бы только тот, кто
в нем не жил, ибо у того, кто жил, сломались все
механизмы для описания. Ужасна была именно
постепенность этой перемены, ибо когда привыка-
ешь — перестаешь понимать, что, собственно, тебя
не устраивало. На Крастышевского словно навали-
лась гигантская тяжесть большинства, мешавшая
себя сознавать, ибо если большинство так терпе-
ло и, более того, так хотело — значит, ему было
так надо. Крастышевский не мог сформулировать,
почему надо. Он знал лишь, что здесь не было
и следа оргиастической радости фашизма. Немцы мечтали быть плохими и с энтузиазмом бросались в бездну, русские же мечтали быть хорошими
и могли стать хорошими только ценой покорности.
Страх сковал все их потребности. Они строили из-
под палки, почти не читали, о творчестве не могло
быть и речи. Но они были хорошими, и ими были
довольны.

Опрокинуть такую власть было невозможно.
Взамен войны шло азартное самоистребление. Следовало арестовать столько-то и столько-то, кого —
никто уже не вглядывался. Если посмотреть трезво,
это было все-таки лучше газовой атаки, от которой
вовсе уж не было спасения, — и если от тотальной
мобилизации Крастышевскому некуда было укрыть-
ся, у него еще сохранялись шансы пересидеть тер-
рор в своей щели. Однако к концу тридцать восьмого года, когда все человеческие чувства оказались

окончательно извращены, Крастышевский всерьез
готов был усомниться в своей правде, — потому что
он еще не видел тридцать девятого.

А именно в тридцать девятом он впервые
получил доказательства, что его читают. Начались,
как это называлось, подвижки. Полетел Литвинов,
уцелевший, но смещенный с должности; на смену
ему пришел человек тупой и во всех отношениях
гнусный. А 23 августа случилось, случилось, и Крастышевский впервые за двадцать лет — что там!
впервые в жизни! — по-настоящему напился, один,
сам. Ибо Бог явил ему один из своих главных законов: бойся своих желаний, они осуществляются.
Или, как говорил Сенека в нравственных письмах, — текст, который был у Крастышевского люби-
мейшим, — смело проси Бога: ничего чужого ты
у него не просишь.

Заключен был союз с единственной истинно,
неприкрыто дьявольской силой; заключен был
блок с беспросветной чернотой. Войны не предполагалось и быть не могло; вместо ужасного конца
был ужас без конца. Крастышевский с омерзением
смотрел на свои схемы. Не будь он так устойчив
к любому воздействию, он принялся бы биться
головой о стену. Он подумал о самоубийстве. Само-
убийство было, конечно, невыносимым моветоном,
но нельзя ли было составить такую надпись, которая подействовала бы на него самого? Нельзя ли
было, по гимназической мечте, обратиться к себе
самому на родном для себя языке? Дома никогда
не говорили по-польски, но польский был всосан

с молоком матери; вероятно, подсознательно Крастышевский его знал. Он стал лихорадочно вспоминать, как будет по-польски «умри», «умри сейчас же», «умри немедленно». Skonać? natychmiast?
prędko? Но надо было все это донести до подсо-
знания, иначе оно не отреагирует; когда-то он был
знаком с фрейдистом, человеком толстым, с виду
ленивым, но соображавшим стремительно; фрей-
дист-то и объяснил ему, что на команды отзывает-
ся только подсознание, а потому, командуя «Смирно» или «Правое плечо вперед», мы добиваемся,
как правило, непредсказуемого результата. Идти-то
они идут, но кто поручится, в какой момент им это
надоест?

И ужаснее всего было то, что на следующий
день должен был приехать Леня — и забрать совершенно уже готовый новый отчет. Крастышевский
думал его уничтожить, но как, как загубить труд
пяти месяцев, в котором снова с маниакальным
упорством зашифровано «мир, мир во всем мире,
иначе смерть тебе»?! И он заносил уже и руку,
и спичку над драгоценными листками, но всякий
раз отдергивался и продолжал биться в стену.
Со стороны, должно быть, выглядело всё довольно
комично.

Утром явился Леня, как всегда, чистый и ясный, и машина его сияла, и сам он был доброжелателен; Крастышевский ненавидел доброже-
лательных людей, но об этого разбивалась любая
ненависть. Крастышевский вынес листки и, против
обыкновения, решил с Леней заговорить.

— Ну что, Леня, — спросил он, — как жизнь молодая?

— Да живем, — ответил Леня. — Живем, хлеб жуем.

— Слыхали вы, мы с фашистами договорились?

— Слыхал, — ответил Леня, но распространяться не стал.

— Ну, и как же мы будем теперь?

— Да что же, — сказал Леня, — им наверху виднее. Курочка в гнезде, яичко в...

Крастышевский не знал этой поговорки, она ему понравилась. Было в ней что-то от самой души русского народа, всегда безразличной к будущему и насмехающейся над самой возможностью его предсказания.

— Ну а сами вы как? — спросил Крастышевский. Он заметил вдруг, что ничего не знает про Леню, а ведь интересно. Всю правду жизни мы узнаем от посредников, они-то и живут, а остальные — вожди, творцы, производители каких-нибудь дросселей, поглощенные своими делами.

— Да неплохо, — сказал Леня. — Вот комнату дали.

Комнату ему дали уже два года как, но с тех пор ничего не давали, а потому это оставалось для него серьезным событием.

— А дети есть? — заботливо спросил Крастышевский.

— Дочка. Два года.

— А, ну прекрасно. Ну вот, возьмите. Извините, что задержал. Кстати, Леня! Мне может иногда

понадобиться машина — ну, мало ли... У вас там
в квартире телефона нет?

— Есть, — сказал Леня и с готовностью продиктовал номер. Крастышевский его запомнил —
память была абсолютная — и поплелся к себе
на пятый этаж.

Как ни странно, Леня утешил его, как куфель-
ный мужик Герасим утешал Ивана Ильича. От
Лени исходил покой, все у него было благополучно.
Как знать, подумал Крастышевский. Может быть,
и вправду так лучше. Лене не нужна война, у него
дочка, ему нужен мир любой ценой. Все лучше войны, и если для сохранения Лени и его дочки нужно иногда поцеловаться с дьяволом, то почему бы
и нет. С этими мыслями и продолжал обычные свои
труды, статьи по театроведению и наброски к общей
теории стиля, которую когда-нибудь можно же будет
обнародовать; исправить нравы он давно не надеялся, ибо изучить физиологию и привычки всех чита-
телей было невозможно, а потому каждый среагиро-
вал бы на проповедь «Веди себя прилично» глубоко
личным и не всегда приличным способом, — однако
можно было косвенно, аккуратно, чтобы считали
только профессионалы, набросать навыки управле-
ния хотя бы базовыми инстинктами...

Но вся эта работа полетела к черту, когда
у него буквально вышибли из-под ног никогда
не ощущавшуюся, существовавшую где-то бесконечно далеко, но родную почву. Что-то ужасное начало
происходить с Польшей, а почва и Польша звучали
для него не только рифмой, но и синонимами.

Он никогда там не был. Его отец переехал
в Петербург из Лодзи еще в восьмидесятые. У него
никогда не было общего для поляков чувства зата-
енной ненависти к русским и всему русскому,
поскольку и польского он не знал, и в националь-
ную польскую идею, как и в любые национальные
идеи, всерьез не верил. Какое, помилуйте, нацио-
нальное государство в двадцатом столетии, когда
главной идеей становится проницаемость любых
границ, включая физические границы человеческого тела? Бытование Польши в России было идеей, жизнью души в теле; выйди эта душа наружу
и оденься плотью — какой тяжеловесной, сырой,
какой в худшем смысле российской она бы стала!
Так евреи всю жизнь тоскуют по Израилю и тем
сохраняют себя, но создай они Израиль в реальности — чем он стал бы? Какой позорный, мучительный шаг назад — возвращение вспять от идеи
на скучную, горькую землю! Но Польшу как идею
Крастышевский любил, и любой человек с поль-
ским именем и фамилией казался ему своим, нео-
пасным; из всех современников он выделял Олешу,
написавшего лучше всех и меньше всех. На его
фоне Бабель был груб, как одесский базар на фоне
Рыночной площади Кракова. Польша, сумевшая
чудом отстоять себя в двадцатом, вызывала у него
странную гордость. Про себя Крастышевский думал
иногда словами «Ешче Польска не згинела».

Теперь Россия возвращала Польшу, но как!
Более всего это было похоже на любовь мертвеца,
возвращение вампира. При жизни он любил, вла-

дел, после смерти кусает. Положа руку на сердце — от царской России в Польше был хоть какой-то толк, хоть дружба Пушкина с Мицкевичем, закончившаяся все равно враждою, — но нынешняя Россия набрасывалась на нее уже как стервятник. Да, Польша и сама была далека от идеала — Мюнхен! Тешины! — но то, что творилось теперь, было уж вовсе за гранью. Крастышевский чувствовал, как просыпается в нем нечто более древнее, нежели сознание и подсознание, — и более того: он чувствовал, как эта самая сила начинает двигать им. Жизнь до тридцать девятого была не адом, а чистилищем; ад начался теперь. И боже, что полезло из людей!

Между тем ничего необычного из людей не полезло, это было нормальным их состоянием, но Крастышевский, избалованный великими переменами, продолжал ждать от человечества порыва к сверхчеловечеству. Напрасно, напрасно! Застыв на грани сверхчеловечества и почуяв его незнакомый химический запах, человечество стремглав устремилось назад, и вправе ли мы упрекать его за это? Не сам ли он понимал, что большая война неизбежно покажется массе единственным выходом, — ибо иначе она прыгнет в новое состояние, а это новое состояние для масс неприемлемо? Война была простейшим способом затормозить время, вот они его и тормозили; пока еще обходились паллиативами. Вот они съели Польшу, вольный дух Европы; вот надругались над всем, во имя чего стоило жить. И все же это была жизнь, пристойная жизнь; многие были довольны. Кое-кто уже говорил, что полячишки, в сущности, всегда нас ненавидели. Любопытно было посмотреть, как менялся репертуар. Одна Юдина еще отваживалась играть Шопена; зато как ворвался Вагнер! Он был теперь везде — каменная сентиментальность, кровавые слюни, титаническая развесистая конфетница, кильский курортник, пыжащийся перед зеркалом, надувший и ту мыщцу́, и эту... Германия была своя, глубоко своя; Германия была родственна худшему, что тут гнездилось. Совместный парад Крастышевского добил. И он знал, кто виноват. Он один знал, кто виноват. Он один был виноват.

И с сентября 1939 года он начал внушать другое, совсем другое.

* * *

5

Искусство отличается от жизни тем, что искусство нефункционально. Например, если в книге много персонажей, часть которых тут же исчезает и низачем больше не нужна, — прошел, передал пакет, провалился, — это книгу не портит. Напротив, создается ощущение большого живого пространства. Если в книге на сцене висит ружье, оно ни в коем случае не должно стрелять. Если о персонаже сообщается, что он декоратор, главное — не дать ему писать декорации.

В жизни, напротив, все не так, потому что в книге будущее в виде второго тома может не наступить вовсе, а в жизни обязано, деваться некуда. В жизни если кто-то передает пакет, то в нем записка о том, где висит ружье. И оно обязательно выстрелит, как только декоратор убедится, что из-за несчастной любви он не может больше писать декорации. В жизни все неотвратимо подводится к единственной разгадке, к необходимому следствию; в книге случайности бывают, а в жизни —

никогда. Поэтому Крастышевский занимался жизнью, а не книгами.

Однажды он включил радио, которое вообще-то слушал редко. Но ему нужно было знать, что происходит, хотя он и меньше верил в слово устное, нежели в прочитанное глазами. Итак, он включил радио и услышал в полном смысле нечеловеческую музыку. Когда так говорили про Бетховена, это было ерундой. Бетховен был как раз совсем, слишком человеческий. Теперь Крастышевский слышал то, что сейчас будет, и даже то, что от всего этого останется.

Надо заметить — прежде чем перейти к слушанию нечеловеческого, — что Крастышевский вообще не доверял музыке. «Чего хочет от меня эта музыка?» Она никогда не говорит, и под ее влиянием одинаково легко пойти в атаку и убежать, спасая свою ничтожную, драгоценную жизнь. Один слышит «Крейцерову сонату» и думает про ливень стеной, а другой — про половое чувство. От этих ненадежных искусств нельзя ждать конкретного результата, несмотря на всю внешнюю эффектность. Но тут он услышал строгое, точное сообщение, зашифрованное в рыцарском танце из нового балета, балета, где, как сообщалось, судьба веронских любовников будет не такой, как у Шекспира, а лучше. Впрочем, до постановки еще долго, Уланова только репетирует, а пока вот вам, почтенные слушатели — и в уши ему ударило: спасения нет. Что бы Крастышевский ни сделал, бездна подползала сама, и остановить ее не было способа. Это

был танец заслуженной казни, столь отчетливый,
что его можно было записать словами, — и он
кинулся это делать, благо эта музыка звучала
в нем теперь дни и ночи. Сначала слова были не те,
случайные, но приходящие не случайно: они зада-
вали сумрачный колорит как бы готического леса.
Ночь — да — ночь — да — ночь — сосна осина паль-
ма ель сосна осииииина! Ночь туда сюда туда сюда
туда сюда отсюда! вон отсюда вон прошу тебя прошу тебя молю тебя! После чего в невыносимом
верхнем регистре, после внезапной барабанной
отбивки (как тьфу) — крик мольба косьба судьба,
гульба пальба труба — нет! Да!

Но ведь это все еще и повторялось. Вот тебе —
туда тебе — сюда тебе — с размаху, маху, аху, пла-
ху, дааааа — летит туда, куда, туда, куда не надо,
куда не надо, да, туда, куда из ада, — и далее,
на невообразимых качелях, взлетало значительно
выше, чем он мог предположить. Глупы попытки
передавать музыку звукоподражаниями, все эти
«Сирены», толкотня односложных выдуманных
слов, перетекание цветовых эпитетов. Бред, гроб.
Верно одно — заделывание пустот первыми при-
ходящими словами, они и есть вернейшие: гроб
стоит, где стол был яств, где стол был яств, стоит он! Летит туда, куда лететь тебе не надо! Ночь
труба гульба иди туда куда не хочешь! Труп идет
туда куда живой ходить не может! Идет туда, идет
сюда! (Хряск!) И поверх всего этого бессмыслен-
ное — молю тебя! молю тебя! (фоном чего было:
ха-ха-ха-ха).

Бог, смотри сюда, иди сюда, лови момент, да! Хватай его, хватай меня, бросай туда, да! Жги, топи, топчи, суди, ломай через колено! Больше ничего, лови, лови, губи, не медли! Стон, труба, еда, беда, душа, толпа, могила! Слон, хомяк, жираф, блоха, вольер, расплата, яма! Безум-ный пе-речень ве-щей — раз, два! Вот оно так!

И это повторялось. Это не оставляло сомнений, вбивая в мозг:

— Раз, два! Жри, жги! Ешь, бей! Режь нас! (Раскачка.) Ночь, весна, распад, расцвет, разлом, разбой, засада! Смерть, любовь, рассвет, закат, вода, труха, гниенье! Желудок тьмы, толпа червей. Ну если так, тогда скорей тогда, скорей тогда, скорей тогда! — и почему-то при этом ему представлялась весенняя вода, черная земля и зеленые, змеиные по ней потоки. Потоки сносили все.

Бронза солнце золото вода трава руина! Тело дело молодо старо неизлечимо! Иди сюда, иди сюда! — и толпы, толпы виделись ему, текущие по склонам, сливающиеся в братский ров. Из зубов выдирали золото, дивный закат золотил скаты. Под конец разверзалось четырехсложное Сар-да-на-пал! — и все гасло, только вспыхивало почему-то в мозгу одиннадцать и четырнадцать, а потом вдруг двадцать три, и тогда исчезало уже все.

Сочинить такое было нельзя — только услышать.

Теперь надо понять, что делать, когда ничего сделать нельзя. Он сам запустил механизм более страшный, чем мог себе представить. Инер-

ция этого механизма была сильней, чем у поезда
на полном разгоне, и ни затормозить, ни свернуть.
Ему предстояло развернуть весь ход истории, остановить войну, шедшую по наихудшему сценарию:
два титана в железном объятии против всего про-
чего земшара. Он воспользовался заменой Шумяц-
кого на Дукельского. Шумяцкий был, в сущности,
дуб. Дукельский был, в сущности, осина. По этой
логике шли все замены, потому что дубов и так
было мало — все больше кустарник. Он добился
аудиенции у Горохова, считавшегося правой рукой
Дукельского; настоял, что отчеты следует теперь
подавать не дважды, а четырежды, ежекварталь-
но: интерес к СССР и советскому кино стал в мире
огромен. Он обещал включать в отчет переводы
наиболее заметных статей. Он прибавил, что нашей
публикой станет и вся Германия, ибо сам Геббельс,
не кто-нибудь, ставил в пример агитационное со-
ветское искусство. Что ж, снисходительно разрешили ему, подавайте. И Крастышевский прыгнул
выше головы.

Его очередной отчет был полон такой не-
прикрытой ненависти, такой вражды, что только камень — либо человек, вовсе не умевший читать, — сумел бы прочесть его хладнокровно. Дикая
злоба должна была овладеть читателем. Простые,
нейтральные слова складывались на уровне звука
и ритма в мозаику милитаристского безумства. Вот
только поначалу Дукельский не сумел толком при-
целиться, и жертвой первых двух отчетов нового периода стала несчастная Финляндия. Он промахнул-

ся чуть-чуть, самую малость, но самая малость на карте грозит обернуться сотнями километров. Финляндия была ни в чем не виновата, война оказалась неудачна. Жертв было множество с обеих сторон, с нашей больше. Крастышевский понимал, что это его вина, но ему уже было не до того. Вины на нем было уже столько, что одного загробного бытия, сколь угодно адского, не хватало на искупление. Теперь надо было исправлять ошибку, за волосы вытаскивать страну из ада, в который он ее вверг.

Следить за результатами стало трудней, ибо верховные структуры становились все закрытей, оттуда не просачивалось ни слухов, ни речей. Надо отдать Крастышевскому должное — он умел не только шифровать свое, но и расшифровывать чужое. В нескольких речах на разных уровнях начала наконец проскакивать готовность к столкновению. Ему удалось — больше эту заслугу некому было приписать, серьезно, — сорвать некоторые публикации «современного немецкого искусства»: после того как Япония, Италия и Германия объявили себя единой осью, остановили уже набранные переводы из немецкой поэзии, главным образом народной, но и новейшей, — в «Интернациональной литературе» и «Октябре».

Но хуже всего было то, что вместо готовности начать наконец большую войну и тем спасти мир от величайшей мерзости, в речах и статьях читал он страх, ужас.

Этому ужасу не было объяснения. Ведь так храбрились, так клялись решить все на чужой

территории, ведь незадолго до пакта ставили уже
пьесы о том, как немецкий пролетариат сокру-
шит... и наши летчики помогут... Ведь таким военным духом было проникнуто все — а теперь он
вычитывал из гласных (гласные всегда по этой
части откровеннее) какой-то жалкий, беспомощный, капитулянтский вой. Они так долго, так сильно готовились к всемирной схватке! — но вместе
с двадцатыми годами иссяк пыл. Ничего, ничего
больше не было. Крастышевский читал — и физически чувствовал нервную дрожь, которая их там
била: они говорили об отказе от оборонной такти-
ки, о новых командирах, о неизбежности войны, —
а слышалось ааа, ыыы! И о чем бы ни заходила
речь, сквозь всю мнимую уверенность он слышал,
чувствовал дрожь. Хотя на поверхности было
сплошное «разгромим».

Выходило, что они привыкли бить своих, и это
понравилось. Они не встретили ни малейшего сопротивления — и теперь панически страшились
любого врага. Как всякий многолетний правитель,
они расслабились. Как всякий мещанин, состари-
лись. Молодого, цепкого хищника больше не было;
герой, прославившийся эксами, то есть в сущности
мародерством, — оказался неспособен к открытому
бою. Все это время продолжали жрать своих; все
это время место дубов занимали осины; все это время они гнили. Не было больше ни великих строек,
ни грандиозных планов; кажется, они уже смири-
лись с тем, что станут сырьем для другого хищника, отдадут ему всю свою сырость, всю нефть —

и будут смотреть, как он грызет остатки Европы, косясь уже и за океан.

Мир, понимал Крастышевский, был страшной ошибкой; он уже и задуман был с ошибкой. Он нуждался теперь в радикальном претворении, и ничто, кроме войны, не могло раскалить горн до нужной температуры. Столько гнилья и плесени обнаружилось и наросло, в том числе в недавних гражданах нового мира, что выжечь все это мог только всемирный огонь; в огне кое-что могло уцелеть, а в болоте перегнило бы все. События мелькали вокруг Крастышевского до головокружения, и все мимо, все вотще.. Все сознавали заслуженность Армагеддона. А те, кто должен был начать Армагеддон, медлили, потому что разучились.

Крастышевский понимал, что к войне не готовятся, — или готовятся не к той. Тошнота одолевала его, когда он читал газеты. Газеты тоже полны были тошнотой страха. А между тем, если бы мы начали, у нас были бы прекрасные шансы. Нам надо, непременно надо было начать, ибо терпеть уже не было никакой возможности; теперь он смеялся над собой и ненавидел себя. Как смел он разводить этот трусливый пацифизм, когда враг рода человеческого глумился и кривлялся перед ним! Если его страна в нынешнем состоянии и годилась на что, то разве только на взрыв, с которого начнется цепная реакция последней войны. Надо было бросить себя в эту топку, и тогда у мира была бы призрачная надежда; во всяком ином случае мир все равно бы погиб, но перед этим изменился так необратимо, что и вспоминать о проекте не стоило.

И Крастышевский стал с ожесточением работать на войну — повествовать о мерзостях Германии, упирать на гнусности коричневого мировоззрения, кодировать свастику в структуре абзацев. Это была работа на износ, почти круглосуточная, и до него доходили уже смутные слухи о том, что он услышан: вроде на каком-то совещании сказали, что пора покончить с оборонительной доктриной... что нельзя ни пяди земли заполучить, если всегда защищаться... Он начал даже регулярно есть, поправляться. Все в нем оборвалось 14 июня, когда он прочел: провокации... слухи... никаких признаков... Это означало только одно: полное разоружение. Это значило, что подготовка, которой невозможно было не видеть, замалчивалась по принципу: чего я не вижу, того нет.

Они насмехались над Францией, но втайне желали для себя ее участи. Они всегда хотели быть французами, ведь французам так легко все сходило с рук. Они и теперь хотели сдать всех, кто не понравится новым хозяевам, и устроить себе Виши где-нибудь в Свердловске. От этой мысли у Крастышевского начинала болеть голова и перед глазами появлялись мушки.

Узкий и все сужавшийся, смерзавшийся круг людей, с которыми он еще говорил, преисполнился надежды — мерзейшего из качеств. Вот видите, говорили они, вдумчиво кивая. Вот видите, ничего нет. Все это паника. Если когда и начнется, то

не сейчас. Да и оцените явные невыгоды — кто же
будет начинать летом, когда уже так близко распу-
тица? Само собой, возможны любые провокации,
но государственная мудрость — в которой вы же
не можете отказать? — именно в том, чтобы четко
отличать их; неверный шаг в самом деле может
обернуться катастрофой. Но, слава богу, теперь
не двадцатый год, и мы умеем как-нибудь...

Они все трусили. Наверху трусили сильней
всего. Они понимали, что ничего не могут.

И тогда он приступил к последней своей работе.

Ковентри, Ковентри. Это слово все чаще мучило его. Что-то было в самом его звучании. Крастышевский знал, что в августе прошлого года город
почти стерли с лица земли. Почему Ковентри ничему их не научил? Нужно было найти звуковой ан-
тоним для Ковентри, но он не находился. Нужные
слова вообще словно кто вымел из его мозга. Смог
еще подумать «вымел», но само это слово уже почти ничего не значило.

Оставался шанс. Крастышевский приготовил
за неделю документ, который можно было подать.
В субботу, двадцать первого, позвонил Лене. Леня
мог как-нибудь отвезти своему начальству. Начальство могло как-нибудь, любой ценой, под предлогом
особой срочности... Наверняка у них есть там кана-
лы. Это был текст, призывавший не расслабляться
ни на секунду. Это был текст, призывавший начать,
ибо было уже ясно, что в противном случае первыми начнут они; и тогда, в сочетании с внезапностью, безумной внезапностью, вся их огневая

мощь... вся сила и тяжесть покорившейся им Европы... Если сейчас, немедленно, не прочесть то, что он подготовил, и не избавиться от благодушества, — может произойти нечеловеческое, непредставимое.

Был первый ясный день после нескольких жарких, удушливых и дождливых. Травы пошли в бешеный рост. По Москве ходили, кружились, порхали счастливые люди. Крастышевский дрожащей рукой, не попадая в кольца диска, звонил из уличного телефона.

— Лени нет, он уехал, — сообщил ему дряблый старушечий голос.

— Как нет, как уехал?! — в ужасе вскричал Крастышевский. — Он необходим, его на службу вызывают сейчас же!

— Он уехал на выходные, — уже с раздражением повторил старушечий голос. — Его не будет до завтра, до вечера.

— Боже мой! — простонал Крастышевский. — Тут минуты дороги, я не спал пять ночей! Умоляю вас, скажите, может быть, можно его как-нибудь найти?

— Я говорю вам, что он уехал, — торжествующе проговорил голос, и связь прервалась.

Все было кончено. Можно, конечно, искать другие нити, но все они вели в никуда. Сама судьба говорила Крастышевскому, что мир спасти нельзя, что чума начнет первой, и тогда уже никакого другого финала не вырисовывалось. Миру предстояло погибнуть, доказав перед этим полную, безоговорочную заслуженность погибели.

И тогда Крастышевский решился выкинуть на стол свой последний козырь.

Тут надо объяснение. А впрочем, не надо никакого объяснения. Как всякий человек, долго и целеустремленно над чем-нибудь работавший, он давно понимал, что мир не просто так, что мир не сам собой, что мир есть почерк, и почерк указывает на акт творения. Были не только люди и не только верховный творец, вот что важно помнить, — были медиаторы, посредники вроде Лени. У них был свой язык, остатки которого растворены в древнейших языках земли, например в санскрите. Санскрит Крастышевский знал в тех пределах, в каких понадобилось бы объясниться с первым встреченным носителем языка, если бы существовала та вымечтанная Индия, где говорили бы на санскрите. Этот язык был не выдуман, а спущен с небес. Фонемы имели там собственное значение. И Крастышевский задумал обратиться ко всем медиаторам — к Вестникам, как принято было их называть, в час, когда Вестники слышат. А именно в три часа утра. Разговаривать с Вестниками надлежало на высоком, открытом пространстве. Проникнуть на крышу по пожарной лестнице не составляло труда. Крастышевский стоял над городом, прозрачным и спящим. Начинало светать. Воздух был тесен от запахов и вестников. Вестники стремились к запахам. Редко выпадало им обонять над этим городом что-то столь прекрасное, все больше зловонный пот, пот ужаса и вины. Но теперь они торопились насытиться благовониями жасмина, и черемухи, и уже отцветающей сирени, и только готовящейся к цветению липы. Темно-голубой и даже черно-голубой воздух окружал Крастышевского, и он заговорил.

—Ажгуххр! Ахрр! Ахрр!

Это были слова призыва к готовности, к полной боевой готовности; к тому, чтобы уничтожить себя, швырнуть себя в бездну. Это были слова отпора. Это были слова, после которых никто не посмел бы предлагать капитуляцию, просить об отсрочке, надеяться. Это были слова самой черной решимости, от которых должны были проснуться мертвые.

—Ажгун! Гррахр! Шррруггр!

Крастышевский услышал внизу свисток милиционера, и это означало, что надо торопиться.

—Гррастр! Тррррубр! Андадавр!

За ним уже лезли. Крастышевский прижался к трубе. Теперь пусть будет что угодно. Они всё поняли, но и другие всё поняли. Он расслышал, как в воздухе что-то — непонятно что, но несомненное что-то — словно сказало ему: да, да, да.

* * *

- Э П И Л О Г -

Ранним утром в воскресенье Леня с женой
и дочкой отправился в лес. Наташа давно проси-
лась в лес, и хотя грибам было еще рано, он не мог
отказать. Она никогда не была в настоящем лесу,
и ей казалось, что это что-то вроде царства Бабы-
яги — Бабы-ягищи, как она говорила. Она вообще
любила смешно коверкать слова, и всегда с пре-
увеличением. Картошка была картошища, дворовая
черная лайка Багира была Багирулища.

Они приехали на дачу по приглашению начальника Лёниного гаража, старого большеви-
ка Косарева: тот снимал дом в Кратове и позвал
на выходные Леню с семьей. Рядом со станцией
начинался смешанный лес, с тремя тропинками,
расходившимися как бы от единого корня; и Леня
пошел по правой. Скоро началась вырубка, полная
земляники. Дочка Наташа кинулась было ее собирать, но не во что было класть. «Собирай в себя», —
посоветовал Леня, и она захихикала. Леня недавно
с удивлением узнал, что клубникой называется как

раз эта мелкая лесная и полевая ягода, а земляника — то, что растет в садах. Но чего уж переучи-
ваться. Земляника была мелкая, кислая, но чувствовался в ней лесной привкус, которого у садовой
ягоды не было. Трава была еще в росе, пахло влажной корой, уже успело нападать мелких желтых
березовых листьев, сгоревших на ранней июньской
жаре; потом пошли дожди, все смягчилось, а теперь опять надвигалась жара. Но Леня ей радовался, не переносил он только холода.

Что-то было удивительное в нынешнем утре,
а может, просто он давно не был на природе. Ему
почти не приходилось выезжать за город, все асфальт да асфальт, а тут что-то было в самом деле
необычное, словно в подарок ему на эти два дня.
Облака были широкие, как бы многоярусные. Они
двигались, но тихо, и меняли форму, оплывая и
сливаясь. Леня подумал, что их никак нельзя зафиксировать, разве что сфотографировать, а он
немного уже фотографировал, потому что жена
подарила ему на день рожденья, две недели назад,
хоть и купленный с рук, но прекрасный, вкусно
пахнущий ФЭД. Только вот зачем фотографировать
облака? Леня и свою жизнь не очень дорого ценил,
не то что облако. Ни над чем не надо было дро-
жать, он это знал с детдома. Тогда ничего не убы-
вало, да и что может убыть? Ничто ведь никуда
не девается.

Жизнь вообще налаживалась. Работа ему нравилась, денег прибавили, жену он любил, дочка вы-
здоравливала. Ее недолюбливали почему-то во дво-

ре, и она все больше сидела дома, читала книжки, уже в четыре хорошо читала сама, правда, только детское пока, но просила и что-нибудь для ребят постарше. Соседка давала ей старые книжки, еще дореволюционные. Вообще соседка проводила с ней многовато времени, как бы не научила ерунде, но говорила, что девочка очень способная, что она скоро научит ее по-французски и что у нее будет настоящий парижский выговор, потому что Наташа картавила — не сильно, а чуть-чуть.

Наташа наелась земляники и искала теперь грибы, но грибов не было, конечно. Тогда она стала собирать цветы. Лес надвинулся на нее сразу всеми новыми запахами, от которых она обалдела, как собака на первой охоте. Она и представила себя собакой, которую выгуливает отец, и стала дергать его за штаны. Тогда он взял ее на плечи, но скоро она соскочила и стала бегать кругами.

Лес Наташу все время обманывал. То лист притворялся жуком, то бабочка вспархивала, а только что ее не было видно. Потом через узкую полоску леса они вышли в поле, в котором Наташа сразу потерялась. Само собой, отец ее видел, но ей казалось, что ее не найдет теперь никто. Вокруг были высокие стебли, напившиеся недавнего дождя, и вдруг начались колокольчики, огромное колокольное царство. Те колокольчики, что она видела во дворе, ни в какое сравнение не шли с этими. Те были гости, а эти тут хозяева. Непонятно, откуда их столько выросло, кто их сеял. Они были разные — густо-лиловые, бледные, почти голубые; они

наплывали отовсюду, и Наташа среди них заблуди-
лась. Они совсем не пахли, но горько пахло травой
и почему-то медом, этот медовый запах приносил
ветер непонятно откуда. Мед был прямо в этом
ветре растворен. Дальше колокольчики кончились,
и началось что-то желтое, восхитительное, очень
яркое, — мать сказала, что это, наверное, горчица,
а отец — что сурепка. Но как бы это ни называлось,
оно-то и пахло, и в этом запахе Наташа прошла
еще некоторое время, пока не начались малиновые,
красные, лиловые — Наташа уже знала, что это по-
левые гвоздики, несколько таких росло у Косарева
на даче. Она хотела и их сорвать, но потом пожалела. Они были самые красивые. Бабочки здесь были
другие, не как в лесу, — больше и ярче, и одна
взлетела прямо перед ней, совсем необыкновенная,
серебристо-зеленая. Наташа еще никогда не видела
таких, и потом тоже никогда не видела, и эту се-
ребристо-зеленую она запомнила навсегда, с ярко-
стью сна. И кому бы она ни рассказывала потом
об этой бабочке, все говорили, что такой неоткуда
было взяться, это какая-то из джунглей, и как она
залетела в тот день, в тот луг, — непонятно.

Дальше поле кончалось, и начиналась пыль-
ная дорога, ведущая в деревню. Отец снова взял ее
на плечи. Пошли вдоль пруда, долгого, никак
не кончавшегося, потом вдоль железной дороги.
Отец обещал, что они купят парного молока. Наташа никогда еще не пила парного молока. Ей представлялось что-то вроде молочного пара, и притом
не обычного молочного, а сладко-творожного вкуса.

Дорога была пустынна, никого не было. Высоко-высоко над полем летала и клекотала странная коричневатая птица. Мать сказала, что это ястребок. Воздух был тоже совсем не московский, все в нем слышалось особенно далеко и чисто. Прошумел поезд, и Наташа помахала ему. Люди ехали куда-то в необыкновенные места, куда и они все втроем поедут когда-нибудь. Снова теплой волной поплыл медовый запах, теперь уже смешанный с горячим запахом поезда, с летними шпалами, от которых пахло так надежно и деловито, как никогда и ничем не пахло в городе, — и Наташа подумала, что так хорошо ей тоже никогда еще не было, но теперь, конечно, будет много раз.

Когда они вошли в деревню, Леню поразило безлюдье. Молока купить было не у кого. Он прошел чуть подальше и увидел, что все стоят вокруг репродуктора на высоком желтом столбе. Репродуктор передавал радостную, бодрую военную музыку, и люди почему-то слушали ее, никто не расходился. Лица у всех были серые, как во сне, Леня никогда не видел таких. Никто не говорил, и репродуктор тоже ничего не говорил, вообще не было ничего, кроме музыки; но он догадался.

2015–2017

Литературно-художественное издание

БЫКОВ ДМИТРИЙ ЛЬВОВИЧ

ИЮНЬ

РОМАН

18+   Содержит нецензурную брань

Главный редактор Елена Шубина
Художник Андрей Бондаренко
Литературный редактор Галина Беляева
Ответственный редактор Анна Колесникова
Младший редактор Вероника Дмитриева
Корректоры Елена Варфоломеева, Ольга Грецова,
Надежда Власенко, Максим Кривов
Компьютерная верстка Константина Москалева,
Елены Илюшиной

http://facebook.com/shubinabooks
http://vk.com/shubinabooks

Общероссийский классификатор продукции
ОК-005-93, том 2; 953000 – книги, брошюры

Подписано в печать 09.02.2018. Формат 60x90/16.
Печать офсетная. Усл. печ. л. 32.
Доп. тираж 5000 экз. Заказ №1519

ООО «Издательство АСТ»
129085 г. Москва, Звездный бульвар, д. 21,
строение 1, комната 39
Наш электронный адрес: www.ast.ru
E-mail: astpub@aha.ru

«Баспа Аста» деген ООО
129085 г. Мәскеу, жұлдызды гүлзар, д. 21,
1 құрылым, 39 бөлме
Біздің электрондық мекенжайымыз: www.ast.ru
E-mail: astpub@aha.ru

Қазақстан Республикасында дистрибьютор және
өнім бойынша арыз-талаптарды қабылдаушының
өкілі «РДЦ-Алматы» ЖШС, Алматы қ., Домбровский
көш., 3«а», литер Б, офис 1.
Тел.: 8(727) 2 51 59 89,90,91,92,
факс: 8 (727) 251 58 12 вн. 107;
E-mail: RDC-Almaty@eksmo.kz
Өнімнің жарамдылық мерзімі шектелмеген.

Отпечатано с готовых файлов заказчика
в АО «Первая Образцовая типография»,
филиал «УЛЬЯНОВСКИЙ ДОМ ПЕЧАТИ».
432980, г. Ульяновск, ул. Гончарова, д. 14.